심재연 지음

든든한 Java Programming

YD Edition 연두에디션

든든한
Java Programming

발행일 2018년 6월 20일 초판 1쇄
지은이 심재연
펴낸이 심규남
기 획 염의섭 · 이정선
펴낸곳 연두에디션
주 소 경기도 고양시 일산동구 동국로 32 동국대학교 산학협력관 608호
등 록 2015년 12월 15일 (제2015-000242호)
전 화 031-932-9896
팩 스 070-8220-5528
ISBN 979-11-8883-108-1
정 가 24,000원

이 책에 대한 의견이나 잘못된 내용에 대한 수정정보는 연두에디션 홈페이지나 이메일로 알려주십시오.
독자님의 의견을 충분히 반영하도록 늘 노력하겠습니다.
홈페이지 www.yundu.co.kr

※ 잘못된 도서는 구입처에서 바꾸어 드립니다.

이 책의 답안은 제공되지 않습니다.

PREFACE

어릴 적 Apple II 컴퓨터로 BASIC을 처음 접해봤을 때 마냥 신기하기만 했었던 컴퓨터 프로그래밍이 저에겐 어느새 생활이 되었습니다.

대부분의 사람들이 코딩에 대해 관심도 없던 시절에서 지금은 초등학생 때부터 코딩 교육이 의무화된 시대로 바뀌었습니다. 다양하게 변화된 프로그래밍 기법과 언어들 그리고 빠르게 변화되고 있는 컴퓨터 프로그래밍의 패러다임이 우리의 머리를 복잡하게 합니다.

자바는 오랫동안 사랑받아온 프로그래밍 언어입니다. C언어나 C++보다 어리긴 하지만 세상에 소개된 지 20년 이상 지났습니다. 긴 세월 동안 우여곡절이 많았던 언어이지만 아직도 많은 분야에서 자바 자신의 자리를 굳건히 지키고 있습니다.

자바는 객체지향언어로 JVM을 이용하여 운영체제나 하드웨어로부터 독립적인 장점이 있습니다. 또한 네트워크 프로그래밍을 간단하게 구현할 수 있습니다. 현재 안드로이드의 애플리케이션 프로그램을 제작하기 위해 자바가 사용됩니다.

본 교재는 처음 컴퓨터 프로그래밍을 접하는 학생이나 자바를 처음 시작하는 학생을 위하여 작성되었습니다. 쉽고 연관성 있는 예제를 구성하기 위해 노력하였고 개념에 대한 내용 또한 간결하게 설명하기 위해 힘썼습니다.

대학에서 학생들에게 "프로그래밍 잘하면 뭐가 좋은가요?"라는 질문을 종종 받습니다. 여러 가지 대답이 있을 수 있겠지만 저는 대부분 "프로그래밍을 정말 잘하면 자신이 만들고 싶은, 생각하고 있는 프로그램을 실제로 구현할 수 있다."라고 이야기 합니다.

프로그램의 구현을 위해 밑바탕이 되는 것은 코딩입니다. 하지만 코딩만 잘한다고 프로그래밍을 잘하는 것은 아닙니다. 프로그래밍을 잘하기 위해 언어의 습득뿐만 아니라 다양한 프로그램 기법과 문법의 이해, 알고리즘의 활용과 같은 다양한 기술이 필요합니다. 프로그래머는 프로그래밍을 잘해야 합니다. 이 책이 여러분들이 프로그래머로 자라나는데 조그만 도움이 됐으면 합니다.

이 책이 나올 때까지 수고해주신 연두에디션 분들께 감사드리며 그 외에 여러 도움을 주심 분들께 감사의 말씀을 드립니다.

감사합니다.

저자 심재연

CONTENTS

CHAPTER 1

Welcome to JAVA world

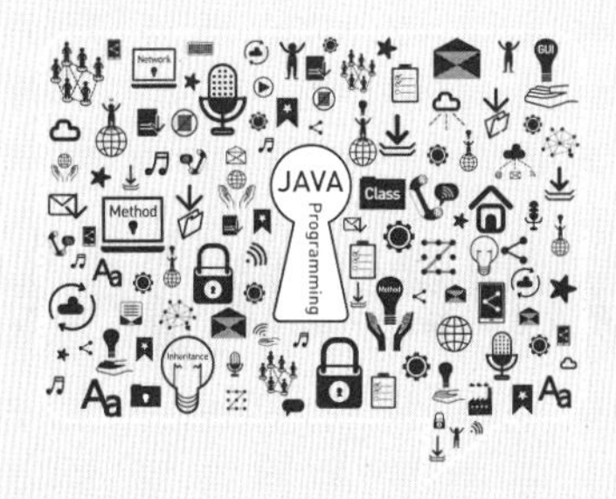
Network
JAVA
Programming
Class
Method

컴퓨터는 0 과 1만을 가지고 모든 동작을 진행한다. 인간의 컴퓨터와 대화하기엔 0 과 1을 이용한 이진 코드를 이용한 방법은 너무나 어려운 점이 많다. 이러한 어려움을 해결하고자 여러 선구자들이 다양한 프로그래밍 언어를 개발하였다. 컴퓨터 프로그래밍 언어는 저급언어인 기계어와 어셈블리어로부터 자연어에 가까운 다양한 고급언어가 존재한다. 우리는 그중 객체지향 프로그래밍 언어인 자바를 이용하여 컴퓨터와 대화하는 방법을 알아보고자 한다.

1.1 자바의 시작

자바(JAVA)는 썬 마이크로시스템즈의 제임스 고슬링(James Gosling)의 주도하에 1991년 그린 프로젝트(Green Project)로 개발된 객체지향 프로그래밍 언어인 Oak를 기반으로 1995년에 발표되었다. 1995년 발표된 자바 1.0을 시작으로 2017년 자바 9.0 발전되어 왔다. 현재는 오라클에서 자바를 관리한다. 자바는 JVM이라 불리는 자바 가상머신을 이용하여 자바가 설치되어있는 다양한 플랫폼에서 프로그램을 실행 시킬 수 있다. (그림1-1)은 자바의 실행과정이다.

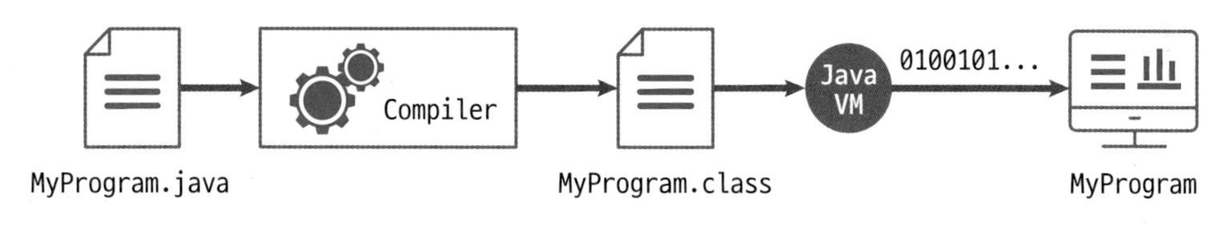

그림 1-1 자바의 실행 과정

자바 실행 시 먼저 소스코드를 작성하고 작성된 소스코드를 이용하여 컴파일러로 처리한다. 컴파일러는 소스코드에 오류가 없는지를 확인하고 문제가 없을 경우 바이트 코드 형태의 코드를 생성한다. 컴파일러를 통해 생성된 코드는 자바가상머신을 통해 실행되며 자바가상머신은 자바가 설치된 다양한 플랫폼에서 실행 할 수 있는 형태로 코드를 해석하여 프로그램을 실행 시킨다. 우리가 배우게 될 내용의 대부분은 첫 단계인 소스 코드의 작성이다. 자바 프로그램을 작성 할 때 자바 공식 홈페이지에 소개된 설계의 방법은 다음과 같다.

- 단순하고 객체지향에 대해 친화적이어야 한다.
- 견고하고 안전해야 한다.
- 아키텍처에 중립적이며 어디서나 쉽게 동작시킬 수 있어야 한다.
- 고성능을 추구한다.
- 인터프리트적이며, 스레드로 동작하고 동적이어야 한다.

1.2 자바의 설치

자바를 시작하기에 앞서 먼저 개발환경을 구축한다. 자바를 실행하기 위해 먼저 JDK(Java Development Kit)을 설치해야 한다. JDK는 다양한 검색 사이트에서 JAVA JDK 다운로드로 검색하여 찾을 수도 있고 https://www.oracle.com/java/index.html에 접속하여 Technologies 아래 부분의 Download Java SE for Developers를 클릭한다.

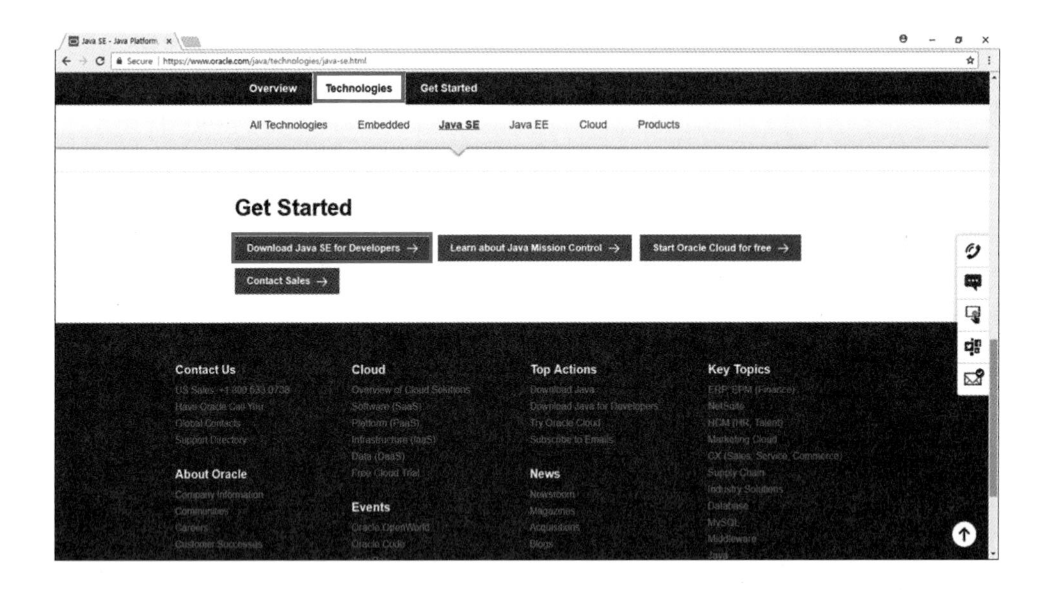

Java SE Download에서 JDK Download를 선택한다.

라이센스에 동의하고 운영체제 버전에 맞는 파일을 다운로드 받아 실행하여 설치한다.

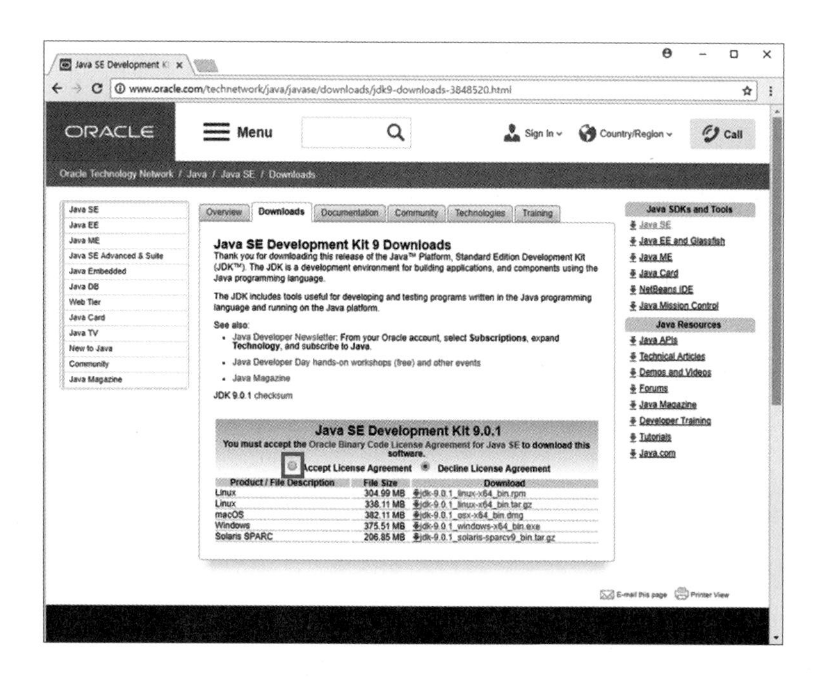

설치 시 주의해야 할 점은 프로그램의 설치 위치가 어느 곳인지 확인 하는 것이 중요하다.

1.3 개발 환경

자바를 이용한 프로그램은 몇 가지 방법이 있다. 본 책에서는 이클립스를 이용하여 자바 프로그래밍을 실행하는 방법에 대하여 설명한다.

이클립스는 오픈소스 기반의 통합 개발환경으로 간단한 설치만으로 Windows, macOS, 리눅스의 환경에서 사용가능하다. 이클립스 인터넷 사이트 https://www.eclipse.org에서 공개가 되고 있다.

이클립스는 이클립스 다운로드 사이트 https://www.eclipse.org/downloads/에서 프로그램을 다운 받을 수 있다.

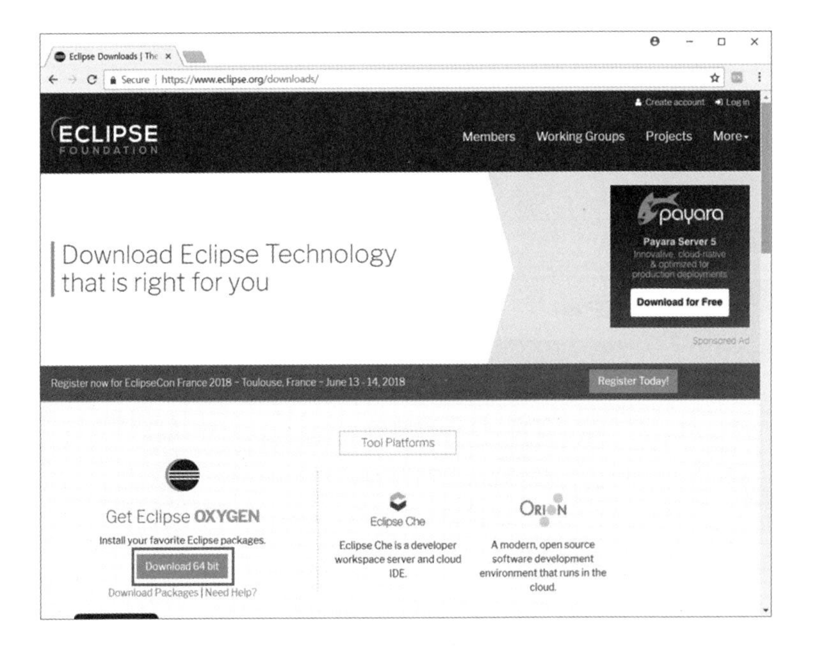

다운로드 링크 밑의 다운로드 패키지 설정에서 다운로드할 이클립스의 종류를 설정 할 수 있다. 설정을 하지 않았을 때는 이클립스 인스톨러로 설치가 결정된다.

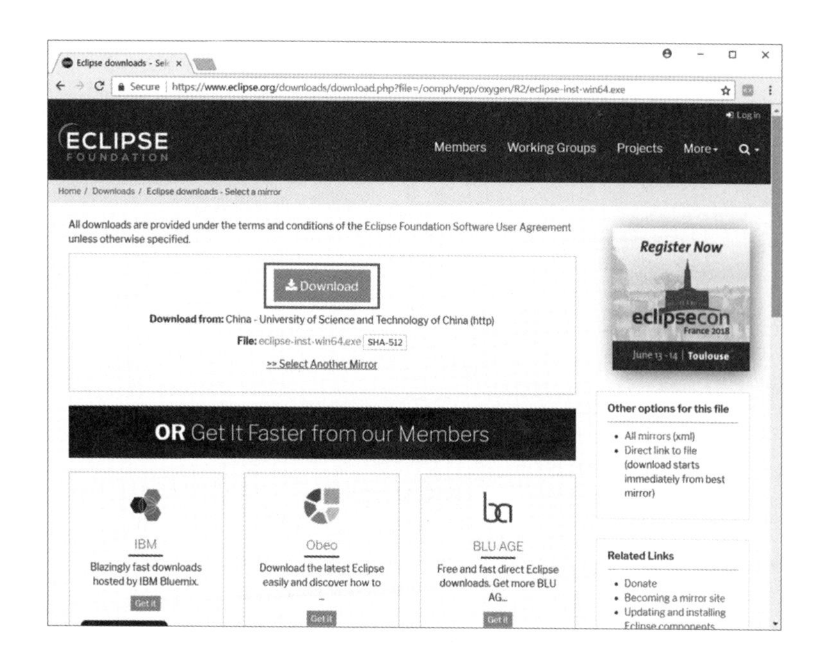

다운로드를 클릭하면 다운로드를 받을 곳을 선택 할 수 있다. 다운로드 받을 기관을 설정 하지 않아도 기본적으로 사용자와 사용자와 가까운 서버로 지정되어있다. 다운로드 링크를 클릭 한다.

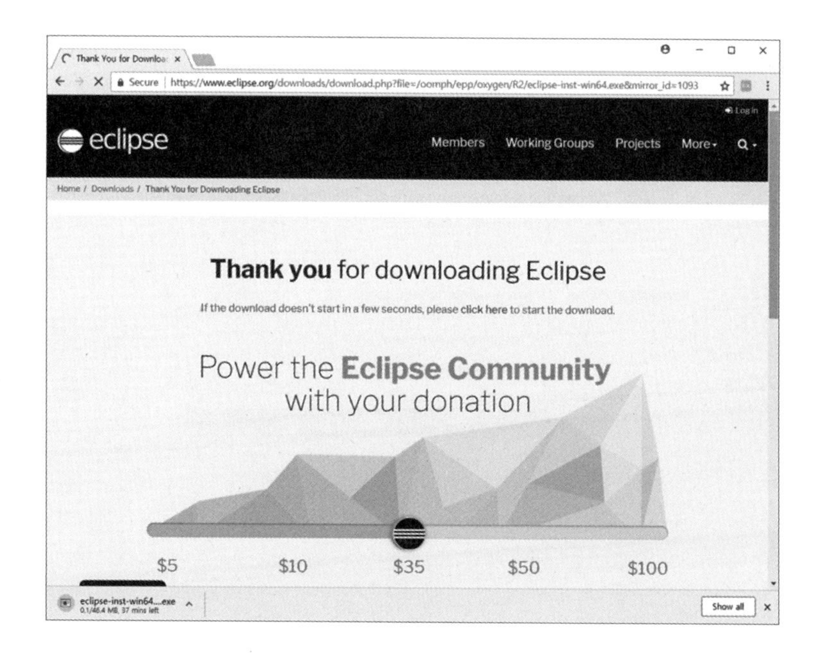

인스톨 파일을 모두 다운로드 받으면 다운로드 된 파일을 선택하여 실행 시킨다.

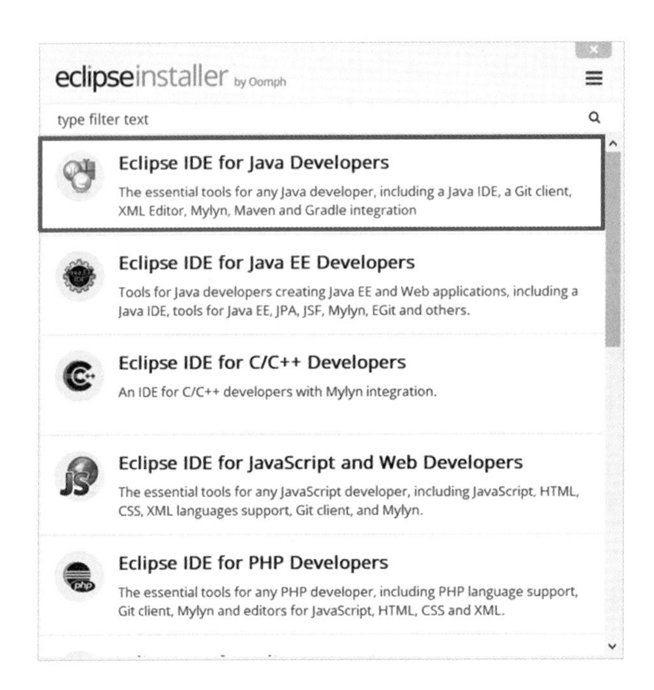

Eclipse IDE for java Developers를 선택하여 실행 시킨다.

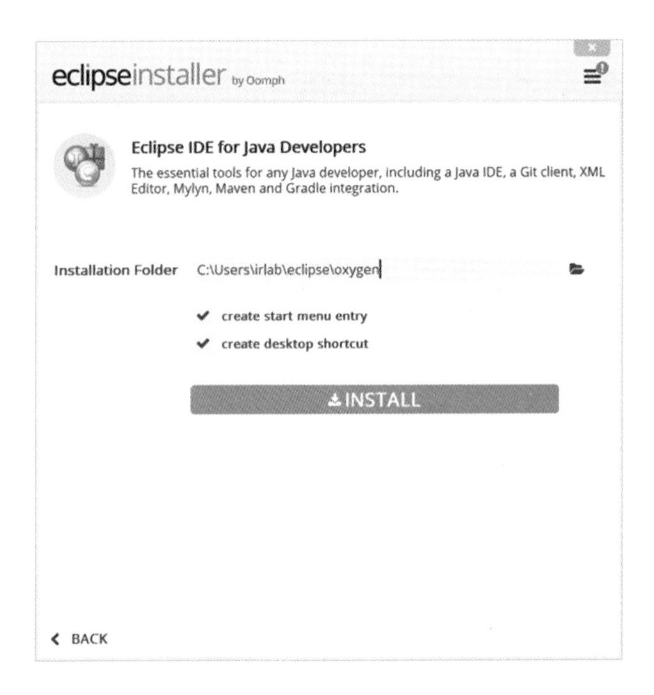

프로그램을 설치할 폴더를 지정하고 인스톨 버튼을 클릭한다.

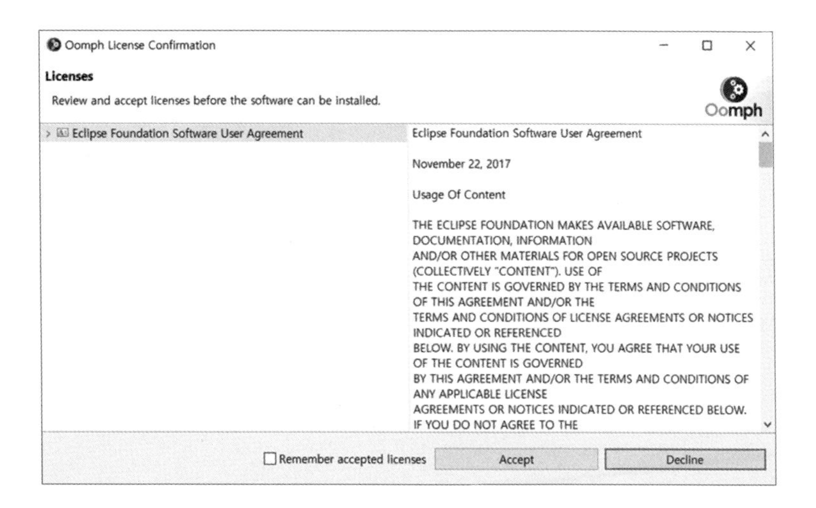

인스톨 중간에 라이센스에 문구가 나오는데 이를 읽어보고 수락하면 설치가 계속 진행된다.

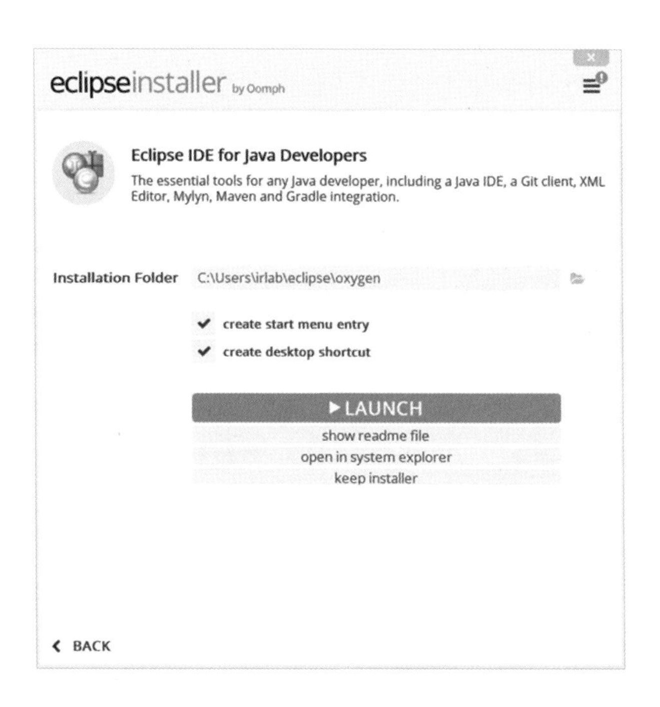

설치가 다 되고 LAUNCH를 누르면 프로그램이 실행된다.

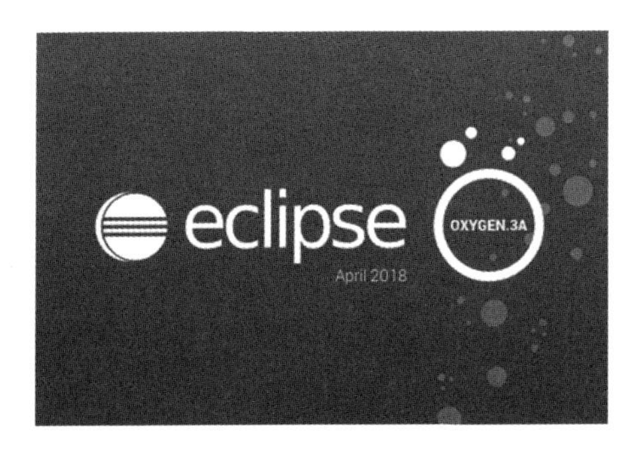

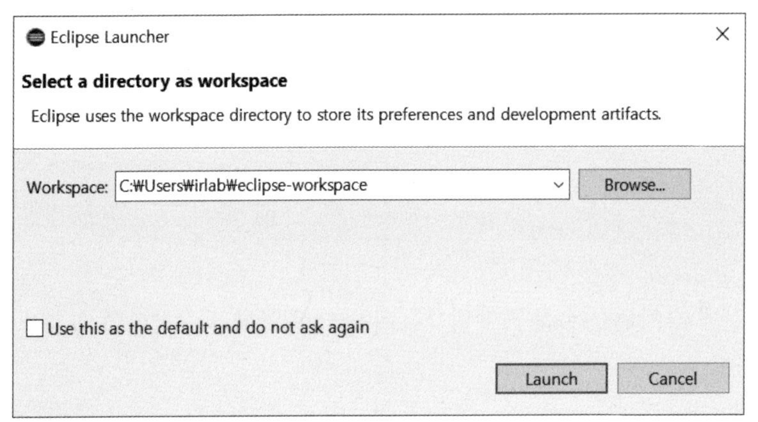

프로그램이 실행되면 사용자의 소스파일을 저장할 Workspace 폴더를 지정하고 Launch를 선택한다.

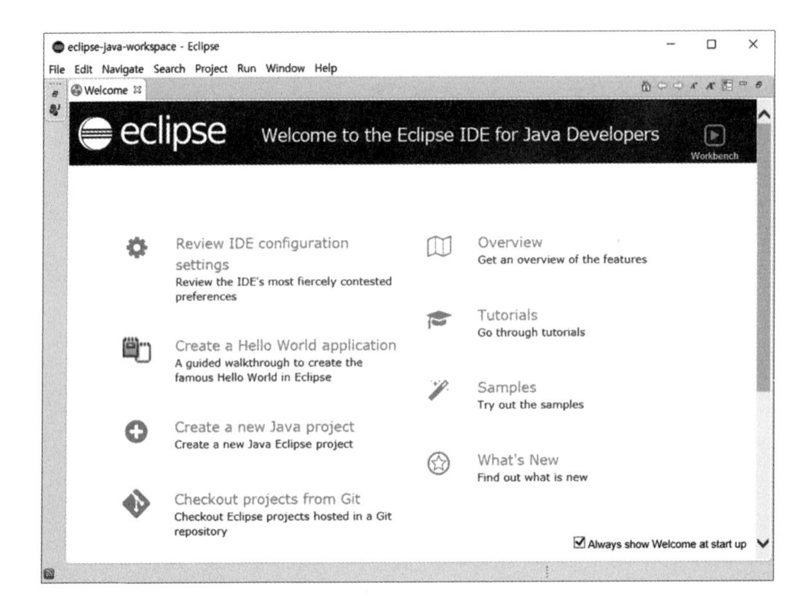

프로그램이 실행되면 위와 같은 창이 뜬다.

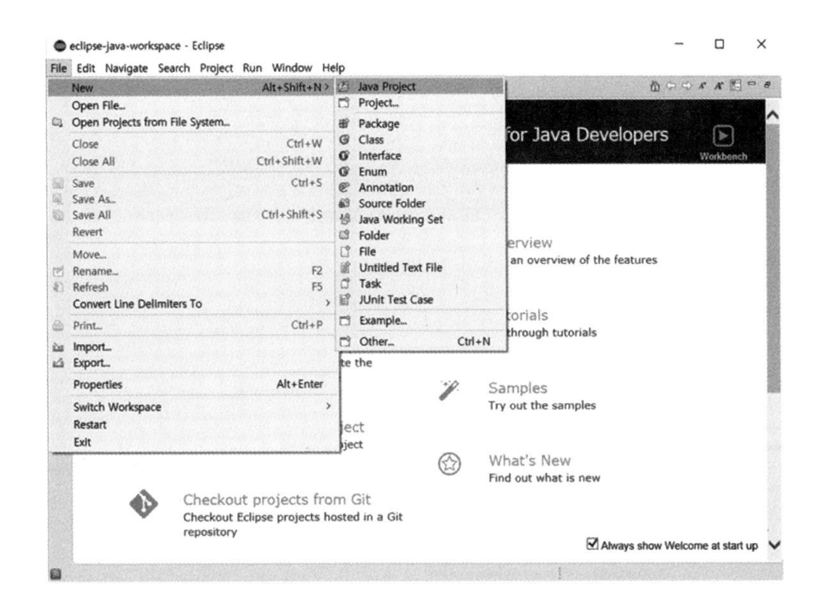

자바 프로그램을 만들기 위해 File → New → Java Project를 선택하여 클릭한다.

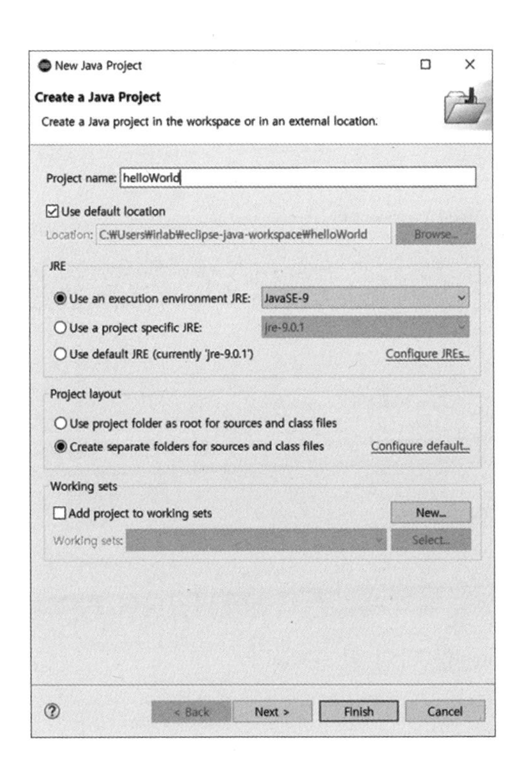

작성할 자바 프로젝트의 이름을 설정하고 Finish를 누른다. 프로젝트 생성을 위해 helloWorld를 프로젝트의 이름을 설정하였다.

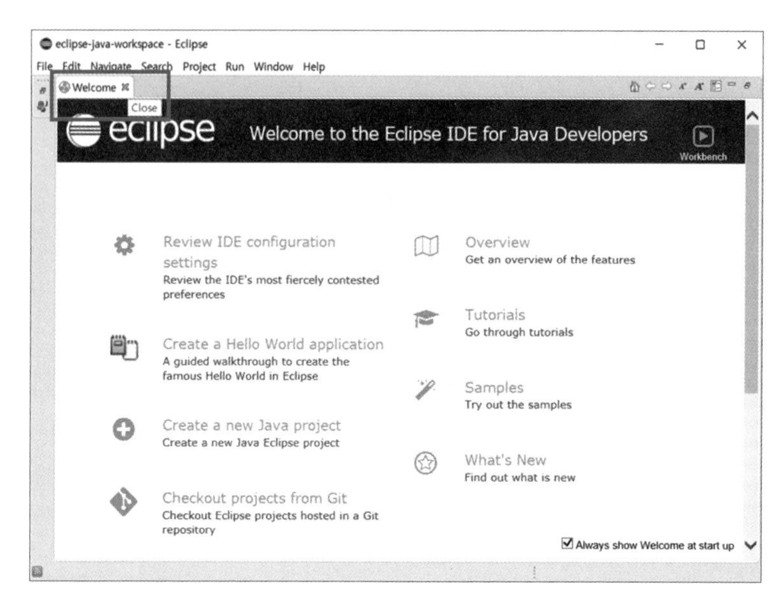

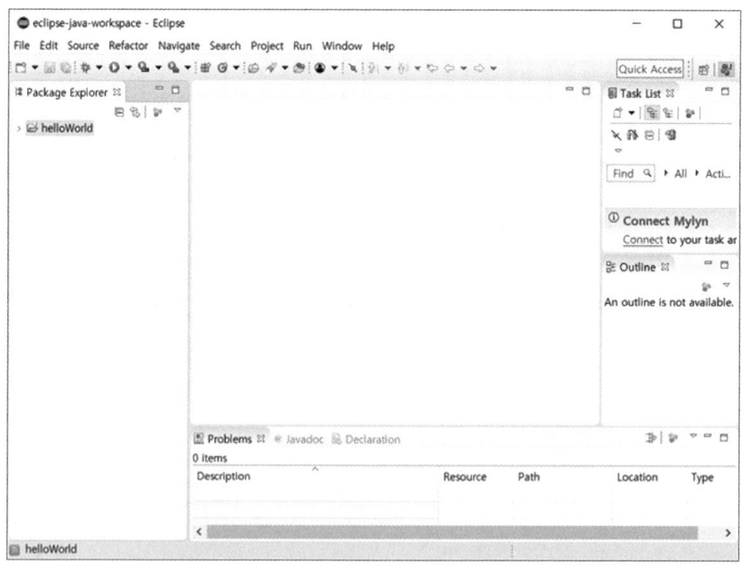

처음 프로그램을 실행했을 때와 똑같은 화면이 나왔다면 프로그램 내부의 윈도우 창을 닫으면 Package Explorer를 확인 할 수 있다.

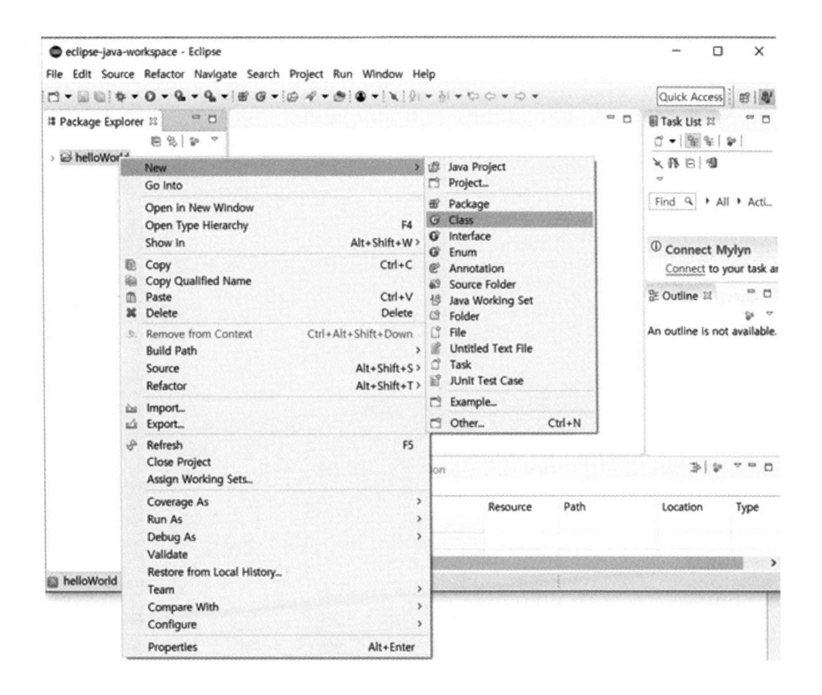

프로젝트명에 마우스 오른쪽 버튼으로 클릭한 후 New → Class를 선택한다.

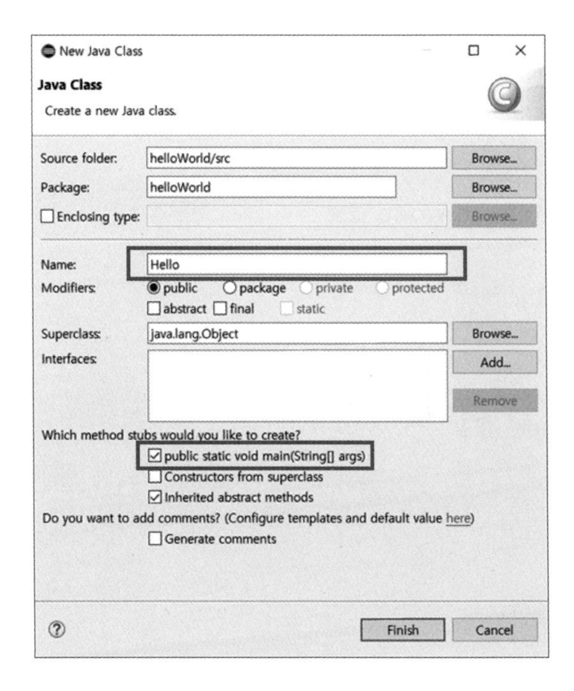

클래스의 이름을 설정하고 메인을 만들기 위해 public static void main(String[] args)을 선택한다. 클래스의 이름 첫 글자는 대문자로 설정 하도록 한다.

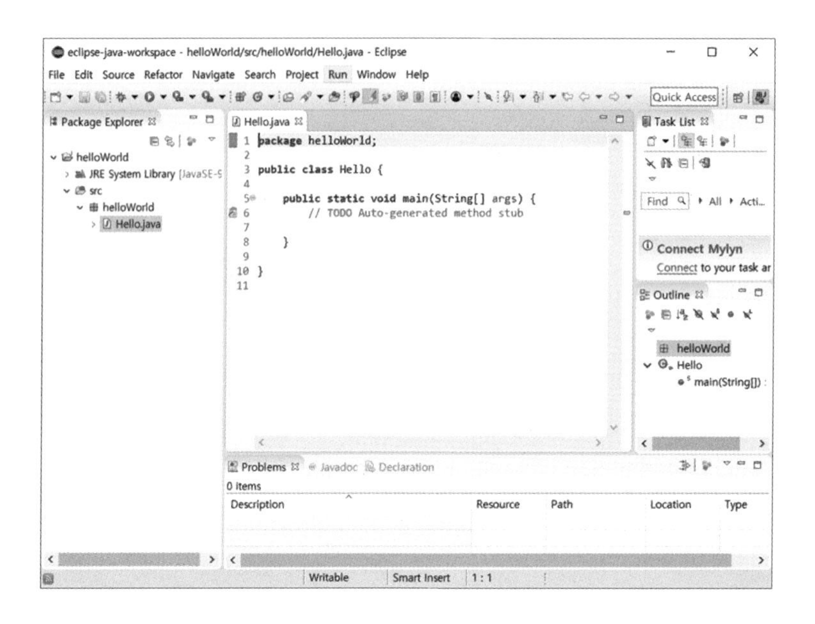

설정한 클래스 이름을 가진 자바 파일이 생성되고 가운데 창에서 자바 소스 파일을 확인 할 수 있다. 이제 "hello World!!" 문장을 출력해보자.

코드 1-1 hello World 출력

```
1  public class Hello {
2    public static void main(String[] args) {
3
4      System.out.println("hello World!!");
5
6    }
7  }
```

[코드 1-1]과 같이 입력하고 Run을 클릭하여 실행하거나 단축키 Ctrl + F11을 누르면 다음과 같은 출력이 나온다.

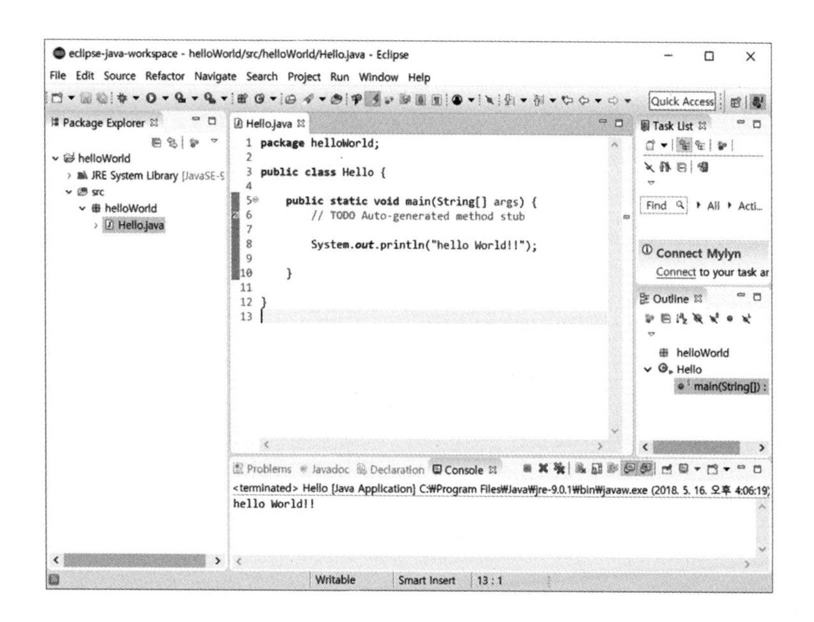

1.4 자바의 기본 화면 입출력

자바에서 문장을 출력하기 위해 System.out을 이용한다. [코드 1-1]에서는 println()을 사용하였는데 이것을 ()안의 내용을 출력하고 행을 바꾸는 명령어이다. 이외에도 화면에 문장을 출력하는 명령어로는 print()와 printf()가 있는데 print()는 ()안 내용을 출력하고 향은 변경하지 않으며 printf()는 ()안 내용을 지정된 포맷을 사용하여 출력한다. 포맷의 형식은 아래와 같다.

포멧	표현
%d	10진수 정수
%o	8진수 정수
%x	16진수 정수
%c	문자
%s	문자열
%f	10진수 실수

포맷을 이용하여 출력할 때 소숫점 2자리까지만 출력하고 싶으면 %.2f와 같이 입력하고 문장의 행을 바꾸려면 을 넣는다. 여러 개의 문장을 더해서 입력 하고 싶은 경우 + 연산자를 사용한다.

[코드 1-2]는 print(), println(), printf()를 이용하여 화면에 글자를 출력하는 프로그램이다.

코드 1-2 글자를 화면에 출력

```
1  public class Hello {
2    public static void main(String[] args) {
3
4      System.out.print("Welcome" + " to ");
5
6      System.out.println("JAVA" + " World");
7
8      System.out.printf("파이: %f \n" , 3.14);
9      System.out.printf("파이: %.2f \n" , 3.14);
10
11   }
12 }
```

결과

```
Welcome to JAVA World
파이: 3.140000
파이: 3.14
```

자바에서 키보드로 입력한 글자를 화면에 출력하시 위해 java.util.Scanner를 사용한다. 입력 받은 문장을 숫자로 활용하기 위해서 nextInt()명령어를 사용하고 문장으로 활용하기 위해서 nextLine() 명령어를 사용한다. 결과가 나오는 콘솔 창에 입력하고 싶은 글자를 입력 한다. [코드 1-3]은 글자와 숫자를 입력 받고 출력하는 프로그램이다.

코드 1-3 입력하고 화면에 출력

```
1  import java.util.Scanner;
2
3  public class Hello {
4    public static void main(String[] args) {
5
6      Scanner in = new Scanner(System.in);
7
8      System.out.print("이름을  입력: ");
9      String name = in.nextLine();
10
11     System.out.printf("안녕하세요  %s 님 \n" , name);
12
13     System.out.print("숫자를 입력: ");
14     int number = in.nextInt();
15
16     System.out.printf("입력한 숫자: %d \n" , number);
17   }
18 }
```

결과

```
이름을  입력: Java
안녕하세요  Java 님
숫자를 입력: 1004
입력한 숫자: 1004
```

import 키워드를 이용하여 java.util.Scanner 라이브러리를 선언한다. 입력 받은 내용을 저장하기 위해 number과 name을 사용 하였는데 이는 변수라 하며 다음 장에서 자세히 설명한다.

1.5 주석처리

주석이란 프로그램을 읽는 사람을 위한 것으로 주로 프로그램에 대한 이해를 돕기 위한 글들을 적어놓는다. 주석은 프로그램이 실행될 때 코드로부터 분리되어 삭제되기 때문에 프로그램의 실행에는 아무런 영향을 미치지 않는다. 다른 사람이 작성한 프로그램을 이해하는 것은 매우 어려운 작업 중에 하나이다. 자신이 직접 작성한 프로그램이라 하더라도 프로그램을 작성한지 오랜 시간이 지난 후에 프로그램을 다시 보면 많은 부분을 이해할 수 없는 경우도 있다. 이와 같이 프로그램 자체만으로는 프로그램을 이해하는데 많은 어려움이 있기 때문에 프로그램 옆이나 위에 프로그램 작성자, 프로그램 작성 의도, 프로그램의 동작형태 등을 적어놓으면 프로그램의 이해를 높이는데 많은 도움을 줄 수 있다. 또한 다양한 버전의 프로그램을 제작할 때 테스트를 위하여 코드 일부분을 실행 하고 싶지 않을 경우 주석을 사용할 수 있다.

자바에서 한 줄의 내용을 주석처리 하는 //과 여러 줄의 내용을 주석 처리하는 /* */과 JavaDoc를 위한 주석인 /** */을 사용 할 수 있다. 본 책에서는 // 과 /* */ 형태의 주석 처리 방법에 대하여 알아본다. [코드 1-4]는 프로그램에 [코드 1-1]에 주석을 사용한 프로그램이다.

코드 1-4 주석

```
1  public class Hello {
2    public static void main(String[] args) {
3
4      System.out.println("hello World!!"); // hello World를 화면에 출력합니다.
5      /* 여러줄의
6      주석도
7      처리할 수 있습니다. */
8    }
9  }
```

결과

```
hello World!!
```

4번째 줄에서 // 를 사용하여 주석을 처리하였다. // 표기 뒤부터 그 줄의 맨 끝까지 써진 모든 문자는 주석 처리되어 프로그램에 영향을 주지 않았다. 5번째 줄에서 7번째 줄까지는 여러 줄에 걸쳐 주석 처리한 예를 보여준다. /*와 */ 사이에 있는 모든 문자는 주석처리 되어 프로그램에 영향을 주지 않았다.

연습문제

1. System.out.println 를 이용하여 자신의 이름과 학번을 출력하시오.

```
이름: 홍길동
학번: 201812345
```

2. 포멧 형식을 이용하여 이름을 문자열로 학번을 정수로 출력하시오.

```
이름: 홍길동
학번: 201812345
```

3. 문장을 입력받아 출력 하시오.

```
입력 : 안녕하세요. 홍길동입니다.
입력 받은 문장: 안녕하세요. 홍길동입니다.
```

4. 주석을 이용하여 코드의 결과를 다음과 같이 나오도록 수정하시오.

```
public class Hello {
  public static void main(String[] args) {

    System.out.println("hello World!!");
    System.out.print("Welcome" + " to ");
    System.out.println("JAVA" + " World");
  }
}


-------------

hello World!!
```

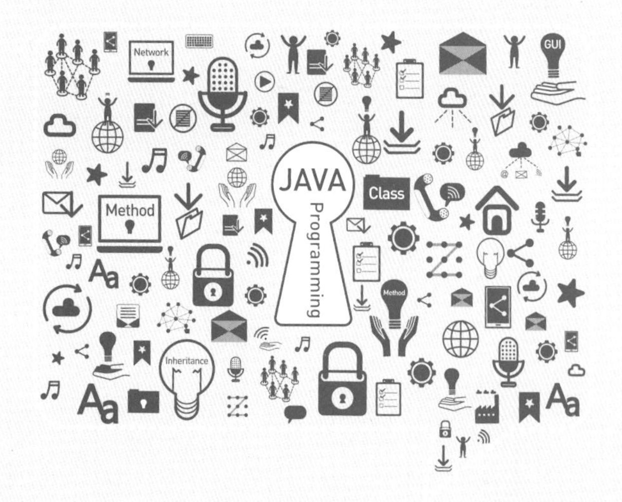

CHAPTER 2

변수와 연산자

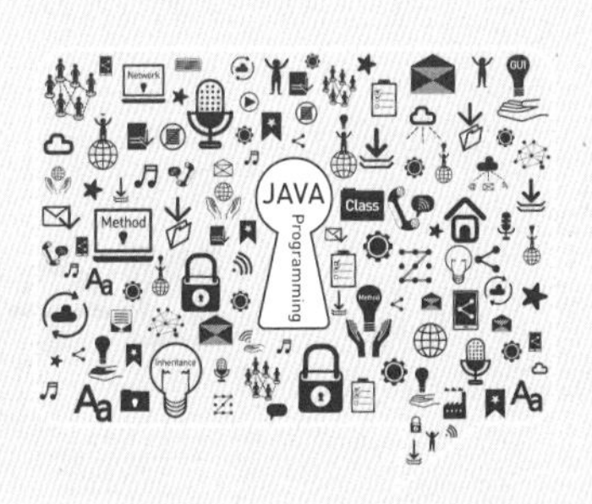
JAVA
Programming
Class
Method

2.1 변수의 선언

사전적인 뜻으로 변수는 어떤 관계와 범위 내에서 여러 가지로 변할 수 있는 값을 의미하고 컴퓨터 프로그램에서 변수는 데이터를 저장하는 메모리 공간을 뜻한다.

변수는 데이터의 종류에 따라 다양한 형식으로 저장되며 JAVA는 데이터의 종류를 구분하기 위하여 데이터 타입(Data Type)을 사용하며 [표 2-1]과 같은 8개의 원시 데이터 타입(Primitive data type)을 가진다.

표 2-1 JAVA의 원시 데이터 타입

데이터 타입	크기	표현	값의 범위
byte	8bit	정수(integer)	-128~127
short	16bit	정수(integer)	-32,768~32,767
int	32bit	정수(integer)	-2,147,483,648 ~2,147,483,647
long	64bit	정수(integer)	-9,223,372,036,854,775,808 ~9,223,372,036,854,775,807
float	32bit	부동소수점 (floating point)	±1.4e-45 ~±3.4028235e+38
double	64bit	부동소수점 (floating point)	±4.9e-324 ~±1.7976931348623157e+308
boolean		부울 논리(Boolean)	true, false
char	16bit	문자(character)	'\u0000'~'\uffff'

[표 2-1]을 보면 변수는 데이터 타입에 따라 크기와 표현하는 정보가 다르다. boolean의 경우 실제 1bit의 정보를 나타내지만 크기는 정확하게 정의되어 있지 않다.

변수를 생성할 때 변수의 데이터 타입과 변수의 이름을 선언한다. 변수를 선언하는 방법은 (그림 2-1)과 같다.

```
int      name;
```

데이터 타입 변수의 이름

그림 2-1 변수의 선언

JAVA에서 변수 이름을 선언할 때 시작은 문자나 '_', '$'로 선언 되어야 한다. 변수 이름의 시작은 숫자로 선언될 수 없으며 JAVA에서 정의된 예약어 또한 변수의 이름으로 사용할 수 없다. 예약어란 JAVA에서 이미 어떠한 용도로 사용될 것을 미리 지정해 놓은 문자로 데이터 타입 또한 예약어이다. (그림 2-2)는 JAVA에서 정의된 예약어중 일부이다.

abstract	assert	boolean	break	byte
case	catch	char	class	const
continue	default	do	double	else
enum	extends	final	finally	float
for	goto	if	implements	import
instanceof	int	interface	long	native
new	package	private	protected	public
return	short	static	strictfp	super
switch	synchronized	this	throw	throws
transient	try	void	volatile	while

그림 2-2 자바 예약어

변수 이름은 대소문자를 구분하며 한글을 이용하여 변수 이름 선언이 가능하다. 변수 이름의 길이에 대한 제한은 없고 변수 이름에 공백은 포함될 수 없다. 표[2-2]는 변수 이름으로 사용가능한 예와 잘못된 예를 보여준다. 꼭 지켜야 하는 규칙은 아니지만 변수의 이름을 정할 때 변수의 정보를 의미하는 명사형 영문자로 지정해 주는 것이 가독성 및 프로그램 코드를 이해하는데 좋다.

표 2-2 변수 이름의 사용 가능/불가능 예

사용가능한 예	사용불가능 예
name	123name : 숫자를 첫 번째로 사용
$age	#key : #을 사용
_value	this : 예약어 this를 사용
변수	my name : my와 name 사이에 공백

2.1.1 정수의 선언

정수는 기본적으로 int 타입을 사용하며 값의 범위에 따라 byte, short, long 타입을 사용한다. long 타입을 사용할 때 숫자 뒤에 L 혹은 l을 붙여 long 타입임을 명시한다. 정수는 10진수가 기본적으로 사용되지만 2진수, 8진수, 16진수 또한 저장이 가능하다. 2진수의 데이터 값 저장할 경우 앞에 0b를 붙이고 0과 1로 표현하고 8진수의 경우 데이터 값 앞에 0을 붙이고 0에서 7까지의 숫자로, 16진수는 앞에 0x를 붙이고 0에서 F(f)까지의 값으로 저장한다. [코드 2-1]은 정수 데이터를 변수에 저장하고 출력하는 프로그램이다.

코드 2-1 정수 출력

```
1  public class Example {
2    public static void main(String[] args) {
3      int ten = 10;
4      byte ten2 = 0b1010;   ← 2진수 표현
5      short ten8 = 012;   ← 8진수 표현
6      int ten16 = 0xA;   ← 16진수 표현
7      long longNumber = 3000000000L;
```

```
 8
 9         System.out.println(ten);
10         System.out.println(ten2);
11         System.out.println(ten8);
12         System.out.println(ten16);
13         System.out.println(longNumber);
14     }
15 }
```

결과

```
10
10
10
10
3000000000
```

3번째 줄에서 10진수 10을, 4번째 줄에서 2진수의 10을 의미하는 0b1010을, 5번째 줄에서 8진수의 10을 의미하는 012를, 6번째 줄에서 16진수의 10을 의미하는 0xA를 변수에 저장하였다. 출력된 결과는 10으로 모두 동일하였다. 7번째 줄에서 상당히 큰 자연수3000000000을 출력하기 위하여 long 타입의 변수 longNumber를 선언하고 3000000000L을 저장하여 출력 하였다. 숫자 뒤에 L을 선언하지 않으면 프로그램은 동작하지 않는다.

2.1.2 실수의 선언

실수는 부동소수점으로 표현되며 기본적으로 double 타입을 사용하고 값의 범위에 따라 float 타입을 사용한다. float 타입을 사용할 때 숫자 뒤에 F 혹은 f을 붙여 float 타입임을 명시한다. 실수는 일반표기법과 지수표기법으로 사용 할 수 있다. 지수 표기법을 사용할 때 표현할 숫자를 쓰고 뒤에 E 또는 e를 표기한 뒤 -기호와 소수점 아래 자리수를 표시한다. [코드 2-2]은 실수 데이터를 변수에 저장하고 출력하는 프로그램이다.

코드 2-2 실수 출력

```
1  public class Example {
2    public static void main(String[] args) {
3      double pi = 3.14;
4      double pie = 314e-2;
5      float pif = 3.14f;
6      float pief = 314e-2f;
7
8      System.out.println(pi);
9      System.out.println(pie);
10     System.out.println(pif);
11     System.out.println(pief);
12   }
13 }
```

결과

```
3.14
3.14
3.14
3.14
```

3번째 줄과 5번째 줄에서 double 타입과 float 타입의 변수에 3.14의 실수 값을 저장하여 출력하도록 하였고 4번째 줄과 6번째 줄에서 double 타입과 float 타입의 변수에 3.14의 지수표기법인 314e-2를 저장하여 출력 하였다. 5번째 줄과 6번째 줄에서 float 타입의 데이터를 표현하기 위하여 숫자 뒤에 f를 선언하였고 float 타입의 경우 숫자 뒤에 f나 F를 선언 하지 않을 때 문제가 발생하여 프로그램은 동작하지 않는다.

2.1.3 문자의 선언

JAVA에서 문자는 유니코드를 이용하며 char 타입을 사용한다. 0~65,535 범위의 정수로 표현 할 수 있어 일종의 정수 타입으로 생각 할 수 있다. 문자를 표현할 때 작은 따옴표 '로 문자를 감싸 선언하거나 유니코드로 선언 할 수 있고 유니코드 선언 시 '\uffff'와 같이 ┌u와 4자리 16진수로 선언한다. 한글의 자음이나 모음 혹은 한 글자의 한글의 선언 또한 가능하며 숫자로도 선언이 가능하다. [코드 2-3]은 문자 데이터를 변수에 저장하고 출력하는 프로그램이다.

코드 2-3 문자 출력

```
1  public class Example {
2    public static void main(String[] args) {
3      char cNumber = 97;
4      char cAlphabet = 'a';
5      char cUnicode = '\u0061';
6      char cHan = '한';
7      char cYou = 'ㅠ';
8
9      System.out.println(cNumber);
10     System.out.println(cAlphabet);
11     System.out.println(cUnicode);
12     System.out.println(cHan);
13     System.out.println(cYou);
14   }
15 }
```

결과

```
a
a
a
한
ㅠ
```

a의 출력에 대하여 3번째 줄에서 숫자를 4번째 줄에서 문자를 5번째 줄에서 유니코드를 사용하여 변수에 저장하였다. 6번째 줄과 7번째 줄에서 한글 '한'과 한글의 자음 'ㅠ'를 변수에 저장 하고 출력하였다. 문자는 한글자만 저장되며 'abc'나 '가나다'와 같이 1개 이상의 문자를 저장하는 경우 문제가 발생하여 프로그램은 동작하지 않는다.

2.1.4 논리 값의 선언

논리 값은 참과 거짓의 값을 저장하기 위해 이용하며 boolean 타입을 사용한다. 변수 선언 시 데이터 값으로 true나 false로 저장할 수 있다. (코드 2-4)은 부울 논리 형식 데이터를 변수에 저장하고 출력하는 프로그램이다.

코드 2-4 논리 출력값

```
1  public class Example {
2    public static void main(String[] args) {
3      boolean TRUE = true;
4      boolean FALSE = false;
5
6      System.out.println(TRUE);
7      System.out.println(FALSE);
8    }
9  }
```

결과

```
true
false
```

2.2 숫자 데이터의 타입의 범위와 오버플로우 그리고 2의 보수

JAVA에서는 숫자 데이터 타입의 최솟값과 최댓값의 정보를 제공한다. [표2-3]는 JAVA에서 제공하는 숫자데이터의 최솟값과 최댓값을 나타내는 명령어다.

표 2-3 숫자데이터의 최솟값과 최댓값

데이터 타입	최솟값	최댓값
byte	Byte.MIN_VALUE	Byte.MAX_VALUE
short	Short.MIN_VALUE	Short.MAX_VALUE
int	Integer.MIN_VALUE	Integer.MAX_VALUE
long	Long.MIN_VALUE	Long.MAX_VALUE
float	Float.MIN_VALUE	Float.MAX_VALUE
double	Double.MIN_VALUE	Double.MAX_VALUE

[코드 2-5]는 숫자 데이터 타입의 최솟값과 최댓값을 변수에 저장하고 출력하는 프로그램이다.

코드 2-5 변수의 데이터 범위

```
1  public class Example {
2    public static void main(String[] args) {
3      byte byteMin = Byte.MIN_VALUE;
4      byte byteMax = Byte.MAX_VALUE;
```

```
 5
 6         short shortMin = Short.MIN_VALUE;
 7         short shortMax = Short.MAX_VALUE;
 8
 9         int intMin = Integer.MIN_VALUE;
10         int intMax = Integer.MAX_VALUE;
11
12         long longMin = Long.MIN_VALUE;
13         long longMax = Long.MAX_VALUE;
14
15         float floatMin = Float.MIN_VALUE;
16         float floatMax = Float.MAX_VALUE;
17
18         double doubleMin = Double.MIN_VALUE;
19         double doubleMax = Double.MAX_VALUE;
20
21         System.out.println(byteMin+" ~ "+byteMax);
22         System.out.println(shortMin+" ~ "+shortMax);
23         System.out.println(intMin+" ~ "+intMax);
24         System.out.println(longMin+" ~ "+longMax);
25         System.out.println(floatMin+" ~ "+floatMax);
26         System.out.println(doubleMin+" ~ "+doubleMax);
27     }
28 }
```

결과

```
-128 ~ 127
-32768 ~ 32767
-2147483648 ~ 2147483647
-9223372036854775808 ~ 9223372036854775807
1.4E-45 ~ 3.4028235E38
4.9E-324 ~ 1.7976931348623157E308
```

데이터의 범위는 데이터 타입에 따라 변수가 표현 할 수 있는 데이터 값을 나타낸다. 데이터 범위를 넘어가는 값이 변수에 저장되었을 경우 변수는 제대로 된 정보를 표현하지 못한다. 이러한 상황을 변수의 데이터가 오버플로우(Overflow)되었다고 한다. [코드 2-6]은 변수의 오버플로우를 보여주는 프로그램이다.

코드 2-6 변수의 오버플로우

```
1  public class Example {
2    public static void main(String[] args) {
3      byte x= Byte.MAX_VALUE;
4      System.out.println(x);
5
6      x++;  <---- x변수의 값을 1 증가 시킴
7      System.out.println(x);
8    }
9  }
```

결과

```
127
-128
```

6번째 줄의 x++는 x에 1을 더해준다는 의미이다. byte 타입의 최댓값인 Byte.MAX_VALUE는 127이고 byte 타입 변수 x에 1을 더했더니 -128이 되었다. 127에서 1을 더했으니 128이 나올 것이란 예상을 깨고 -128이 나왔다. 이는 byte 데이터 값의 범위를 넘어가는 값을 표현하려고 했기 때문이고 -128이 나온 이유는 JAVA는 음수를 표현하기 위해 2의 보수를 사용하기 때문이다. 컴퓨터 프로그램은 0과 1로 구성된 비트 값으로 이루어지고 데이터 또한 0과 1로 구성된 비트 값으로 저장된다. 2의 보수는 어떤 수에 대한 2진수로 표현한 값으로 맨 첫 자리는 수가 0이면 양수, 1이면 음수를 의미하며,

양수에 값을 음수로 표현할 때 각 자리의 값이 1이면 0, 0이면 1으로 변환시킨 방법인 1의 보수에 1을 더한 표현법을 말한다. (그림2-3)은 8bit로 이루어진 데이터에 저장된 0에 대한 1의 보수와 2의 보수를 보여준다.

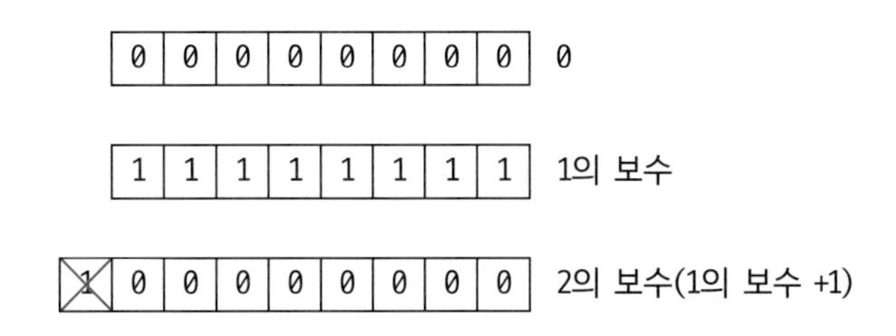

그림 2-3 0의 1의 보수와 2의 보수 표현

컴퓨터 프로그램에서 1의 보수로 표현할 경우 양수의 0과 음수의 0에 대한 2가지 표현이 발생하고 2의 보수의 경우 하나의 값으로 표현되어 음수를 표현 할 때 2의 보수를 사용한다. 결과에서 127의 이진수인 01111111에서 1을 더한 값은 10000000으로 -128을 의미하여 결과로 -128이 출력되었다.

2.3 숫자 데이터의 타입 변환

JAVA에서 숫자 데이터를 저장하는 변수들은 서로간의 타입 변환이 가능하다. 정수타입은 실수타입으로 변환 될 수 있고 실수타입 또한 정수타입으로 변환 할 수 있다. 데이터 타입을 변화시키기 위해 변환시킬 변수 앞에 변환시킬 데이터 타입을 ()에 넣어 표기한다. 데이터 타입 변환 시 데이터 타입 간의 표현 값의 범위가 존재하기 때문에 범위가 작은 데이터로 변환 할 때 오버플로우가 발생하여 일부 데이터의 정보를 잃어버릴 수 있다. 또한 실수타입 데이터를 정수 타입으로 변환할 때 소수점 밑의 자리 값에 대한 데이터 정보를 잃어버릴 수 있다. [코드 2-7]은 int 타입 데이터를 byte 타입 데이터로 double 타입 데이터를 int 타입으로 변환 시킬 때 발생되는 문제를 보여주는 프로그램이다.

코드 2-7 타입 변환

```
1  public class Example {
2    public static void main(String[] args) {
3      int intNumber = 200;
4      double doubleNumber = 3.141592;
5
6      System.out.println((short)intNumber);
7      System.out.println((byte)intNumber);
8      System.out.println((int)doubleNumber);
9    }
10 }
```

결과

```
200
-56
3
```

6번째 줄에서 int 타입 변수 intNumber의 값 200을 short 타입으로 변환하여 출력한 결과는 200으로 200은 short 타입의 표현 값이 내에 존재하여 정보의 손실이 없었다. 하지만 7번째 줄에서 int 타입 변수 intNumber의 값 200을 byte 타입으로 변환하여 출력한 결과는 −56이로 8번째 줄에서 double 타입 변수 doubleNumber의 값 3.141592를 int 타입으로 변환하여 출력한 결과는 3으로 나와 정보의 손실이 있었다.

프로그램을 할 때 종종 하는 실수중 하나는 타입 변환에 따른 값의 버림에 대한 문제이다. [코드 2-8]은 int 타입과 double 타입에서 나누기 연산을 할 때 발생하는 문제를 보여주는 프로그램이다.

코드 2-8 자동 타입 변환

```
1  public class Example {
2    public static void main(String[] args) {
3      int intNumber ;
4      double doubleNumber;
5
6      intNumber = 3/4;
7      doubleNumber = 3/4;
8
9      System.out.println(intNumber);
10     System.out.println(doubleNumber);
11   }
12 }
```

결과

```
0
0.0
```

6번째 줄의 값을 출력한 결과가 0인 것에 대해서 정수의 연산이기 때문에 0이 나온 것을 알 수 있다. 하지만 7번째 줄의 결과가 0.0이 나온 것에 대해서 의아해 하는 경우가 많을 것이다. 이는 int 타입 3과 int 타입 4의 나누기 계산 결과가 int 타입으로 저장되기 때문이다. 이러한 문제를 해결해 주기위해 (double) 타입으로 변환을 시켜주거나 3이나 4의 숫자를 3.0 혹은 4.0으로 변경해 주면 된다. JAVA 프로그램에서 다른 두 개의 데이터 타입으로 연산될 경우 더 사이즈가 큰 데이터 타입으로 결과 값이 저장되며 정수 데이터 타입과 실수 데이터 타입 간의 연산이 이뤄질 경우 실수 데이터 타입으로 저장된다. [코드 2-9]는 [코드 2-8]에서 발생한 문제를 해결한 프로그램이다.

코드 2-9 자동 타입 변환 문제 해결

```
1  public class Example {
2    public static void main(String[] args) {
3      double doubleNumber;
4
5      doubleNumber = 3/(double)4;  ← 형변환 연산자를 사용하여 데이터 타입을 변경
6      System.out.println(doubleNumber);
7
8      doubleNumber = 3.0/4;  ← 정수 3을 실수 3.0으로 변경
9      System.out.println(doubleNumber);
10   }
11 }
```

결과

```
0.75
0.75
```

2.4 연산자

어떠한 값에 대하여 계산하여 결과는 얻는 것을 연산이라 하며 연산에 사용되는 기호를 연산자라 한다. JAVA는 산술연산자, 증감연산자, 비교연산자, 논리연산자, 비트연산자, 비트 시프트연산자, 대입연산자를 가진다.

2.4.1 산술연산자

산술연산자는 덧셈, 뺄셈, 곱셈, 나누기의 몫과 나머지 대한 결과를 얻기 위하여 사용한다. [표 2-4]는 산술연산자의 구성이다.

표 2-4 산술연산자

연산자	사용법	의미
+	x + y	x와 y를 더한 결과 값
-	x - y	x와 y를 뺀 결과 값
*	x * y	x와 y를 곱한 결과 값
/	x / y	x와 y를 나눈 몫의 값
%	x % y	x와 y를 나눈 나머지의 값

산술연산자는 자바의 원시 데이터 타입에서 boolean 타입을 제외한 모든 타입에서 사용이 가능하다. 단 % 연산자의 경우 피연산자로 정수 타입의 데이터만 취한다. [코드 2-10]은 산술연산자의 예를 보여주는 프로그램이다.

코드 2-10 산술 연산자

```
1  public class Example {
2    public static void main(String[] args) {
3      int result;
4
5      result = 7+5;
6      System.out.println("7 + 5 = " + result);
7
8      result = 7-5;
9      System.out.println("7 - 5 = " + result);
10
11     result = 7*5;
12     System.out.println("7 * 5 = " + result);
13
14     result = 7/5;
15     System.out.println("7 / 5 = " + result);
```

```
16
17        result = 7%5;
18        System.out.println("7 % 5 = " + result);
19    }
20  }
```

결과

```
7 + 5 = 12
7 - 5 = 2
7 * 5 = 35
7 / 5 = 1
7 % 5 = 2
```

산술연산자 +의 경우 문자열 변수, 문자열과 문자열 간의 결합에도 사용된다.

2.4.2 증감연산자

증감연산자는 하나의 항을 가지는 단항연산자로 증감연산자가 실행될 때 항의 값을 1 증가 시키거나 감소시킬 때 사용된다. 증감연산자는 항의 앞에 표시되거나 뒤에 표시될 수 있다. [표 2-5]는 증감연산자의 구성이다

표 2-5 증감연산자

연산자	사용법	의미
++	x++	실행 후에 x에 1을 증가
++	++x	실행 전에 x에 1을 증가
--	x--	실행 후에 x에 1을 감소
--	--x	실행 전에 x에 1을 감소

증감연산자가 뒤에 붙어 있을 경우 변수 호출 후 1을 증가 혹은 감소시켜 사용하라는 의미이고, 증감연산자가 앞에 붙어 있을 경우 변수 호출 전 1을 증가 혹은 감소시켜 사용하라는 의미이다. [코드 2-11]은 증가연산자의 전위 연산과 후위 연상의 차이를 보여주는 프로그램이다.

코드 2-11 증가 연산자

```
1  public class Example {
2    public static void main(String[] args) {
3      int result;
4
5      result = 10;
6      System.out.println(result++);
7      System.out.println(result++);
8      System.out.println(result++);
9
10     System.out.println();
11
12     result = 10;
13     System.out.println(++result);
14     System.out.println(++result);
15     System.out.println(++result);
16   }
17 }
```

결과

```
10
11
12

11
12
13
```

2.4.3 대입연산자

대입연산자는 = 연산자를 사용하며 연산의 값을 저장 할 때 사용한다. JAVA는 연산자 =의 오른쪽의 값을 왼쪽의 변수에 저장한다. 대입연산자는 다른 연산자와 결합되어 복합대입연산자로 사용된다. [표 2-6]은 복합대입연산자 중 가장 많이 사용 되는 산술대입연산자의 구성이다.

표 2-6 산술대입연산자

연산자	사용법	의미
+=	x += y	x에 y를 더한 결과 값을 x에 대입
-=	x -= y	x에 y를 뺀 결과 값을 x에 대입
*=	x *= y	x에 y를 곱한 결과 값을 x에 대입
/=	x /= y	x에 y를 나눈 몫의 값을 x에 대입
%=	x %= y	x에 y를 나눈 나머지의 값을 x에 대입

2.4.4 비교연산자

비교연산자는 두개의 값을 서로 비교할 때 사용되는 연산자로 결과로 true나 false를 반환한다. [표 2-7]은 비교연산자의 구성이다.

표 2-7 비교연산자

연산자	사용법	의미
==	x == y	x와 y 가 같으면 true 다르면 false
!=	x != y	x와 y 가 다르면 true 같으면 false
<	x < y	x가 y 보다 작으면 true 크면 false
>	x > y	x가 y 보다 크면 true 작으면 false
<=	x <= y	x가 y 보다 작거나 같으면 true 크면 false
>=	x >= y	x가 y 보다 크거나 같으면 true 작으면 false

[코드 2-12]는 변수 x에 10을 저장하고 변수 y에 20을 저장했을 때의 비교연산자 결과를 보여주는 프로그램이다.

코드 2-12 비교 연산자

```
1  public class Example {
2    public static void main(String[] args) {
3      int x, y;
4
5      x = 10;
6      y = 20;
7
8      System.out.println(x==y);
9      System.out.println(x!=y);
10     System.out.println(x<y);
11     System.out.println(x>y);
12     System.out.println(x<=y);
13     System.out.println(x>=y);
14   }
15 }
```

결과

```
false
true
true
false
true
false
```

10과 20의 비교 값이 true 와 false로 보이는 것을 확인 할 수 있다.

2.4.5 논리연산자

논리연산자는 논리 타입에서만 사용할 수 있으며 항의 조건을 두개의 값을 서로 비교할 때 사용되는 연산자로 결과로 true나 false를 반환한다. [표 2-8]은 비교연산자의 구성이다.

표 2-8 논리연산자

<table>
<tr><th>연산자</th><th>사용법</th><th>의미</th></tr>
<tr><td>&&</td><td>x && y</td><td>x와 y의 값이 모두 true일 때 결과는 true 그 외의 연산 결과는 false</td></tr>
<tr><td>||</td><td>x || y</td><td>x와 y의 값이 모두 false일 때 결과는 false 그 외의 연산 결과는 true</td></tr>
<tr><td>^</td><td>x ^ y</td><td>x와 y의 값이 다르면 true 같으면 false</td></tr>
<tr><td>!</td><td>! x</td><td>x의 값이 true일 때 결과는 false, x의 값이 false일 때 결과는 true</td></tr>
</table>

<table>
<tr><td colspan="2" rowspan="2">&&</td><td colspan="2">y</td></tr>
<tr><td>true</td><td>false</td></tr>
<tr><td rowspan="2">x</td><td>true</td><td>true</td><td>false</td></tr>
<tr><td>false</td><td>false</td><td>false</td></tr>
</table>

<table>
<tr><td colspan="2" rowspan="2">||</td><td colspan="2">y</td></tr>
<tr><td>true</td><td>false</td></tr>
<tr><td rowspan="2">x</td><td>true</td><td>true</td><td>true</td></tr>
<tr><td>false</td><td>true</td><td>false</td></tr>
</table>

<table>
<tr><td colspan="2" rowspan="2">^</td><td colspan="2">y</td></tr>
<tr><td>true</td><td>false</td></tr>
<tr><td rowspan="2">x</td><td>true</td><td>false</td><td>true</td></tr>
<tr><td>false</td><td>true</td><td>false</td></tr>
</table>

<table>
<tr><td colspan="3">!</td></tr>
<tr><td rowspan="2">x</td><td>true</td><td>false</td></tr>
<tr><td>false</td><td>false</td></tr>
</table>

[코드 2-13]은 위의 표를 이용하여 논리연산자 결과를 보여주는 프로그램이다.

코드 2-13 논리 연산자

```java
public class Example {
  public static void main(String[] args) {
    System.out.println("&&");
    System.out.println("true && true = "+ (true && true));
    System.out.println("true && false = "+ (true && false));
    System.out.println("false && true = "+ (false && true));
    System.out.println("false && false = "+ (false && false));

    System.out.println("||");
    System.out.println("true || true = "+ (true || true));
    System.out.println("true || false = "+ (true || false));
    System.out.println("false || true = "+ (false || true));
    System.out.println("false || false = "+ (false || false));

    System.out.println("^");
    System.out.println("true ^ true = "+ (true ^ true));
    System.out.println("true ^ false = "+ (true ^ false));
    System.out.println("false ^ true = "+ (false ^ true));
    System.out.println("false ^ false = "+ (false ^ false));

    System.out.println("!");
    System.out.println("!true = "+ (!true));
    System.out.println("!false = "+ (!false));
  }
}
```

결과

```
&&
true && true = true
true && false = false
false && true = false
false && false = false
||
true || true = true
true || false = true
false || true = true
false || false = false
^
true ^ true = false
true ^ false = true
false ^ true = true
false ^ false = false
!
!true = false
!false = true
```

2.4.6 비트연산자

비트연산자는 변수의 값을 비트단위로 연산하는데 사용된다. 비트 연산에는 비트간의 값을 비교하여 결과 값을 반환하는 연산자와 비트를 이동시킨 결과를 반환 하는 연산으로 이루어져 있다. 자바에서 비트연산자는 정수 타입에만 사용하며 제공하는 비트연산자는 [표 2-9]와 같다.

표 2-9 비트연산자

연산자	사용법	의미
&	x & y	x와 y의 비트 모두 1이면 연산 결과는 1
¦	x ¦ y	x 또는 y의 비트가 1이면 연산 결과는 1
^	x ^ y	x와 y가 다르면 연산 결과는 1이고, 같으면 연산 결과는 0
~	~x	x의 비트가 0이면 연산 결과는 1로, x의 비트가 1이면 연산 결과는 0
<<	x << y	x의 비트를 왼쪽으로 y번 쉬프트, 최하위 비트는 0으로 채움
>>	x >> y	x의 비트를 오른쪽으로 y번 쉬프트, 최상위 비트는 기존 비트와 동일한 값으로 채움
>>>	x >>> y	x의 비트를 오른쪽으로 y번 쉬프트, 최상위 비트는 0으로 채움

&		y	
		1	0
x	1	1	0
	0	0	0

¦		y	
		1	0
x	1	1	1
	0	0	0

^		y	
		1	0
x	1	0	1
	0	1	0

~		
x	1	0
	0	1

[코드 2-14]는 비트연산자를 이용한 프로그램이다.

코드 2-14 논리연산자

```
1  public class Example {
2    public static void main(String[] args) {
3      System.out.println("10 & 2 = "+(10 & 2));
4      System.out.println("10 | 2 = "+(10 | 2));
5      System.out.println("10 ^ 2 = "+(10 ^ 2));
6      System.out.println("~10 = "+(~10));
7
8      System.out.println("10 << 2 = "+(10 << 2));
9      System.out.println("10 >> 2 = "+(10 >> 2));
10     System.out.println("10 >>> 2 = "+(10 >>> 2));
11
12     System.out.println("-10 >> 2 = "+(-10 >> 2));
13     System.out.println("-10 >>> 2 = "+(-10 >>> 2));
14   }
15 }
```

결과

```
10 & 2 = 2
10 | 2 = 10
10 ^ 2 = 8
~10 = -11
10 << 2 = 40
10 >> 2 = 2
10 >>> 2 = 2
-10 >> 2 = -3
-10 >>> 2 = 1073741821
```

위 결과에서 각 연산의 결과 값은 10진수의 값으로 나타나지만 실제 연산은 비트단위로 이루어지기 때문에 아래와 같은 연산이 실행된다. 자바의 정수 값은 int의 범위로 표현되나 가독성을 위하여 8비트 범위를 기반으로 표시 하였다.

$10_{(10)}$ & $2_{(10)}$ = $2_{(10)}$

0 0 0 0 1 0 1 0	&	0 0 0 0 0 0 1 0	=	0 0 0 0 0 0 1 0

$10_{(10)}$ ¦ $2_{(10)}$ = $10_{(10)}$

0 0 0 0 1 0 1 0	¦	0 0 0 0 0 0 1 0	=	0 0 0 0 1 0 1 0

$10_{(10)}$ ^ $2_{(10)}$ = $8_{(10)}$

0 0 0 0 1 0 1 0	^	0 0 0 0 0 0 1 0	=	0 0 0 0 1 0 0 0

~ 연산에서 음수 값이 나오는 이유는 2의 보수를 이용한 표현식 때문이다.

~$10_{(10)}$ = $-11_{(10)}$

~	0 0 0 0 1 0 1 0	=	1 1 1 1 0 1 0 1

양의 쉬프트 연산에서 〉〉 와 〉〉〉가 같은 결과 값을 보이지만 음의 시프트 연산에서 다른 결과 값을 보이는 이유는 〉〉의 경우 비트 이동시 기존 최상위 비트의 값을 이용하여 최상위 비트를 채우지만 〉〉〉는 항상 최상위 비트를 0으로 채우기 때문이다.

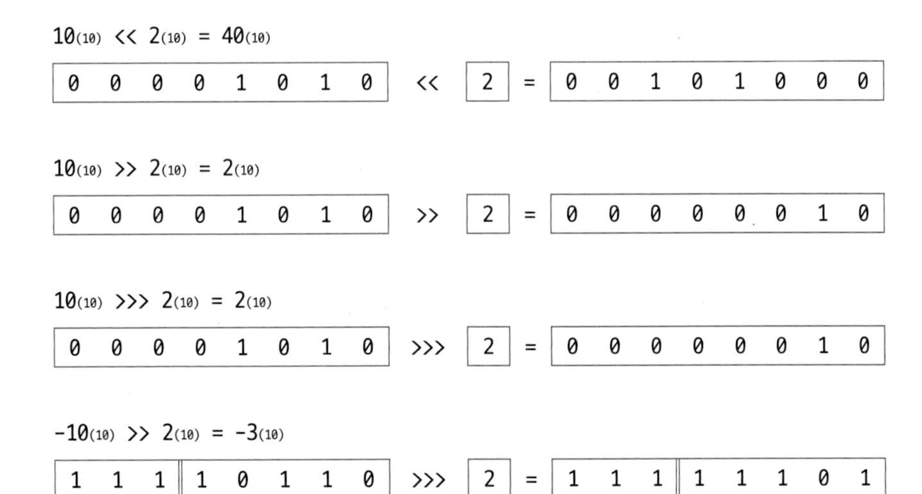

$-10_{(10)}$ >>> $2_{(10)}$ = $1073741821_{(10)}$

1 1 1 1 0 1 1 0	>>>	2	=	0 0 1 1 1 1 0 1

2.4.7 삼항연산자

삼항연산자는 조건연산자라고 다음과 같이 ? :의 식으로 사용된다.

```
변수 = 조건 ? 값A : 값B ;
```

자바에서 삼항연산자를 이용할 때 결과를 변수에 저장한다. 조건이 true 일 경우 값A가 변수에 저장되고 조건이 false일 경우 값B가 변수에 저장된다. [코드 2-15]는 삼항연산자를 이용한 프로그램이다.

코드 2-15 삼항 연산자

```
1  public class Example {
2    public static void main(String[] args) {
3      int x = 2;
4
5      x = ( x%2 == 0) ? x+1 : x-1;
6      System.out.println(x);
7
8      x = ( x%2 == 0) ? x+2 : x-2;
9      System.out.println(x);
10   }
11 }
```

결과

```
3
1
```

5번째 줄에서 삼항연산자를 이용하여 x가 2로 나누어떨어질 경우 x에 1을 더한 값을 저장하고 나누어떨어지지 않을 경우 x에 1을 뺀 값을 저장 하도록 하였다. x의 값은 2임으로 x에 3이 저장되어 6번째 줄에서 x의 값이 3으로 출력되었다. 8번째 줄에서 x가 2로 나누어떨어질 경우 x에 2를 더한 값을 저장하고 나누어떨어지지 않을 경우 x에 2를 뺀 값을 저장 하도록 하였다. x의 값이 3임으로 6번째 줄에서 x의 값이 1로 출력되었다.

2.4.8 연산자우선순위

우리는 자바에서 제공하는 여러 가지 연산자들에 대하여 알아보았다. 이제 우리는 연산자들이 한 문장에 섞여 있을 때 어떤 연산자부터 처리할지에 대하여 알아보자.

```
result = x + y * z;
```

위 문장을 실행시키면 y * z 가 먼저 계산되고 그 결과와 z를 더한 값을 result에 저장한다. 곱셈 연산자를 덧셈 연산자보다 우선하여 처리하였다. 이와 같이 모든 연산자사이에는 연산자 우선순위가 있다.

연산자 우선순위가 같은 경우의 처리 순서에 대해서는 다음 문장을 통해 알아보자.

```
result = x + y + z;
```

위 문장을 실행시키면 x + y를 먼저 계산되고 그 결과와 z를 더한 값을 result에 저장한다. 이와 같이 같은 연산자 혹은 같은 우선순위의 연산자가 여러 개 있을 경우 왼쪽에 있는 연산자부터 수행할 것인지 오른쪽에 있는 연산자부터 수행할 것인지 정의되어 있어야 한다. 이러한 사항을 정의한 것을 결합성이라고 한다. 다음과 같은 식이 계산될 때 ①, ②, ③, ④순의 연산자 우선순위를 가지고 시행된다.

```
result  =  x + y * z % k
               ─────
                 ①
               ────────
                 ②
            ───────────
                 ③
  ─────────────────────
                 ④
```

[표 2-10]은 자바에서 제공하는 연산자들의 우선순위와 결합성을 나타낸 표이다.

표 2-10 연산자 우선순위

우선순위	결합성	연산자
높음	right	[ ] . ( ) ++ --
↑	left	+ - ++ -- ~ !
	left	(형변환) new
	left	* / %
	left	+ - .
	left	<< >> >>>
	left	< <= > >=
	left	== !=
	left	&
	left	^
	left	¦
	left	&&
	left	¦¦
↓	right	?:
낮음	right	= += -= *= /= .= %= != ~= <<= >>=

연습문제

1. 2개의 정수를 입력 받아 + - * / 연산을 하고 결과를 출력하시오.

```
첫 번째 숫자를 입력하시오: 7
두 번째 숫자를 입력하시오: 3
7 + 3 = 10
7 - 3 = 4
7 * 3 = 21
7 / 3 = 2
```

2. 삼각형의 밑변과 높이를 입력하여 넓이를 출력하시오.

```
밑변을 입력하시오: 4
높이를 입력하시오: 5
삼각형의 넓이는  10
```

3. 두 정수를 입력하여 크기를 비교하고 큰 수를 출력하시오.

```
첫 번째 숫자를 입력하시오: 10
두 번째 숫자를 입력하시오: 20
큰 수는  20
```

4. 100미터 달리기 기록을 이용하여 시속을 출력하시오.

```
100 달리기 기록을 입력 하시오: 18
당신의 시속은 20
```

연습문제

5. 화씨온도를 섭씨온도로 환산할 때 C = 5/9(F−32) 와 같은 식이 적용된다. 화씨온도를 입력하여 섭씨온도를 출력하시오.

```
화씨온도를 입력하시오:  122
섭씨온도 =  50
```

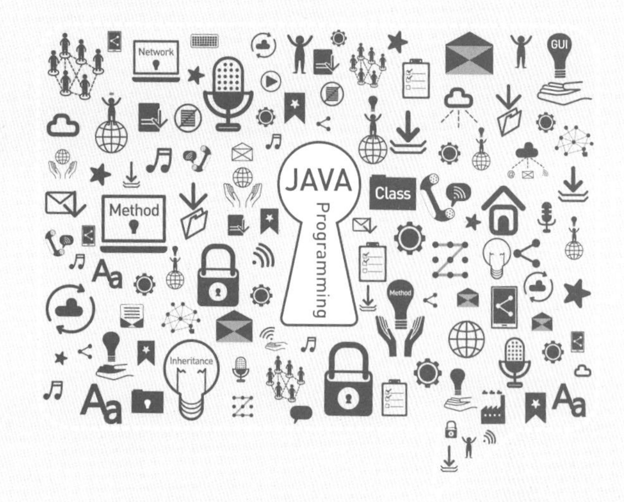

CHAPTER 3

조건문과 반복문

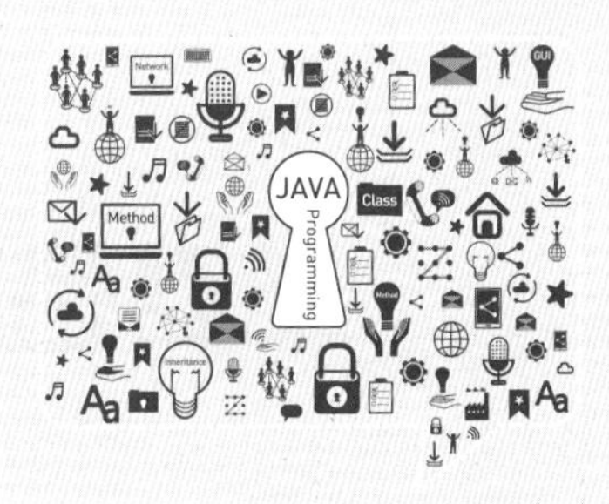
Network
GUI
JAVA
Class
Method
Programming
Inheritance

자바에서 프로그램의 동작을 제어 하기 위한 문장으로 조건문과 반복문이 있다. 조건문은 일정한 형식의 조건에 따라 조건이 참 혹은 거짓일 때에 따라 프로그램이 실행을 제어하는 문장을 말하며 반복문은 일정한 조건을 만족하는 동한 반복하고자 하는 문장을 연속으로 실행하는 문장이다.

3.1 조건문

조건문은 제시된 조건이 참인지 거짓인지에 따라 다른 동작이 실행되도록 프로그래밍 하는 것으로 자바에서는 if 문과 switch 문이 있다. 조건의 결과에 따라 다양한 실행 경로중 하나를 선택한다.

3.1.1 if문

if 문은 가장 기본적인 조건문으로 주어진 조건에 따라서 조건이 참일 때만 지정된 문장을 실행한다. if문은 (그림 3-1)과 같은 실행 형식을 가진다.

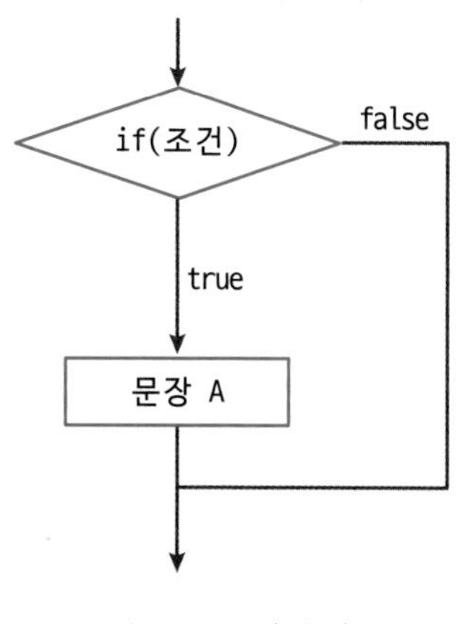

그림 3-1 if문의 순서도

if 문의 조건으로는 boolean 형식만 올 수 있으며 대부분 비교연산자와 논리연산자를 이용한 결과 값을 이용한다. if문은 괄호안의 조건이 true인 경우 문장A를 실행하고

false일 경우 문장A를 실행하지 않는다. [코드 3-1]은 if문을 이용하여 입력한 숫자가 양수인지를 확인하는 프로그램이다.

코드 3-1 if문

```
1  import java.util.*;
2
3  public class Example {
4    public static void main(String[] args) {
5      Scanner input =new Scanner(System.in);
6
7      System.out.print("입력 숫자: ");
8      int number = input.nextInt();
9
10     if(number>0)
11       System.out.print("양수입니다.");
12   }
13 }
```

결과

```
입력 숫자: 10
양수입이다.
```

결과

```
입력 숫자: -10
```

8번째 줄에서 number를 입력받아 10번째 줄에서 비교연산자 >을 이용하여 입력받은 number 의 값과 0을 비교하여 그 결과가 true일 경우 11번째 줄이 출력되고 false일 경우 아무런 값도 출력 되지 않는다.

[코드 3-1]의 경우 음수를 입력 했을 때 조건의 결과로 false 가 출력되어 아무런 결과 값도 출력 되지 않았다. 음수를 입력 받았을 경우에도 결과 값을 출력하려면 [코드 3-2]와 같은 방법을 사용 할 수 있다.

코드 3-2 2개의 if문

```
1  import java.util.*;
2
3  public class Example {
4    public static void main(String[] args) {
5      Scanner input =new Scanner(System.in);
6
7      System.out.print("입력 숫자: ");
8      int number = input.nextInt();
9
10     if(number>0)
11       System.out.print("양수입니다.");
12
13     if(number<0)
14       System.out.print("음수입니다.");
15   }
16 }
```

결과

```
입력 숫자: 10
양수입이다.
```

결과

```
입력 숫자: -10
음수입이다.
```

입력 받은 숫자가 짝수인지 홀수 인지 확인하기 위하여 [코드 3-2]과 같이 2개의 if 문을 사용 할 수도 있지만 (그림3-2)와 같이 if-else문을 이용하여 결과가 false일 경우에도 문장을 실행 시킬 수 있다.

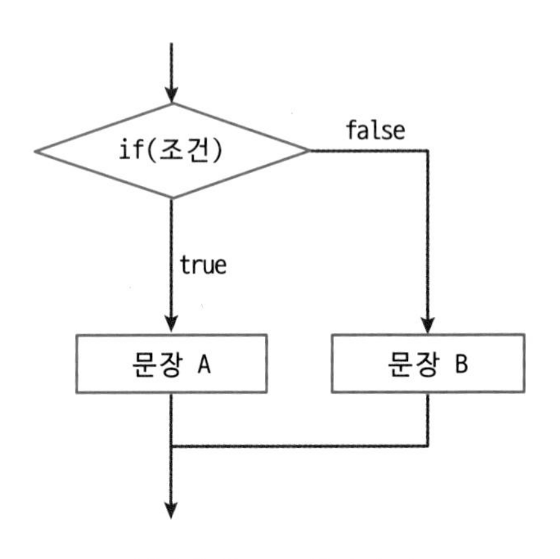

그림 3-2 if-else문의 순서도

[코드 3-3]은 [코드 3-2]를 if-else문으로 변경한 프로그램이다.

코드 3-3 if-else문

```
1  import java.util.*;
2
3  public class Example {
4    public static void main(String[] args) {
5      Scanner input =new Scanner(System.in);
6
7      System.out.print("입력 숫자: ");
8      int number = input.nextInt();
9
10     if(number>0)
11       System.out.print("양수입니다.");
12     else
```

```
13            System.out.print("음수입니다.");
14        }
15    }
```

결과

```
입력 숫자: 10
양수입이다.
```

결과

```
입력 숫자: -10
음수입이다.
```

결과

```
입력 숫자: 0
음수입이다.
```

0은 음수와 양수사이의 독자적인 값이다. 위의 프로그램에서는 0을 입력 받을 경우 "음수입니다."라는 결과가 나온다. if문의 경우 (그림3-3)과 같이 else 뒤에 if를 붙여 다른 조건을 적용 할 수 있다.

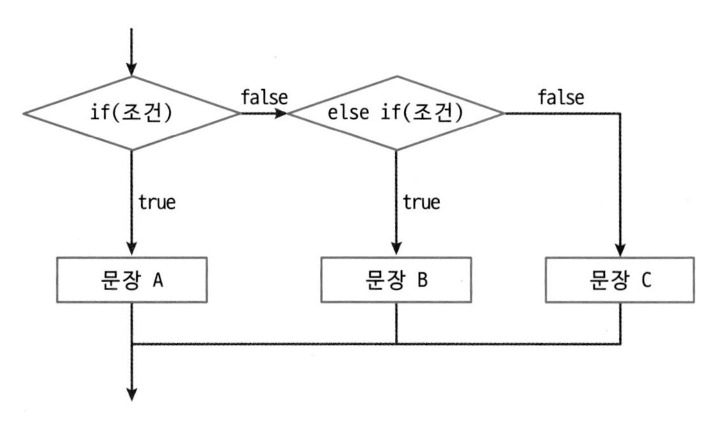

그림 3-3 중첩 조건문의 순서도

[코드 3-4]는 [코드 3-3]에 음수를 구분하는 조건을 포함시켜 0을 구분할 수 있도록 제작된 프로그램이다.

코드 3-4 다중 if문

```
1  import java.util.*;
2
3  public class Example {
4    public static void main(String[] args) {
5      Scanner input =new Scanner(System.in);
6
7      System.out.print("입력 숫자: ");
8      int number = input.nextInt();
9
10     if(number>0)
11       System.out.print("양수입니다.");
12     else if(number<0)
13       System.out.print("음수입니다.");
14     else
15       System.out.print("0입니다.");
16   }
17 }
```

결과

```
입력 숫자: 10
양수입이다.
```

결과

```
입력 숫자: -10
음수입이다.
```

결과

```
입력 숫자: 0
0입이다.
```

논리연산자를 이용하여 여러 가지 조건을 추가하여 조건문을 만들 수 있다. 짝수는 어떠한 수를 2로 나누었을 때 나누어떨어지는 수를 말하며 홀수는 2로 나누어떨어지지 않는 수이다. 두 가지 조건을 동시에 확인하기 위하여 [코드 3-5]와 같은 프로그램을 만들 수 있다. 이때 조건문에서 2줄 이상의 문장을 출력하기 위해서 출력하려는 문장을 {}로 감싸야 한다.

코드 3-5 다양한 조건을 이용한 if문

```
1  import java.util.*;
2
3  public class Example {
4    public static void main(String[] args) {
5      Scanner input =new Scanner(System.in);
6
7      System.out.print("입력 숫자: ");
8      int number = input.nextInt();
9
10     if(number>0 && number%2 == 0)
11     {
12       System.out.print("양수이면서 ");
13       System.out.println("짝수입니다.");
14     }
15     else if(number>0 && number%2 != 0)
16     {
17       System.out.print("양수이면서 ");
```

```
18            System.out.println("홀수입니다.");
19          }
20          else if(number<0 && number%2 == 0)
21          {
22            System.out.print("음수이면서 ");
23            System.out.println("짝수입니다.");
24          }
25          else if(number<0 && number%2 != 0)
26          {
27            System.out.print("음수이면서 ");
28            System.out.println("홀수입니다.");
29          }
30          else
31            System.out.print("0입니다.");
32      }
33    }
```

결과

```
입력 숫자: 10
양수이면서 짝수입니다.
```

결과

```
입력 숫자: -5
음수이면서 홀수입니다.
```

조건문 안에 조건문을 삽입하여 중복된 조건에 대한 검사를 할 수 있다. [코드 3-6]은 [코드 3-5]와 동일한 결과를 나타내는 중복 조건문을 이용한 프로그램이다.

코드 3-6 중복 if문

```
1  import java.util.*;
2
3  public class Example {
4    public static void main(String[] args) {
5      Scanner input =new Scanner(System.in);
6
7      System.out.print("입력 숫자: ");
8      int number = input.nextInt();
9
10     if(number>0)
11     {
12       System.out.print("양수이면서 ");
13       if(number%2 == 0)
14         System.out.println("짝수입니다.");
15       else
16         System.out.println("홀수입니다.");
17     }
18     else if(number<0)
19     {
20       System.out.print("음수이면서 ");
21       if(number%2 == 0)
22         System.out.println("짝수입니다.");
23       else
24         System.out.println("홀수입니다.");
25     }
26     else
27       System.out.print("0입니다.");
28   }
29 }
```

결과

```
입력 숫자: 10
양수이면서 짝수입니다.
```

결과

```
입력 숫자: -5
음수이면서 홀수입니다.
```

if문의 조건으로 비교 연산자와 논리 연산자를 혼합하여 사용 할 수 있다. 대부분의 국가가 사용하는 그레고리력에서의 윤년은 특정한 조건을 만족시키는 해에 하루(2월 29일)를 더해 지구의 공전주기와 실제 달력을 맞추기 위해 사용된다. 윤년이 되는 조건은 몇 가지 복합적인 조건을 이용하여 정해지는데 먼저 연수가 4로 나누어떨어지는 해를 윤년으로 하며 이중 100으로 나누어떨어지는 해는 평년으로 계산하지만 400으로 나누어떨어지는 해는 윤년으로 계산한다. [코드 3-7]은 조건문을 이용하여 입력한 년도가 윤년인지 평년인지 알려주는 프로그램이다.

코드 3-7 윤년

```
1   import java.util.*;
2
3   public class Example {
4     public static void main(String[] args) {
5       Scanner input =new Scanner(System.in);
6
7       System.out.print("연도 입력: ");
8       int year = input.nextInt();
9
10      if((year % 400) == 0 || ((year % 4) == 0 && (year % 100) != 0) )
```

```
11          {
12            System.out.print("윤년");
13           }
14           else
15          {
16            { System.out.println("평년");
17           }
18       }
19   }
```

결과

```
연도 입력: 2020
윤년
```

3.1.2 switch문

switch문은 조건의 결과 값 중 하나를 선택할 때 사용하며 if 문이 연결되어 있는 것과 비슷한 수행을 한다. 자바에서 switch문 조건의 결과 값으로 정수 데이터와 문자열 데이터 만 사용 할 수 있으며 다른 데이터 타입은 지원하지 않는다. 조건을 표현하는 switch 부분과 값을 나타내는 case 부분으로 이루어져 있으다. (그림 3-4)와 같이 조건과 값이 같을 경우 case 부분의 실행문을 출력하고 모든 결과 값이 같지 않을 경우 defult 부분의 실행문을 출력한다. 상황에 따라 defult 부분은 생략 될 수 있다.

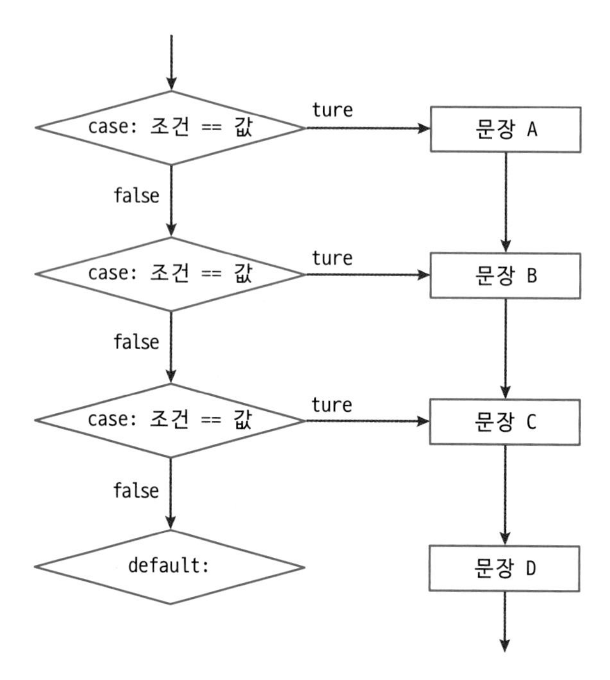

그림 3-4 switch문 순서도

[코드 3-8]은 switch 문을 이용하여 입력받은 숫자를 변수에 저장하여 정보를 출력하는 프로그램이다.

코드 3-8 switch문

```
1  import java.util.*;
2  
3  public class Example {
4    public static void main(String[] args) {
5      Scanner input =new Scanner(System.in);
6  
7      System.out.print("1~5 사이의 숫자를 입력하시오 : ");
8      int number = input.nextInt();
9  
10     switch (number) {
```

```
11        case 5:
12          System.out.println("5입니다.");
13        case 4:
14          System.out.println("4입니다.");
15        case 3:
16          System.out.println("3입니다.");
17        case 2:
18          System.out.println("2입니다.");
19        case 1:
20          System.out.println("1입니다.");
21        default:
22          System.out.println("범위를 벗어납니다.");
23        }
24     }
25  }
```

결과

```
1~5 사이의 숫자를 입력하시오 : 3
3입니다.
2입니다.
1입니다.
범위를 벗어납니다.
```

10번째 줄의 number의 값과 아래의 case의 값을 비교하여 같은 값을 가지는 case 부분의 문장부터 실행한다.

숫자 3을 입력 했을 때 우리가 기대한 것은 "3입니다."만 출력 되는 것이다. 하지만 [코드 3-8]의 결과로 조건에 부합되는 값 뒤의 문장들 모두 실행되었다. 하나의 조건에 맞는 결과 값만 출력하기 위해서는 (그림3-5)와 같이 break문을 사용해야 한다. break문은 현재 실행중인 문장범위()를 빠져나온다.

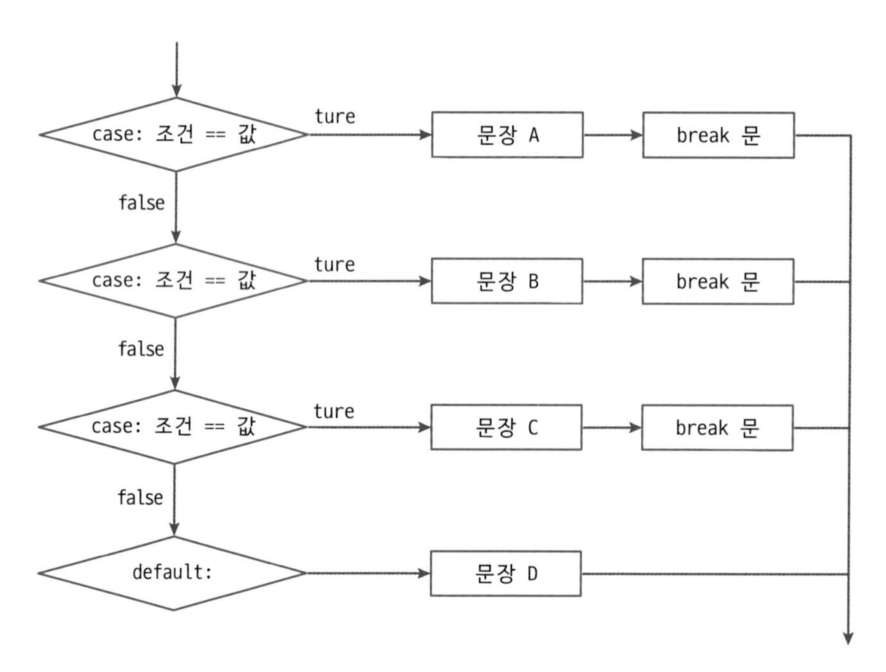

그림 3-5 break 문을 사용한 switch 문 순서도

[코드 3-9]는 [코드 3-8]에 break 문을 사용하여 입력받은 조건만 출력하도록 만든 프로그램이다.

코드 3-9 **switch with break**

```
1  import java.util.*;
2  
3  public class Example {
4    public static void main(String[] args) {
5      Scanner input =new Scanner(System.in);
6  
7      System.out.print("1~5 사이의 숫자를 입력하시오 : ");
8      int number = input.nextInt();
9  
10     switch (number) {
```

```
11          case 5:
12            System.out.println("5입니다.");
13            break;
14          case 4:
15            System.out.println("4입니다.");
16            break;
17          case 3:
18            System.out.println("3입니다.");
19            break;
20          case 2:
21            System.out.println("2입니다.");
22            break;
23          case 1:
24            System.out.println("1입니다.");
25            break;
26          default:
27            System.out.println("범위를 벗어납니다.");
28        }
29      }
30    }
```

결과

```
1~5 사이의 숫자를 입력하시오 : 3
3입니다.
```

default 의 경우 뒤에 실행될 문장이 없기 때문에 break 문을 사용하지 않았다.

switch문의 조건에 대한 값으로 문자열을 사용 할 수 있다. 문자열은 String 자료형을 사용하며 자세한 내용은 5장에서 알아보도록 하자. [코드 3-10]은 문자열을 switch 문의 조건에 대한 값으로 이용한 프로그램이다.

코드 3-10 문자열을 이용한 switch문

```
1  public class Example {
2    public static void main(String[] args) {
3      String week = "Wednesday";
4
5      switch (week) {
6      case "Monday":
7        System.out.println("월요일입니다.");
8        break;
9      case "Tuesday":
10       System.out.println("화요일입니다.");
11       break;
12     case "Wednesday":
13       System.out.println("수요일입니다.");
14       break;
15     case "Thursday":
16       System.out.println("목요일입니다.");
17       break;
18     case "Friday":
19       System.out.println("금요일입니다.");
20       break;
21     case "Saturday":
22       System.out.println("토요일입니다.");
23       break;
24     case "Sunday":
25       System.out.println("일요일입니다.");
26      }
27   }
28 }
```

결과

```
수요일입니다.
```

모든 switch문은 다중 if으로 변환하여 프로그래밍 할 수 있다. [코드 3-11]은 [코드 3-10]을 다중 if 문으로 변환한 프로그램이다.

코드 3-11 switch문을 if 문으로 변환

```
1  public class Example {
2    public static void main(String[] args) {
3      String week = "Wednesday";
4
5      if (week == "Monday")
6        System.out.println("월요일입니다.");
7      else if (week == "Tuesday")
8        System.out.println("화요일입니다.");
9      else if (week == "Wednesday")
10       System.out.println("수요일입니다.");
11     else if (week == "Thursday")
12       System.out.println("목요일입니다.");
13     else if (week == "Friday")
14       System.out.println("금요일입니다.");
15     else if (week == "Saturday")
16       System.out.println("토요일입니다.");
17     else if (week == "Sunday")
18       System.out.println("일요일입니다.");
19   }
20 }
```

결과

수요일입니다.

3.2 반복문

반복문은 제시된 조건이 참일 경우 연속적으로 지정된 문장을 실행시키도록 프로그래밍 하는 것으로 자바에서는 while문, do-while문, for문이 있다. 반복문은 컴퓨터에게 반복적인 작업을 지시하는 것으로 인간이하기 어려운 연속적인 작업을 실행한다.

3.2.1 while문

while문은 조건을 계산하여 값이 true인 동안 반복하여 지정된 문장을 실행한다. while문은 (그림 3-6)과 같은 실행 형식을 가진다.

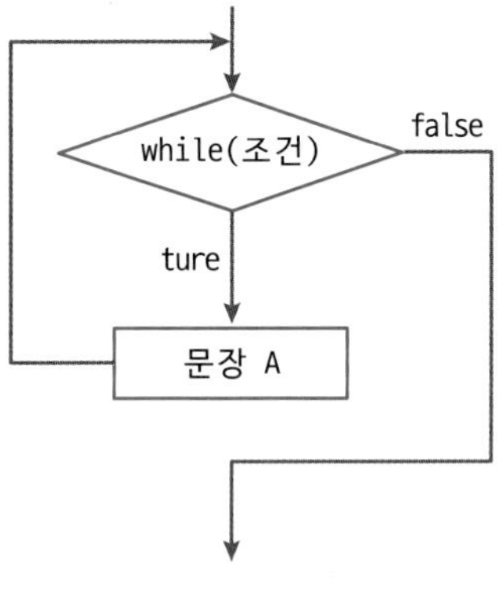

그림 3-6 while문 순서도

[코드 3-12]는 while문을 이용하여 1에서부터 100까지의 합을 출력하는 프로그램이다.

코드 3-12 while문을 이용한 100까지의 합

```
1  public class Example {
2    public static void main(String[] args) {
3      int number = 1;
4      int sum = 0;
5
6      while (number<=100)
7      {
8        sum = sum + number;
9        number++;
10     }
11     System.out.println("1~100의 합은 "+ sum);
12   }
13 }
```

결과

```
1~100의 합은 5050
```

6번째 줄에서 조건 number <= 100 이 만족하는 동안 8~9번째 줄을 반복하여 실행한다.

반복문의 내부에 반복문을 선언하여 중복 반복문을 선언 할 수 있다. [코드 3-13]은 두 개의 반복문을 이용하여 *을 찍는 프로그램이다.

코드 3-13 while문으로 *찍기

```
1  public class Example {
2    public static void main(String[] args) {
3      int i = 0, j = 0;
4
5      while (i < 5)
6      {
7        while(j <= i)
8        {
9          System.out.print("*");
10         j++;
11       }
12       j = 0;
13       System.out.println();
14       i++;
15     }
16   }
17 }
```

결과

```
*
**
***
****
*****
```

5번째 줄의 조건이 맞는 동안 6~15번째 줄을 반복하며 내부의 while문의 경우 7번째 줄의 조건이 맞는 동안 8~11번째 줄을 실행한다. 12번째 줄에서 내부 반복문의 조건 값인 j의 값을 0으로 초기화 한다.

3.2.2 do-while문

do-while문은 먼저 지정된 문장을 한번 실행한 후에 조건을 검사하여 true인 동안 반복하여 지정된 문장을 실행한다. do-while문은 (그림 3-7)과 같은 실행 형식을 가진다.

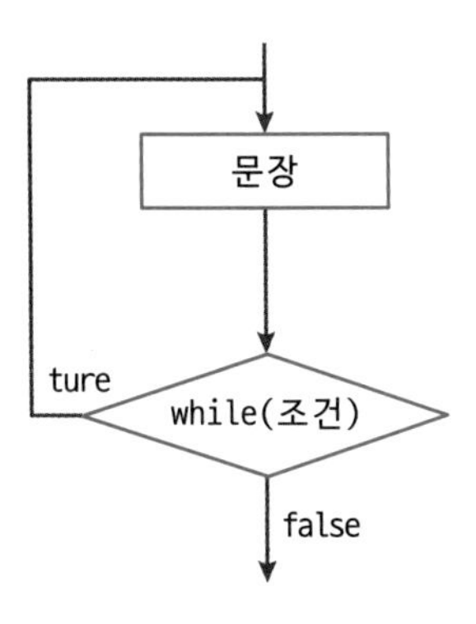

그림 3-7 do-while문 순서도

do-while문은 먼저 한번 문장을 실행하고 그 뒤에 조건을 검사하기 때문에 최소 한번은 지정된 문장이 실행된다. [코드 3-14]는 do-while문과 while문의 비교를 위해 동일한 조건식을 이용하여 문장을 출력한 합을 출력하는 프로그램이다.

코드 3-14 while문과 do-while문의 비교

```
1  public class Example {
2    public static void main(String[] args) {
3      int i = 0;
4
5      while (i > 10)
6      {
7        System.out.println("while의 경우");
8      }
9
```

```
10        do
11        {
12          System.out.println("do-while의 경우");
13        }while (i > 10);
14      }
15    }
```

결과

```
do-while의 경우
```

while문의 실행문인 7번째 줄은 실행되지 않고 do-while문의 실행문인 12번째 줄은 1회 실행된다. do-while문은 조건이 맞지 않는 경우에도 한번은 출력하는 것을 확인 할 수 있다.

[코드 3-15]는 while문을 이용하여 1에서부터 100까지의 합을 출력하는 프로그램이다.

코드 3-15 do-while문을 이용한 100까지의 합

```
1   public class Example {
2     public static void main(String[] args) {
3       int number = 1;
4       int sum = 0;
5
6       do
7       {
8         sum = sum + number;
9         number++;
10      }while (number<=100);
```

```
11        System.out.println("1~100의 합은 "+ sum);
12      }
13    }
```

결과

```
1~100의 합은 5050
```

먼저 8~9번째 줄을 한번 실행한 후 10번째 줄의 조건 number <= 100 이 만족하는 동안 8~9번째 줄을 반복하여 실행한다.

do-while문 또한 반복문의 내부에 반복문을 선언하여 중복 반복문을 선언 할 수 있다. [코드 3-16]은 두 개의 반복문을 이용하여 *을 찍는 프로그램이다.

코드 3-16 do-while문으로 *찍기

```
1   public class Example {
2     public static void main(String[] args) {
3       int i = 0, j = 0;
4
5       do
6       {
7         do
8         {
9           System.out.print("*");
10          j++;
11        } while(j <= i);
12        j = 0;
13        System.out.println();
```

```
14          i++;
15        }while (i < 5);
16      }
17    }
```

결과

```
*
**
***
****
*****
```

6~14번째 줄이 먼저 한번 실행된 후 15번째 줄의 조건이 맞는 동안 6~14번째 줄을 반복하며 내부의 do-while문의 경우 8~10번째 줄을 한번 실행 시키고 11번째 줄의 조건이 맞는 동안 8~10번째 줄을 실행한다. 12번째 줄에서 내부 반복문의 조건 값인 j의 값을 0으로 초기화 한다.

3.2.3 for문

for문은 조건에 사용될 변수의 초기화 및 조건, 조건에 사용된 변수 값의 변화를 한 줄로 선언하여 조건이 true인 동안 반복하여 지정된 문장을 실행한다. for문은 (그림 3-8)과 같은 실행 형식을 가진다.

초기화의 경우 for문이 실행될 때 처음 한번만 실행되고 조건을 검사하여 조건이 true일 경우 문장을 실행한다. 문장이 실행 된 후 증감부분에서 값이 변화하며, 변경된 값을 조건에 대입하여 조건을 검사한 후 조건이 true 일 경우 반복하고 false일 경우 반복문을 빠져나온다. [코드 3-17]은 for문을 이용하여 1에서부터 100까지의 합을 출력하는 프로그램이다.

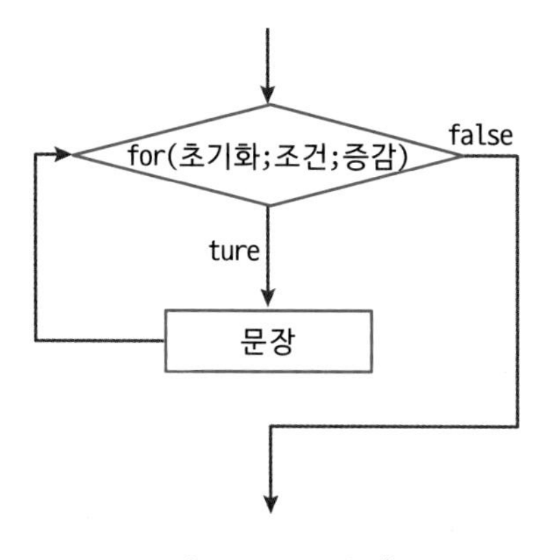

그림 3-8 for문 순서도

코드 3-17 for문을 이용한 100까지의 합

```
1  public class Example {
2    public static void main(String[] args) {
3      int sum = 0;
4
5      for (int number = 1 ; number<=100 ; number ++)
6      {
7        sum = sum + number;
8      }
9
10     System.out.println("1~100의 합은 "+ sum);
11   }
12 }
13
```

결과

```
1~100의 합은 5050
```

먼저 5번째 줄에서 for 문을 실행하여 반복에 사용될 변수를 선언하고 초기화 한 뒤 조건을 검사하여 조건 number 〈= 100 이 만족하면 6~8번째 줄을 실행한 후 5번째 줄 마지막 부분의 number++를 실행한 후 number의 값을 증가하여 조건식에 대입한 후 조건이 만족하는 동안 8~9번째 줄을 반복하여 실행한다.

for문 또한 반복문의 내부에 반복문을 선언하여 중복 반복문을 선언 할 수 있다. while 문에 보다 for 문의 경우가 중복 반복문 선언 시 가독성이 좋다. [코드 3-18]은 두 개의 반복문을 이용하여 *을 찍는 프로그램이다.

코드 3-18 for문으로 *찍기

```
1  public class Example {
2    public static void main(String[] args) {
3
4      for (int i = 0 ; i < 5 ; i++)
5      {
6        for (int j = 0 ; j <= i ; j++)
7          System.out.print("*");
8        System.out.println();
9      }
10   }
11 }
```

결과

```
*
**
***
****
*****
```

5번째 줄에서 조건에 사용될 변수를 초기화 하고 조건이 맞는 동안 6~10번째 줄을 반복하며 내부의 for문의 경우 7번째 줄에서 조건에 사용될 변수를 초기화 하고 변수의 값을 변화하여 조건이 맞는 동안 8번째 줄을 반복하여 실행한다.

모든 while문과 for문은 서로 같은 동작을 하도록 서로간의 생성 할 수 있다. (그림 3-9)는 while문과 for문간의 대응되는 부분을 표현한 그림이다.

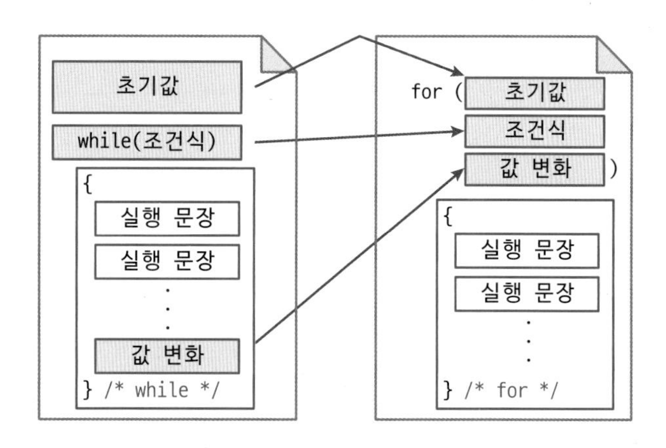

그림 3-9 while문과 for문의 비교

3.3 무한반복과 break, continue

반복문을 사용할 때 무한하게 반복을 해야 할 경우가 있다. 이럴 때 (그림 3-10)과 같이 while문과 do-while 문의 경우 조건에 true를 사용한고 for문은 for(; ;)로 선언한다.

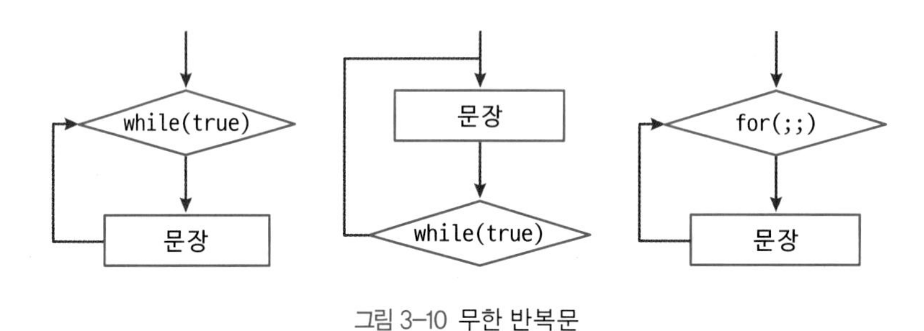

그림 3-10 무한 반복문

이러한 무한반복의 상황에서 반복문을 빠져 나올 수 있는 방법은 break문을 사용하는 것이다. switch문에서 사용해봤던 break문은 반복문을 종료할 때도 사용 할 수 있다. [코드 3-19]는 무한반복을 실행하는 중 break문은 만나 반복문을 빠져나오도록 하는 프로그램이다.

코드 3-19 break문

```
1  public class Example {
2    public static void main(String[] args) {
3      int i = 0;
4
5      while(true)
6      {
7        i++;
8        if(i>5)
9          break;
10       System.out.print("*");
```

```
11          }
12      }
13  }
```

결과

```
*****
```

5번째 줄에서 while문이 무한 반복되었다. 8번째 줄의 조건이 true가 되면 9번째 줄의 break문이 실행되어 반복문을 빠져나온다.

continue문은 반복문에서 사용되며 반복문에서 continue문을 만나면 뒤의 문장은 실행하지 않고 (그림 3-11)과 같이 반복문의 종류에 따라 다른 실행 형식을 가진다.

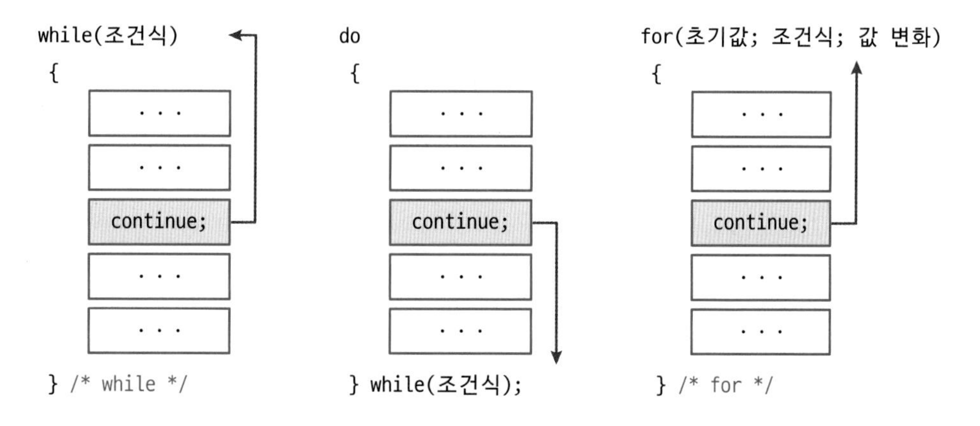

그림 3-11 반복문의 종류에 따른 continue문의 실행

[코드 3-20]은 continue문을 이용하여 1부터 10까지의 숫자 중 짝수만 출력한 프로그램이다.

코드 3-20 **continue문**

```
1  public class Example {
2    public static void main(String[] args) {
3
4       for(int i = 1 ; i <= 10 ;i ++)
5      {
6        if(i%2 != 0)
7          continue;
8        System.out.print(i + " ");
9       }
10   }
11 }
```

결과

```
2 4 6 8 10
```

6번째 줄의 i%2 != 0 조건이 맞을 continue문이 실행되어 반복문의 나머지 뒷부분이 실행되지 않고 다시 반복이 실행된다.

연습문제

1. 1부터 100까지의 수중 짝수의 합을 구하는 프로그램을 작성하시오.

```
2550
```

2. 천간과 십이지의 조합으로 60갑자가 결정된다. 천간은 갑 · 을 · 병 · 정 · 무 · 기 · 경 · 신 · 임 · 계의 10종류이고, 십이지는 자 · 축 · 인 · 묘 · 진 · 사 · 오 · 미 · 신 · 유 · 술 · 해의 12종류이다. 연도를 입력하여 그해의 간지를 출력하시오. (서기 4년은 갑자년이다.)

```
연도: 2018
무술년
```

3. 반복문을 이용하여 다음과 같이 출력 하시오.

```
          *
        * *
      * * *
    * * * *
  * * * * *
* * * * * *
```

4. 반복문을 이용하여 다음과 같이 출력 하시오.

```
    *
  * * *
* * * * *
  * * *
    *
```

CHAPTER 4

배열과 문자열

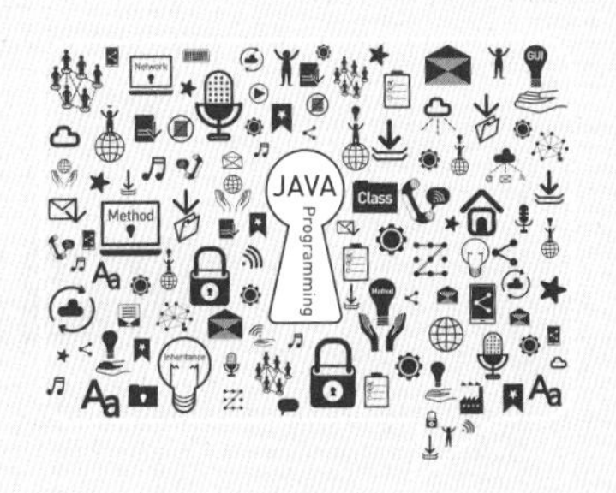
Network
GUI
JAVA
Programming
Class
Method
Inheritance

4.1 배열

배열(array)은 같은 데이터타입을 연속적인 저장 공간에 배치하고 인덱스(index)를 이용하여 배열내의 상대위치에 있는 데이터를 읽거나 쓸 수 있는 자료구조이다. 같은 동작을 위해 저장된 동일한 타입의 데이터를 이용할 때 다수의 변수를 만들어 사용하는 것은 비효율 적이다. 이럴 때 배열을 이용하여 동일한 타입의 데이터 변수 집합을 쉽게 처리 할 수 있으며 반복문을 이용하여 배열을 처리하면 쉽게 다수의 데이터를 처리할 수 있다.

자바에서 배열은 동일한 종류의 데이터 타입의 집합이다. 배열을 선언하는 방법은 (그림4-1)과 같다. 배열을 선언하기 위해 어떤 종류의 데이터 타입을 사용 할 것인지 선언해야 하며 데이터 타입 선언뒤 []를 붙인다. 또한 변수의 선언과 마찬가지로 배열의 이름을 지정해 주어야 한다.

```
int[]          number;
```

배열 데이터 타입 / 배열 변수의 이름

그림 4-1 배열의 선언

배열은 데이터의 집합이기 때문에 배열을 사용하기 위해서는 사용되는 배열의 원소 개수의 크기만큼 저장 공간을 할당해 주어야 한다. 배열에 저장 공간을 할당하지 않고 사용하면 프로그램은 문제를 발생한다. 배열에 저장 공간을 할당하는 방법은 (그림 4-2)와 같다. 배열에 저장 공간을 할당하기 위해서 먼저 선언된 배열의 이름에 new 배열의 데이터타입 [데이터 개수]를 대입하는 형태로 선언한다.

```
number  =  new int[5]
```

배열 변수의 이름 / 배열의 저장 공간 할당

그림 4-2 배열의 저장 공간 할당

[코드 4-1]은 배열의 데이터를 저장하고 출력하는 프로그램이다.

코드 4-1 배열의 선언

```
1  public class Example {
2    public static void main(String[] args) {
3      int[] number;
4      number = new int[5];
5
6      number[0] = 10;
7      number[1] = 20;
8      number[2] = 30;
9      number[3] = 40;
10     number[4] = 50;
11
12     for(int i = 0 ; i <5 ; i++)
13     {
14       System.out.print(number[i]+" ");
15     }
16   }
17 }
```

결과

```
10 20 30 40 50
```

[코드 4-1]과 같이 배열을 이용하는 것은 일반 변수를 이용하는 것과 크게 다를 것이 없다. 배열의 강점을 살리기 위해서 반복문을 사용 하는 것이 좋다. [코드 4-2]는 반복문을 이용하여 배열의 데이터를 저장하고 출력하는 프로그램이다.

코드 4-2 반복문을 이용한 배열의 선언

```
1  public class Example {
2    public static void main(String[] args) {
3      int[] number;
4      number = new int[5];
5  
6      for(int i = 0 ; i < 5 ; i++)
7      {
8        number[i] = (i+1) * 10;
9      }
10 
11     for(int i = 0 ; i <5 ; i++)
12     {
13       System.out.print(number[i]+" ");
14     }
15   }
16 }
```

결과

```
10 20 30 40 50
```

이때 배열은 (그림 4-3)과 같은 형태로 저장된다. 자바에서 배열의 인덱스는 0부터 시작되며 마지막 인덱스는 (배열의 크기-1)이다.

인덱스	0	1	2	3	4
값	10	20	30	40	50

그림 4-3 배열의 구조

배열에 사용될 데이터들이 지정되어 있다면 배열을 선언하면서 초기화 할 수 있다 배열을 초기화 하는 방법은 (그림 4-4)와 같다.

```
1) int[] number = {10,20,30,40,50};
2) int[] number = new int[] {10,20,30,40,50};
```

배열의 선언 / 배열의 초기화

그림 4-4 배열의 초기화

[코드 4-3]은 배열의 선언 할 때 데이터를 초기화 하여 저장하고 출력하는 프로그램이다.

코드 4-3 배열의 초기화

```
1   public class Example {
2     public static void main(String[] args) {
3       int[] number  = {10, 20, 30, 40, 50};
4       //int[] number  = new int[] {10, 20, 30, 40, 50};
5
6       for(int i = 0 ; i < 5 ; i++)
7       {
8         System.out.print(number[i]+" ");
9       }
10    }
11  }
```

결과

```
10 20 30 40 50
```

배열의 크기는 (배열의 이름).length에 저장되어 있다. [코드 4-4]는 배열의 크기를 이용하여 배열의 데이터 값을 출력한 프로그램이다.

코드 4-4 배열의 크기

```
1  public class Example {
2    public static void main(String[] args) {
3      int[] number  = {10, 20, 30, 40, 50};
4
5      for(int i = 0 ; i < number.length ; i++)
6      {
7        System.out.print(number[i]+" " );
8      }
9    }
10 }
```

결과

```
10 20 30 40 50
```

자바는 배열과 같이 연속으로 저장된 데이터의 모임을 위한 반복문을 제공한다. 기존의 for문을 개선하여 배열을 위한 반복문은 (그림4-5)와 같다. 배열의 모든 원소를 처음부터 하나씩 반복문의 변수에 대입하여 저장한 후 프로그램을 실행한다. 배열의 크기를 알지 못하더라도 사용 할 수 있어 오류가 적고 인덱스를 사용하지 않아도 배열의 원소에 접근이 가능하다.

```
for ( 배열의 원소 저장 변수 : 배열) {
    반복할 문장
}
```

그림 4-5 배열을 위한 반복문

[코드 4-5]는 [코드 4-4]에서 반복문을 배열을 위한 반복문으로 변형한 프로그램이다.

코드 4-5 배열을 위한 반복문

```
1  public class Example {
2    public static void main(String[] args) {
3      int[] number  = {10, 20, 30, 40, 50};
4
5      for(int data : number)
6      {
7        System.out.print(data+" ");
8      }
9    }
10 }
```

결과

```
10 20 30 40 50
```

[코드 4-6]은 사용자에서 5개의 숫자를 입력 받아 출력 하는 프로그램이다.

코드 4-6 배열에 사용자 입력 저장

```
1  import java.util.*;
2
3  public class Example {
4    public static void main(String[] args) {
5      int[] number = new int[5];
6
```

```
7        Scanner input =new Scanner(System.in);
8
9        System.out.println("5개의 숫자를 입력 하시오 : ");
10       for ( int i = 0 ; i < number.length ; i++)
11       {
12         int inputData = input.nextInt();
13         number[i] = inputData;
14       }
15
16       System.out.println("입력 받은 숫자 : ");
17       for(int data : number)
18       {
19         System.out.print(data+" ");
20       }
21     }
22   }
```

결과

```
5개의 숫자를 입력 하시오 :
50
30
40
20
10
입력 받은 숫자 :
50 30 40 20 10
```

배열의 원소에 데이터를 저장할 때 배열 원소의 인덱스를 사용하여 데이터를 저장하는 것이 좋다. 배열을 위한 반복문의 경우 배열의 원소에 직접 접근하는 것이 아니라 배열 원소의 데이터를 변수에 저장하여 사용하기 때문이다.

[코드 4-6]과 같이 배열에 데이터를 입력 받을 때 각각의 데이터는 배열의 원소에 순차적으로 접근하여 저장된다. 때때로 저장 받은 데이터를 그대로 출력하는 것이 아니라 데이터를 크기 순서대로 순차적으로 나열하여 보여줘야 할 때가 있다. 이러한 상황에서 우리는 정렬(Sort)을 사용한다. 정렬은 데이터의 크기에 따른 순서를 맞추는 것으로 그중 가장 간단한 방식인 버블 정렬이 있다. 버블정렬은 맨 앞의 값과 뒤의 값을 순차적으로 배교하여 순서대로 나열하는 방법이다. (그림4-6)은 버블 정렬의 방법을 보여준다.

(50 30) 40 20 10	(30 40) 20 10 50	(30 20) 10 40 50	(20 10) 30 40 50
비교	비교	비교	비교
30 (50 40) 20 10	30 (40 20) 10 50	20 (30 10) 40 50	10 20 30 40 50
비교	비교	비교	
30 40 (50 20) 10	30 20 (40 10) 50	20 10 30 40 50	
비교	비교		
30 40 20 (50 10)	30 20 10 40 50		
비교			
30 40 20 10 50			

그림 4-6 버블 정렬

[코드 4-7]은 입력 받은 데이터를 버블 정렬을 이용하여 데이터 값의 순서대로 출력한 프로그램이다.

코드 4-7 **배열의 정렬**

```
1  import java.util.*;
2  
3  public class Example {
4    public static void main(String[] args) {
5      int[] number = new int[5];
```

```
6
7       Scanner input =new Scanner(System.in);
8
9       System.out.println("5개의 숫자를 입력 하시오 : ");
10      for ( int i = 0 ; i < number.length ; i++)
11      {
12        int inputData = input.nextInt();
13        number[i] = inputData;
14      }
15
16      int temp = 0;
17      for (int i = 0 ; i < number.length ; i++)
18        for (int j = 1 ; j <= number.length -1 ; j++)
19        {
20          if(number[j]<number[j-1])
21          {
22            temp = number[j-1];
23            number[j-1] =  number[j];
24             number[j] = temp;
25          }
26        }
27
28      System.out.println("정렬된 숫자 : ");
29      for(int data : number)
30      {
31        System.out.print(data+" ");
32      }
33    }
34  }
```

17번째 줄과 18번째 줄에서 반복문을 이용하여 20번째 줄에서 배열의 앞뒤 원소를 비교하여 앞의 원소가 뒤의 원소보다 클 경우 22번째 줄에서부터 24번째 줄까지 데이터 값을 바꾼다.

결과

```
5개의 숫자를 입력 하시오 :
50
30
40
20
10
정렬된 숫자 :
10 20 30 40 50
```

4.2 다차원 배열

다차원 배열은 2차원 이상의 구조를 가지는 배열로 2차원 배열의 경우 행렬로, 3배열의 경우 육면체로 표현하여 이해한다. 그 이상 차원의 배열의 경우 사람의 인지로는 이해하기 힘들어 잘 사용하지 않는다. [코드 4-8]은 2차원 배열에 데이터를 입력하고 이중 for 문을 이용하여 출력하는 프로그램이다.

코드 4-8 **2차원 배열**

```
1  public class Example {
2    public static void main(String[] args) {
3      int[][] table = {{1,2,3},{4,5,6},{7,8,9}};
4
```

```
5  |     for(int i=0; i<3 ;i++)
6  |     {
7  |       for(int j = 0 ; j<3; j++)
8  |       {
9  |          System.out.print(table[i][j] + " ");
10 |       }
11 |       System.out.println();
12 |     }
13 |   }
14 | }
```

결과

```
1 2 3
4 5 6
7 8 9
```

3번째 줄과 같이 배열을 초기화 하려면 배열의 선언 시에 값을 넣어줘야 한다. 2차원 배열의 구조는 (그림 4-7)과 같이 표현 할 수 있다.

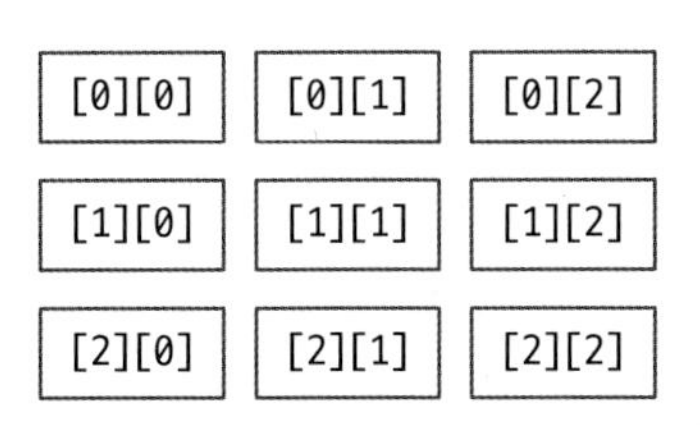

그림 4-7 2 차원 배열의 구조

2차원 배열을 이용하여 행렬의 계산을 쉽게 할 수 있다. [코드 4-9]는 2차원 배열을 이용하여 행렬의 합을 계산하여 출력하는 프로그램이다. 행렬의 합은 두 행렬의 행과 열의 수가 같아야 성립한다.

코드 4-9 행렬의 합

```
1  public class Example {
2    public static void main(String[] args) {
3      int[][] A = {{1,2,3},{4,5,6},{7,8,9}};
4      int[][] B = {{2,4,6},{8,10,12},{14,16,18}};
5      int[][] C = new int[3][3];
6
7      for(int i=0; i<3 ;i++)
8      {
9        for(int j = 0 ; j<3; j++)
10       {
11          C[i][j] = A[i][j] + B[i][j];
12       }
13     }
14
15     for(int i=0; i<3 ;i++)
16     {
17       for(int j = 0 ; j<3; j++)
18       {
19          System.out.print(C[i][j] + " ");
20       }
21       System.out.println();
22     }
23   }
24 }
```

결과

```
3 6 9
12 15 18
21 24 27
```

4.3 ArrayList

자바에서 ArrayList는 배열과 비슷한 역할을 하지만 배열에 비하여 다양한 일을 쉽게 할 수 있다. 먼저 배열은 만들어 질 때 배열의 길이를 결정해야 하지만 ArrayList의 경우 객체의 크기를 지정하지 않고 사용 할 수 있다. 이로 인해 배열은 배열의 길이를 초과하는 원소의 개수를 저장 할 수 없다. 하지만 ArrayList를 사용하는 경우 이러한 제약이 없다.

ArrayList는 java.util.ArrayList에 구현되어 있는 라이브러리로 ArrayList를 사용할 때 import java.util.ArrayList; 혹은 import java.util.*;을 먼저 선언해야 한다. ArrayList의 명령어로 add, get, contains, remove를 사용한다. add는 새로운 데이터를 추가 할 때 사용하며 단순히 맨 뒤에 데이터를 추가할 때 도 사용할 수 있지만 중간에 데이터를 삽입 할 수 있다. get은 원하는 원소를 가져올 때 사용하며 contains는 ArrayList안에 원소가 있는지를 확인하여 부울 값으로 출력하고 remove는 원소를 지울 때 사용한다. [코드 4-10]은 ArrayList의 명령어를 이용한 프로그램이다.

코드 4-10 ArrayList

```
1  import java.util.*;
2  
3  public class Example {
4    public static void main(String[] args) {
5      ArrayList<Integer> arrayNumber = new  ArrayList<Integer>();
6  
7      arrayNumber.add(10);
8      arrayNumber.add(20);
9      arrayNumber.add(40);
10 
11     for (int data : arrayNumber)
12     {
```

```
13              System.out.print(data+" ");
14          }
15          System.out.println();
16
17          arrayNumber.add(2, 30);
18          for (int data : arrayNumber)
19          {
20              System.out.print(data+" ");
21          }
22          System.out.println();
23
24          System.out.println(arrayNumber.contains(20));
25
26          arrayNumber.remove(1);
27
28          for (int data : arrayNumber)
29          {
30              System.out.print(data+" ");
31          }
32          System.out.println();
33
34          System.out.println(arrayNumber.contains(20));
35      }
36  }
```

arrayNumber에 값으로 20이 저장되어있는지 확인

arrayNumber의 1번째 인덱스 값을 제거

결과

```
10 20 40
10 20 30 40
true
10 30 40
false
```

ArrayList를 사용할 때 뒤에 <>로 사용되는 데이터의 자료 타입을 명시 하였다. 이것을 제네릭스라 하여 제네릭스를 적용하면 ArratList를 사용할 때 입력 받는 데이터 타입에 대한 명시가 가능하여 좀 더 안정적인 프로그래밍이 가능하다.

또한 ArrayList는 정렬과 같은 복잡한 기능을 손쉽게 처리 할 수 있다. [코드 4-11]는 [코드 4-7]의 배열의 정렬을 ArrayList를 이용하여 구현한 프로그램이다.

코드 4-11 정렬

```
1  import java.util.*;
2
3  public class Example {
4    public static void main(String[] args) {
5      ArrayList<Integer> arrayNumber = new  ArrayList<Integer>();
6
7      Scanner input =new Scanner(System.in);
8
9      System.out.println("5개의 숫자를 입력 하시오 : ");
10     for ( int i = 0 ; i < 5 ; i++)
11     {
12       int inputData = input.nextInt();
13       arrayNumber.add(inputData);
14     }
15
16     arrayNumber.sort(null);
17
18     System.out.println("정렬된 숫자 : ");
19     for(int data : arrayNumber)
20     {
21       System.out.print(data+" ");
```

```
22          }
23      }
24  }
```

결과

```
5개의 숫자를 입력 하시오 :
50
30
40
20
10
정렬된 숫자 :
10 20 30 40 50
```

4.4 문자열

문자열이란 문장을 뜻한다. 우리는 이미 " " 사이에 문장을 입력하여 문자열을 사용해 왔다. 자바에서 문자열에 해당하는 자료형은 String이다. 문자열을 표현하는 방법은 아래와 같다.

```
String str = "hello JAVA";
```

혹은 다음과 같이 표현 할 수도 있다.

```
String str = new String("hello JAVA");
```

대부분 문자열을 표현 할 때 아랫것 보다는 위에 것처럼 사용하는 것이 일반적이다. 문자열의 값을 비교 할 때 ==을 사용하면 [코드 4-12]와 같은 문제가 발생 할 수 있다.

코드 4-12 문자열의 비교

```
1  public class Example {
2    public static void main(String[] args) {
3      String str1 = "hello JAVA";
4      String str2 = new String("hello JAVA");
5  
6      System.out.println(str1);
7      System.out.println(str2);
8  
9      if(str1 == str2)
10     {
11       System.out.println("같다.");
12     }
13     else
14     {
15       System.out.println("다르다.");
16     }
17   }
18 }
```

결과

```
hello JAVA
hello JAVA
다르다.
```

str1과 str2의 출력은 같았지만 비교연산자를 이용했을 때 다르다는 결과를 보였다. 이런 문제를 해결하기 위해서 자바에서는 문자열에 equals 명령어를 제공한다. [코드 4-13]은 equals 명령어를 이용하여 문자열을 비교한 프로그램이다.

코드 4-13 문자열의 비교2

```
1  public class Example {
2    public static void main(String[] args) {
3      String str1 = "hello JAVA";
4      String str2 = new String("hello JAVA");
5
6      System.out.println(str1);
7      System.out.println(str2);
8
9      if(str1.equals(str2))
10     {
11       System.out.println("같다.");
12     }
13     else
14     {
15       System.out.println("다르다.");
16     }
17   }
18 }
```

결과

```
hello JAVA
hello JAVA
같다.
```

문자열의 길이를 알아보고 싶을 때는 length 명령어를 쓰고 문자열의 문자열 내부 요소의 인덱스 값을 알고 싶을 때 indexOf 명령어를 사용한다. [코드 4-14]는 문자열의 길이와 원소 번호를 알아보는 프로그램이다.

코드 4-14 문자열의 길이와 인텍스 번호 확인

```
1  public class Example {
2    public static void main(String[] args) {
3      String str1 = "hello JAVA";
4  
5      System.out.println(str1.length());
6      System.out.println(str1.indexOf("h"));
7      System.out.println(str1.indexOf("e"));
8      System.out.println(str1.indexOf("l"));
9      System.out.println(str1.indexOf("0"));
10     System.out.println(str1.indexOf("JA"));
11   }
12 }
```

결과

```
10
0
1
2
-1
6
```

5번째 줄에서 문자열의 길이를 출력하여 10이 나왔고 문자열의 맨 처음 원소인 h 의 인덱스 값은 0으로 출력되었다. l의 경우 앞쪽의 인덱스 값인 2가 출력되었고 0의 경우 문자열에 정의되지 않아서 -1이 출력 되었다. JA와 같이 여러 개의 문자들을 찾을 경우 맨 앞의 원소의 인덱스 값을 출력한다.

문자열의 특정 문자를 바꾸고 싶을 때는 replaceAll를 사용하여 특정 문자를 다른 분자로 변환 할 수 있다. 또한 문자열의 일부분만 뽑아내고 싶을 때 substring 명령어를 사용하는데 이때 substring(시작 위치) 혹은 substring(시작 위치, 끝 위치)로 뽑아 낼 수 있다. [코드 4-15]는 문자열의 내용을 변환하고 일부분을 뽑아내는 프로그램이다.

코드 4-15 문자열의 변환

```
1  public class Example {
2    public static void main(String[] args) {
3      String str1 = "hello JAVA";
4
5      System.out.println(str1.replace("hello", "Hello"));
6      System.out.println(str1.substring(4));
7      System.out.println(str1.substring(6,10));
8    }
9  }
```

결과

```
Hello JAVA
o JAVA
JAVA
```

문장을 대문자 혹은 소문자로 모두 바꾸고 싶을 때 toUpperCase와 toLowerCase를 사용한다. [코드 4-16]은 문자열을 대문자와 소문자로 변환하여 출력하는 프로그램이다.

코드 4-16 대문자와 소문자의 변환

```
1  public class Example {
2    public static void main(String[] args) {
3      String str1 = "hello JAVA";
4
5      System.out.println(str1);
6      System.out.println(str1.toUpperCase()); ← 문자열을 모두 대문자로 변환
7      System.out.println(str1.toLowerCase()); ← 문자열을 모두 소문자로 변환
8    }
9  }
```

결과

```
hello JAVA
HELLO JAVA
hello java
```

문자열로 입력된 숫자는 모양만 숫자일 뿐 실제 계산을 할 수가 없다. 그래서 자바에서는 문자열을 정수형 타입의 숫자로 변환하고 싶을 때 Integer.parseInt 명령어를 사용한다. 또한 정수형 숫자를 문자열로 바꾸고 싶을 때 Integer.toString 명령어를 사용한다. [코드 4-17]은 문자열의 숫자를 정수형으로 변환하고 출력하는 프로그램이다.

코드 4-17 문자열을 숫자로 변환

```
1  public class book {
2    public static void main(String[] args) {
3      String str = "1024";
4      int number;
5
6      System.out.println(str+256);
7
8      number = Integer.parseInt(str);
9
10     System.out.println(number+256);
11   }
12 }
```

결과

```
1024256
1280
```

[코드 4-16]의 경우와 반대로 정수를 문자열로 변경하기 위해서는 Integer.toString 명령어를 사용한다. [코드 4-17]은 숫자를 문자열로 변환하고 출력하는 프로그램이다.

코드 4-18 숫자를 문자열로 변환

```
1  public class Example {
2    public static void main(String[] args) {
3      int number = 1024;
4      String str ;
5
6      System.out.println(number+256);
7
8      str = Integer.toString(number);
9
10     System.out.println(str+256);
11   }
12 }
```

결과

```
1280
1024256
```

1. 행렬 $\begin{bmatrix} 1 & 0 & 2 \\ -1 & 3 & 1 \end{bmatrix}$과 행렬 $\begin{bmatrix} 3 & 1 \\ 2 & 1 \\ 1 & 0 \end{bmatrix}$의 곱을 구하는 프로그램을 작성하시오.

```
5 1
4 2
```

2. 문자열 배열의 원소로 {"월요일", "화요일", "수요일", "목요일", "금요일", "토요일", "일요일"}을 선언하고 다음과 같이 출력하시오.

```
월요일: 주중
화요일: 주중
수요일: 주중
목요일: 주중
금요일: 주중
토요일: 주말
일요일: 주말
```

3. 문자열 "ABCDEF"를 거꾸로 출력 하시오.

```
FEDCBA
```

4. 배열을 이용하여 학생의 점수를 입력 받고 점수를 순위대로 출력 하시오.

```
점수: 50
점수: 80
점수: 70

1등: 80점
2등: 70점
3등: 50점
```

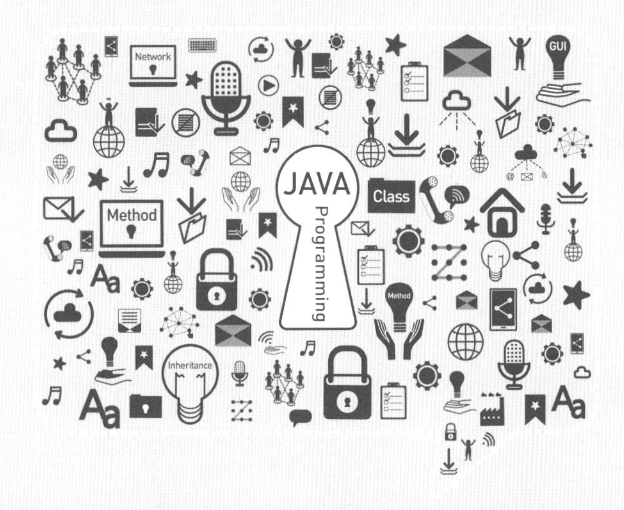

CHAPTER 5

메서드

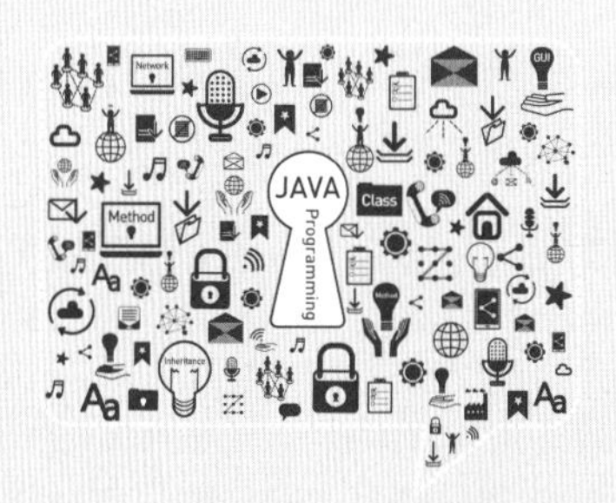
JAVA
Programming
Class
Method
Network

메서드는 함수라고도 하며 어떠한 동작을 실행하기 위해 만들어졌다. 메서드 내부에는 조건문, 반복문과 실행문등 다양한 문장으로 이루어 질 수 있다. 자바에서 메서드는 단독으로 사용될 수 없으며 반드시 객체나 클래스의 일부로 호출이 가능하나 static 키워드를 이용하며 객체의 생성 없이 메서드를 사용 할 수 있다. main 메서드의 경우 하나의 프로그램에서 하나의 main 메서드 정의할 수 있으며 모든 프로그램은 main 메서드로부터 시작하여 main 메서드에서 끝난다. 메서드의 장점은 중복코드를 줄이고 코드의 재사용성을 늘릴 수 있으며 코드의 모듈화와 가독성을 높여 프로그램의 질을 향상시킬 수 있다.

5.1 메서드의 구조

지금까지의 프로그래밍은 main메서드 내부에서 모든 코드를 실행했다. [코드 5-1]은 add 메서드를 이용하여 두수의 합을 반환하여 출력하는 프로그램이다.

코드 5-1 메서드의 시작

```
1  public class Example {
2    public static void main(String[] args) {
3       int sum;
4
5       sum = add(10,20);
6       System.out.println(sum);
7     }
8
9     static int add(int x, int y)
10    {
11      return x+y;
12    }
13
14 }
```

호출

반환되는 데이터의 타입

결과

```
30
```

5번째 줄에서 add메서드를 호출하며 반환 값을 sum변수에 저장하고 6번째 줄에서 sum 함수를 출력하였다. 9번째 줄에서 add 메서드를 선언하고 11번째 줄에서 반환 값을 선언 하였다.

[코드 5-1]의 add메서드의 구조는 다음과 같다. 먼저 정적선언으로 객체를 생성하지 않고 메서드를 선언할 수 있도록 static 키워드를 선언하고 메서드의 반환형인 int를 선언 하였다. 반환형이란 메서드의 반환할 데이터의 타입을 선언하는 것으로 반환 값이 없을 경우 void를 사용하다. 메소드의 이름인 add를 선언하도 메서드의 이름을 이용하여 다른 곳에서 메서드를 부를 수 있다. 매개변수로 int x와 int y가 선언 되었고 매개변수는 메서드를 호출한 곳에서 입력된 인자 값을 복사하여 저장한다. [코드 5-1]의 경우 int x 에 10을 int y에 20을 대입한 것과 같다. 이것을 연산식으로 표기하면 int x = 10, int y = 20과 같다. return을 하나의 값만 반환 할 수 있으며 반환되는 데이터의 타입은 메서드의 반환데이터 타입과 같아야 한다.

반환 값이 없는 메서드 선언 할 땐 void를 사용하면 된다. [코드 5-2]는 메서드를 호출하여 문자열을 출력하는 프로그램이다.

코드 5-2 void형 메서드

```
1  public class Example {
2    public static void main(String[] args) {
3      myPrint("hello World!!");
4    }                                  호출
5
6    static void myPrint(String str)
7    {
```

```
8          System.out.println(str);
9        }
10   }
```

결과

```
hello World!!
```

3번째 줄에서 myPrint메서드를 호출하고 인자 값으로 문자열을 입력하였다. 6번째 줄에 선언된 myPrint메서드는 문자열을 매개변수로 받아 8번째 줄에서 화면에 출력한다.

5.2 메서드와 매개변수

메서드에서 사용하는 것을 매개변수 호출하는 곳에서 사용하는 것을 인자라고 한다. 메서드를 호출할 때 매개변수의 형태와 동일한 타입의 인자를 사용해야만 한다. 매개변수가 없는 메서드도 존재한다. [코드 5-3]는 매개변수가 없는 메서드를 호출하여 출력하는 프로그램이다.

코드 5-3 매개변수가 없는 메서드

```
1  public class Example {
2    public static void main(String[] args) {
3        int number;
4
5        number = getTen();
6        System.out.println(number);
7      }
```

반환 호출

```
8  |
9      static int getTen()
10     {
11       return 10;
12     }
13 }
```

결과

```
10
```

5번째 줄에서 getTen 메서드를 호출하여 6번째 줄에서 출력하였다.

[코드 5-2]에서 사용한 myPrint 메서드를 이용하여 [코드 5-3]에서 사용한 getTen 메서드를 출력해자. [코드 5-4]는 getTen 메서드에서 입력받은 숫자를 myPrint 메서드를 이용하여 출력한 프로그램이다.

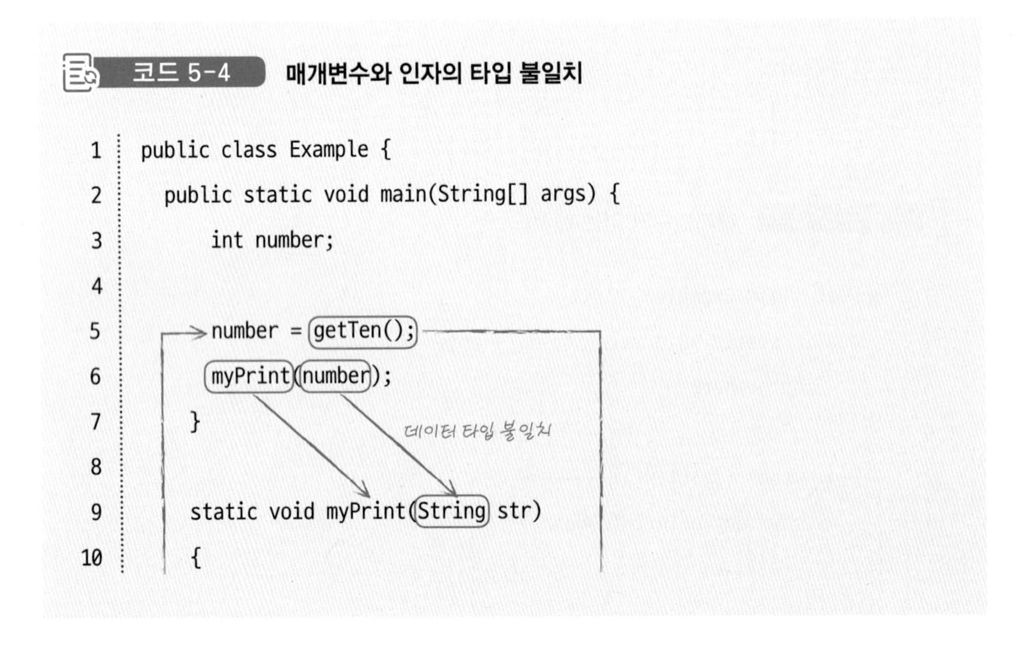

코드 5-4 매개변수와 인자의 타입 불일치

```
1  public class Example {
2    public static void main(String[] args) {
3        int number;
4
5        number = getTen();
6        myPrint(number);
7      }
8
9      static void myPrint(String str)
10     {
```

```
11          System.out.println(str);
12      }
13
14      static int getTen()
15      {
16          return 10;
17      }
18  }
```

[코드 5-4]는 오류로 인하여 결과를 출력하지 못한다. 그 이유는 9번째 줄에 선언된 myPrint 메서드의 매개변수는 문자열 데이터 타입 이지만 6번째 줄에서 myPrint 메서드를 호출할 때 인자로 int 데이터 타입을 사용하였기 때문이다. 문제를 해결하기 위해 매개변수와 인자를 동일한 데이터 타입으로 사용해야 한다. [코드 5-5]는 myPrint 메서드의 매개변수를 int 데이터 타입으로 선언하여 [코드 5-4]의 문제를 해결한 프로그램이다.

코드 5-5 [코드 5-4] 문제 해결

```
1   public class Example {
2     public static void main(String[] args) {
3         int number;
4
5         number = getTen();
6         myPrint(number);
7       }
8
9       static void myPrint(int num)
10      {
```

데이터 타입 일치

```
11          System.out.println(num);
12      }
13
14      static int getTen()
15      {
16          return 10;
17      }
18  }
```

결과

```
10
```

9번째 줄의 myPrint 메서드의 매개변수를 int 데이터 타입으로 변경 하였다.

5.3 메서드와 변수의 범위

변수는 라이프 사이클과 범위가 있다. 라이프 사이클은 변수가 메모리에 저장되어 있는 동안의 시간을 뜻하며 범위는 변수가 사용가능한 범위를 의미한다. 자바는 동일한 메서드 내에서 같은 이름을 가진 변수의 선언을 허용하지 않지만 다른 메서드 간의 동일한 이름을 가진 변수의 존재는 허용한다. 이러한 상황에서 변수의 이름이 같다고 하더라도 두 개의 변수는 같은 이름을 가진 변수 일뿐 동일한 변수는 아니다. [코드 5-6] 동일한 이름 변수를 두 개의 메서드에 선언하고 출력한 프로그램이다.

코드 5-6 다른 메서드 동일한 이름 변수선언

```
1  public class Example {
2    public static void main(String[] args) {
3        int number;
4
5        number = 100;
6        anotherNumber();
7
8        System.out.println("maun 메서드 출력");
9        System.out.println(number);
10     }
11
12     static void anotherNumber()
13     {
14       int number;
15
16       number = 200;
17
18       System.out.println("anotherNumber 메서드 출력");
19       System.out.println(number);
20     }
21 }
```

동일한 이름을 가진 변수 선언

결과

```
anotherNumber 메서드 출력
200
main 메서드 출력
100
```

변수는 다른 메서드 내에서 동일한 이름을 가진 변수가 존재하여도 두 변수는 다른 변수이다.

변수를 인자로 전달하여 매개변수로 값을 전달하는 경우는 어떻게 될 것인가? 매개변수는 인자의 값만을 복사할 뿐 인자자체가 전달되는 것은 아니다. 메서드에서 매개변수의 값이 변경 되더라도 인자자체의 값은 변경되지 않는다. [코드 5-7]은 매개변수 값이 변경 되었을 때 인자의 변화를 보여주는 프로그램이다.

코드 5-7 인자와 매개변수의 관계

```
1  public class Example {
2    public static void main(String[] args) {
3        int number = 100;
4
5        addTen(number);
6
7        System.out.println("maun 메서드 출력");
8        System.out.println(number);
9      }
10
11     static void addTen(int number)
12     {
13       number += 10;
14
15       System.out.println("addTen 메서드 출력");
16       System.out.println(number);
17     }
18 }
```

결과

```
addTen 메서드 출력
110
main 메서드 출력
100
```

13번째 줄의 선언된 number 변수의 연산은 addTen 메서드 내에서만 적용된다. 인자 값과 매개변수와의 관계는 단지 값을 복사하는 것 외에 다른 의미를 가지지 않는다.

5.4 메서드 오버로드

비슷한 역할을 하지만 내부 구조가 다른 메서드를 구현할 때 메서드의 이름을 정하는 것에 어려움을 느낀다. C언어의 경우 하나의 프로그램에서 동일한 이름을 가진 메서드를 허용하지 않는다. 하지만 자바는 프로그램 내에 일정한 조건을 만족시킬 경우 동일한 이름을 가진 메서드를 허용한다. 매개변수의 개수나 매개변수의 데이터 타입이 다를 경우 동일한 이름을 가지는 메서드를 허용하는데 이러한 것을 메서드 오버로드라 한다. 앞에서 사용된 myPrint 메서드의 경우 문자열 형태을 매개변수로 받거나 정수 값을 매개 변수로 받는 경우가 있었다. 두 가지 상황에 대하여 동시에 적용 할 수 있도록 메서드 오버로드를 적용 할 수 있다. [코드 5-8]은 myPrint 메서드에 대하여 메서드 오버로드를 적용하여 문자열 데이터 타입과 int 데이터 타입을 처리할 수 있도록 적용한 프로그램이다.

코드 5-8 메서드 오버로드

```
1  public class Example {
2    public static void main(String[] args) {
3        int number;
4
5        number = getTen();
6
7        myPrint("hello World!!");
8        myPrint(number);
9      }
10
11     static void myPrint(String str)
```

호출

```
12          {
13            System.out.println("myPrint(String str) 메서드");
14            System.out.println(str);
15          }
16
17          static void myPrint(int num)
18          {
19            System.out.println("myPrint(int num) 메서드");
20            System.out.println(num);
21          }
22
23          static int getTen()
24          {
25            return 10;
26          }
27      }
```

결과

```
myPrint(String str) 메서드
hello World!!
myPrint(int num) 메서드
10
```

7번째 줄의 myPrint 메서드 호출은 인자가 문자열임으로 11번째 줄에 선언된 myPrint 메서드가 실행되고 8번째 줄의 myPrint 메서드 호출은 인자가 int 데이터 타입으로 17번째 줄에 선언된 myPrint 메서드가 실행된다.

메서드 오버로드의 경우 매개변수의 데이터 타입이 다를 경우뿐만 아니라 매개변수의 개수가 다를 때도 적용된다. [코드 5-9]는 다양한 add 메서드를 만들어 메서드 오버로드를 적용한 프로그램이다.

코드 5-9 메서드 오버로드 응용

```
1   public class Example {
2     public static void main(String[] args) {
3         System.out.println(add(5));
4         System.out.println(add(5, 10));
5         System.out.println(add(5, 10, 20));
6         System.out.println(add(3.14, 30));
7         System.out.println(add(2.17, 5.13));
8       }
9
10      static int add(int num1)
11      {
12        return num1 + num1;
13      }
14
15      static int add(int num1, int num2)
16      {
17        return num1 + num2;
18      }
19
20      static int add(int num1, int num2, int num3)
21      {
22        return num1 + num2 + num3;
23      }
24
25      static double add(double num1, int num2)
26      {
27        return num1 + num2;
28      }
29
30      static double add(double num1, double num2)
```

```
31         {
32             return num1 + num2;
33         }
34     }
```

결과

```
10
15
35
33.14
7.3
```

5.5 순환 메서드(재귀함수)

순환 메서드는 재귀함수라고도 불리며 메서드의 반환 값에 메서드 자신을 호출하는 구조로 선언된 함수를 말한다. 순환 메서드를 위해 메서드는 메서드 자신을 반환 하는 부분과 반복적인 호출이 멈추고 일정한 값을 출력하는 부분으로 구성된다. 순환 메서드를 사용하면 큰 문제를 작은 문제로 나누어 생각 할 수 있기 때문에 복잡한 알고리즘의 구현에 많이 사용된다.

팩토리얼이란 1부터 정해진 숫자까지의 곱한 값을 말하며 1부터 n까지 차례대로 곱한 값을 n!로 표현 하며 0!은 1이다. 팩토리얼의 식은 다음과 같다.

$$factorial(n) = \begin{cases} 1 & if\ n = 1 \text{ or } 0 \\ n \times factorial(n-1) & otherwise \end{cases}$$

[코드 5-10]은 순환 메서드를 사용하여 팩토리얼 값을 구하는 프로그램이다.

코드 5-10 순환메서드 (팩토리얼)

```
1   public class Example {
2     public static void main(String[] args) {
3         for(int n = 1; n <=10; n++)
4           System.out.println("factorial(" + n +  ") = " + factorial(n));
5       }
6
7       static int factorial(int num)
8       {
9         if(num == 1 || num == 0 )  return 1;   ← 값을 반환
10        return num * factorial(num-1);   ← factorial 메소드의 호출
11      }
    }
```

결과

```
factorial(1) = 1
factorial(2) = 2
factorial(3) = 6
factorial(4) = 24
factorial(5) = 120
factorial(6) = 720
factorial(7) = 5040
factorial(8) = 40320
factorial(9) = 362880
factorial(10) = 3628800
```

factorial 메서드를 호출하면10번째 줄의 순환 호출이 연속적으로 일어나며 9번째 줄을 만나면 10 번째 줄의 호출에 대한 반환 값이 저장된다.

순환 메서드에서 하노이 탑 문제는 가장 많은 예로 사용되는 것 중 하나이다. 하노이 탑은 수학적인 문제를 만들기 위해 생각해낸 가상의 이야기로 인도의 한 사원에 세 개

의 다이아몬드 기둥이 있고 그 중 하나에 64개의 금 원판이 있어 이 원판을 다른 기둥으로 옮기면 세상이 멸망한다고 한다. 제일 밑에 가장 큰 원판이 있고 크기가 커지는 순서로 아래에 쌓여있다. 원판을 움직일 때 다음과 같은 두 가지 규칙을 따른다. 1) 한 번에 하나의 원판만 움직일 수 있다. 2) 크기가 큰 원판은 작은 원판 밑에 있어야 한다. 개의 금판을 다른 기둥으로 옮길 때 2^n-1번의 이동을 해야 된다. 하노이 탑을 해결할 때의 순서는 (그림 5-1)과 같다.

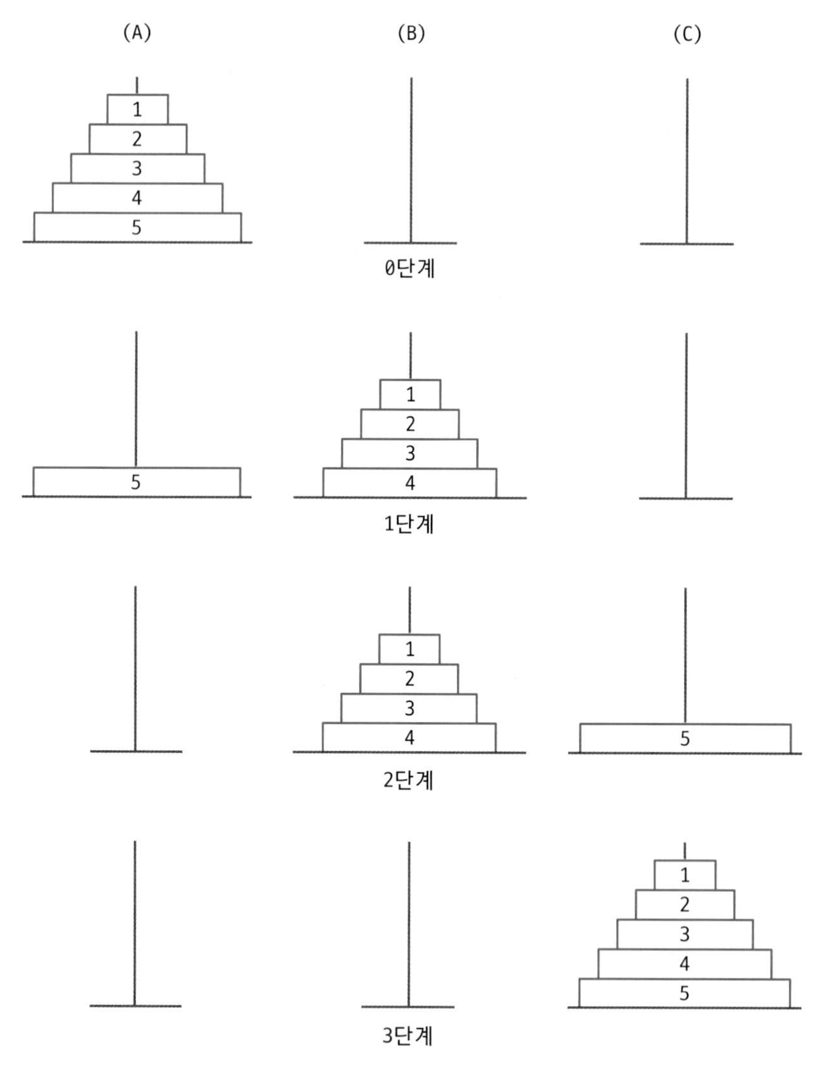

그림 5-1 하노이 탑

1단계에서 원판1, 원판2, 원판3, 원판 4를 기둥 B로 옮기고 2단계에서 원판5를 기둥 C로 옮긴다. 3단계에서 4개의 원판을 기둥 C로 옮긴다. 원판의 이동수를 수식으로 표현하면 다음과 같다.

$$\begin{aligned} hanoi(5) &= hanoi(4) + 1 + hanoi(4) \\ &= 1 + 2hanoi(4) \\ &= 1 + 2(1 + 2\,hanoi(3)) \\ &= 1+2+4+8+16 = 2^5 - 1 \end{aligned}$$

[코드 5-11]은 순환 메서드를 사용하여 하노이 탑을 구현한 프로그램이다.

코드 5-11 하노이 탑

```
1  public class Example {
2    public static void main(String[] args) {
3      hanoi(5,'A','B','C');
4    }
5
6    static void hanoi(int number,  char from,  char via,  char to)
7    {
8      if(number == 1)
9        System.out.println(number+"번 원판을 "+ from +"에서 "+ to +"로 옮김");
10     else
11     {
12       hanoi(number -1, from, to, via);
13       System.out.println(number+"번 원판을 "+ from +"에서 "+ to +"로 옮김");
14       hanoi(number -1, via, from, to);
15     }
16   }
17 }
```

1번 원판을 옮길 때

1단계

3단계

2단계

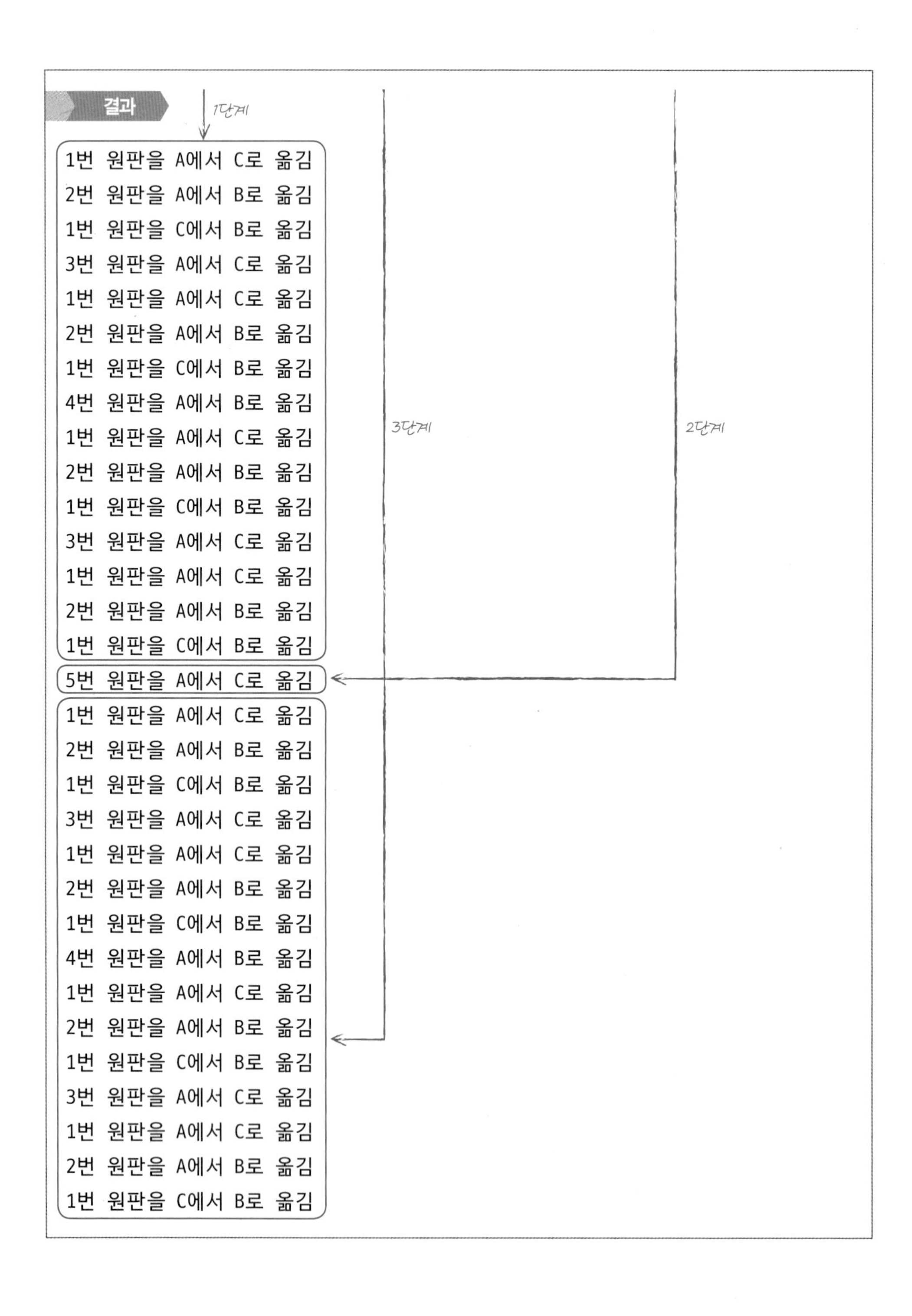


```
1번 원판을 A에서 C로 옮김
2번 원판을 A에서 B로 옮김
1번 원판을 C에서 B로 옮김
3번 원판을 A에서 C로 옮김
1번 원판을 A에서 C로 옮김
2번 원판을 A에서 B로 옮김
1번 원판을 C에서 B로 옮김
4번 원판을 A에서 B로 옮김
1번 원판을 A에서 C로 옮김
2번 원판을 A에서 B로 옮김
1번 원판을 C에서 B로 옮김
3번 원판을 A에서 C로 옮김
1번 원판을 A에서 C로 옮김
2번 원판을 A에서 B로 옮김
1번 원판을 C에서 B로 옮김
5번 원판을 A에서 C로 옮김
1번 원판을 A에서 C로 옮김
2번 원판을 A에서 B로 옮김
1번 원판을 C에서 B로 옮김
3번 원판을 A에서 C로 옮김
1번 원판을 A에서 C로 옮김
2번 원판을 A에서 B로 옮김
1번 원판을 C에서 B로 옮김
4번 원판을 A에서 B로 옮김
1번 원판을 A에서 C로 옮김
2번 원판을 A에서 B로 옮김
1번 원판을 C에서 B로 옮김
3번 원판을 A에서 C로 옮김
1번 원판을 A에서 C로 옮김
2번 원판을 A에서 B로 옮김
1번 원판을 C에서 B로 옮김
```

5.6 자바에서 이미 정의된 메서드의 사용(수학 메서드)

앞에서도 말했듯이 자바에서 객체를 생성하지 않고 메서드를 사용하기 위해서 메서드에 static 키워드를 사용한 정적 메서드를 생성한다. 정적 메서드는 정적 변수가 아닌 다른 변수를 사용 할 수 없으며 정적 메서드에서 정적 메소드가 아닌 다른 메서드를 직접 호출 할 수 없다. 자바에 정의된 수학을 위한 메서드를 위해 Math 클래스를 사용한다. 클래스에 대해서는 다음 장에 자세히 살펴 보고 자바에서 제공되는 수학 메서드에는 어떠한 것이 있는지 알아보도록 하자.

[코드 5-12]는 자바에서 자주 사용되는 몇 가지 수학 메서드를 호출하는 프로그램이다. 더 많은 수학 메서드에 대해 알아 보려면 자바 API 페이지를 통해서 확인해 볼 수 있다.

코드 5-12 수학 메서드

```
1  public class Example {
2    public static void main(String[] args) {
3        System.out.println(Math.sin(Math.PI/6)); ← sine 함수
4        System.out.println(Math.cos(Math.PI/6)); ← cosine 함수
5        System.out.println(Math.tan(Math.PI/6)); ← tangent 함수
6
7        System.out.println(Math.max(100,200)); ← 입력된 수중 최댓값 출력
8        System.out.println(Math.min(100,200)); ← 입력된 수중 최솟값 출력
9
10       System.out.println(Math.pow(9,2)); ← 제곱 함수
11       System.out.println(Math.sqrt(9)); ← 제곱근 출력
12
13       System.out.println(Math.abs(-3.14)); ← 절대값 출력
14
15       System.out.println(Math.ceil(3.14)); ← 올림 수 출력
```

```
16          System.out.println(Math.floor(3.14)); ← 내림수 출력
17          System.out.println(Math.round(3.14)); ← 반올림수 출력
18      }
19  }
```

결과

```
0.49999999999999994
0.8660254037844387
0.5773502691896257
200
100
81.0
3.0
3.14
4.0
3.0
3
```

3번째 줄에서 5번째 줄까지는 삼각함수를 호출한 것이고 7번째 줄은 입력한 숫자의 최댓값을 8번째 줄은 입력한 숫자의 최솟값을 반환한다. 10번째 줄은 입력받은 숫자와 제곱할 횟수를 인자로 받아 반환하며 11번째 줄은 입력 받은 숫자의 스퀘어 루트 값을 반환한다. 13번째 줄은 절대 값을 반환하고 15번째 줄은 소수점 올림을 16번째 줄은 소수점 버림을 17번째 줄은 소수점 반올림을 반환한다.

수학 메서드 중에 프로그래밍에서 가장 많이 쓰이는 것은 랜덤 메서드이다. 랜덤 메서드는 임의의 숫자를 반환하며 자바에서는 Math.random 메서드를 사용하며 0.0에서 1.0 미만의 double 값을 반환한다.

[코드 5-13]은 랜덤 메소드를 이용하여 사용자의 입력을 받아 컴퓨터와 가위, 바위, 보를 하는 프로그램이다.

코드 5-13 가위 바위 보

```
1  import java.util.*;
2
3  public class Example {
4    public static void main(String[] args) {
5      Scanner input =new Scanner(System.in);
6
7      System.out.println("가위, 바위, 보 중 하나를 입력 하시오: ");
8      String user = input.nextLine();
9
10     int computer = (int)(Math.random() * 3);
11
12     if(user.equals("가위"))
13     {
14       if(computer == 0 )
15       {
16         System.out.println("컴퓨터는 가위를 냈습니다.");
17         System.out.println("비겼습니다.");
18       }
19       else if(computer == 1 )
20       {
21         System.out.println("컴퓨터는 바위를 냈습니다.");
22         System.out.println("당신이 졌습니다.");
23       }
24       else if(computer == 2 )
25       {
26         System.out.println("컴퓨터는 보를 냈습니다.");
27         System.out.println("당신이 이겼습니다.");
28       }
29     }
30     else if(user.equals("바위"))
```

```
31        {
32          if(computer == 0 )
33          {
34            System.out.println("컴퓨터는 가위를 냈습니다.");
35            System.out.println("당신이 이겼습니다.");
36          }
37          else if(computer == 1 )
38          {
39            System.out.println("컴퓨터는 바위를 냈습니다.");
40            System.out.println("비겼습니다.");
41          }
42          else if(computer == 2 )
43          {
44            System.out.println("컴퓨터는 보를 냈습니다.");
45            System.out.println("당신이 졌습니다.");
46          }
47        }
48        else if(user.equals("보"))
49        {
50          if(computer == 0 )
51          {
52            System.out.println("컴퓨터는 가위를 냈습니다.");
53            System.out.println("당신이 졌습니다.");
54          }
55          else if(computer == 1 )
56          {
57            System.out.println("컴퓨터는 바위를 냈습니다.");
58            System.out.println("당신이 이겼습니다.");
59          }
60          else if(computer == 2 )
61        {
```

```
62              System.out.println("컴퓨터는 보를 냈습니다.");
63              System.out.println("비겼습니다.");
64            }
65          }
66          else
67          {
68            System.out.println("잘못 입력했습니다.");
69          }
70      }
71  }
```

결과

```
가위, 바위, 보 중 하나를 입력 하시오:
가위
컴퓨터는 가위를 냈습니다.
비겼습니다.
```

가위는 0, 바위는 1, 보는 2로 정하여 승패를 정하였다.

연습문제

1. 두수를 입력 받아 메소드를 이용하여 산술연산을 실행 하는 프로그램을 구현하시오.

```
첫 번째 숫자를 입력하시오: 7
두 번째 숫자를 입력하시오: 3
7과 3의 합은 10
7과 3의 차는 4
7과 3의 곱은 21
7을  3로 나눈 몫은 2 나머지는 1
```

2. 1번 문제에서 실수 값을 입력 받을 경우 메소드 오버로드를 이용하여 다음과 같은 결과를 보이는 프로그램을 구현하시오.

```
첫 번째 숫자를 입력하시오: 7.4
두 번째 숫자를 입력하시오: 3.2
7과 3의 합은 10.6
7과 3의 차는 4.2
7과 3의 곱은 23.68
7을 3로 나눈 값은 2.3125
```

3. 피보나치수열을 0과 1로 시작되어 다음과 같은 수식으로 표현 된다.

$$fibo(n) = \begin{cases} n & \text{if } n=0 \text{ or } n=1 \\ fibo(n-1)+fibo(n-2) & otherwise \end{cases}$$

피보나치수열을 메소드로 구현하여 숫자를 입력 하였을 때 그에 해당하는 피보나치 값을 출력하는 프로그램을 구현하시오.

```
출력할 피보나치 항: 10
55
```

4. 랜덤 메소드를 이용하여 동전의 앞과 뒤를 맞추는 프로그램을 구현하시오.

```
동전 선택 (H or T): T
틀렸습니다.
```

CHAPTER 6

클래스

JAVA
Programming
Network
Method
Class

6.1 객체지향

객체(object)란 사물이나 그에 대한 개념을 의미한다. 집, 사람, 자동차이 모든 것이 객체이다. 객체지향 프로그래밍이란 프로그램의 기본단위를 변수와 메소드로 이뤄진 객체로 만들어 객체들간의 상호작용을 이용한 프로그램을 작성하는 것을 말한다. 객체내의 특성은 변수에 설정하며 객체의 동작은 메소드를 이용한다. 객체지향의 요소로는 캡슐화, 상속성, 다형성이 있다. 캡슐화는 객체내의 데이터는 객체 외부에서는 볼 수 없고 특정 메소드만을 이용하여 조작 할 수 있다. 상속성은 객체의 속성을 다른 객체가 물려받는 것을 말하며 다형성의 각 객체마다 메소드가 있고 상황에 따라 다른 의미로 해석 될 수 있는 메소드 오버로딩이 가능한 것을 말한다.

6.2 클래스와 객체

자바는 프로그램을 사용하기 위하여 클래스(class)를 사용한다. 클래스는 객체를 생성하기 위한 틀이다. 클래스를 설계도로 볼 수 있고 객체는 설계도를 가지고 만들어진 제품으로 생각 할 수 있다. 클래스는 다음과 같이 class 키워드를 이용하여 생성할 수 있다.

```
class 클래스이름{
}
```

Student 클래스는 다음과 같이 생성 할 수 있다.

```
class Student {
}
```

생성된 클래스를 기반으로 new 키워드를 이용하여 객체를 생성한다. Student 클래스를 이용하여 std 변수에 객체를 연결시키는 것을 다음과 같다.

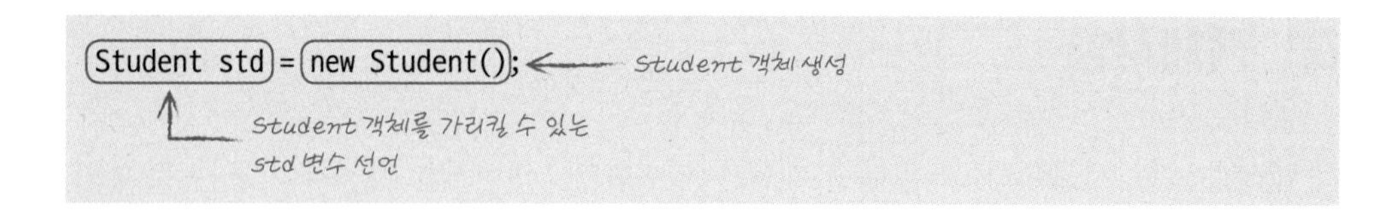

Student std 가 의미하는 것은 Student 클래스를 가리킬 수 있는 std 레퍼런스 변수를 생성 하라는 것이다. 레퍼런스 변수는 객체를 가리키는데 사용되는 변수를 말한다.

new Student()가 의미 하는 것을 Student()로 새로운 Student 클래스의 객체(인스턴스)를 생성하라는 것이다. = 대입 연산자를 이용하여 std 변수가 Student 클래스의 객체를 가르치는 것으로 아래와 같은 그림으로 표현 가능하다.

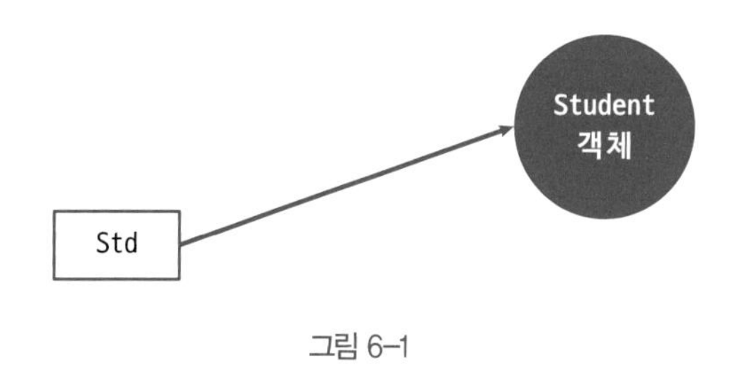

그림 6-1

6.3 클래스의 구성요소

클래스는 속성을 나타내는 변수와 행동을 나타내는 메소드로 이루어진다. 변수는 객체가 아는 것 메소드는 객체가 하는 것을 나타낸다. 클래스의 변수는 인스턴스 변수라 한다. 클래스를 다이어그램으로 표현하면 아래와 같은 그림으로 표현 할 수 있다.

그림 6-2

클래스를 생성 할 때 변수 혹은 메소드가 없는 클래스의 생성도 가능하다. [코드 6-1]은 인스턴스 변수만으로 이루어진 Student 클래스를 생성하고 인스턴스 변수를 출력하는 프로그램이다.

코드 6-1 인스턴스 변수만 가진 클래스

```
1  class Student {
2    String name;
3    int id ;
4  }
5
6  public class StudentTest {
7    public static void main(String[] args) {
8      Student std = new Student();   ← Student 객체를 생성하여 std 레퍼런스 변수에 연결
9
10       System.out.println("이름: " + std.name + " 학번: "+std.id);
11     }
12 }
```

결과

```
이름: null 학번: 0
```

public 으로 선언된 클래스는 코드는 소스코드 내에 하나만 있어야 하며 소스코드의 이름과 동일해야 한다.

인스턴스변수에 값을 넣지 않더라도 객체에 선언된 인스턴스변수는 사용 가능하며 변수가 정수 데이터 타입의 경우 0, 실수 데이터 타입은 0.0, 배열이나 문자열일 경우 null, 부울의 경우 false로 초기화가 되어있다.

인스턴스 변수는 객체 외부에서 접근하여 값을 설정 할 수 있다. [코드 6-2]는 외부에서 인스턴스 변수의 값을 변경하고 출력하는 프로그램이다.

코드 6-2 외부에서 인스턴스 변수 접근

```
1  class Student {
2    String name;
3    int id ;
4  }
5
6  public class StudentTest {
7    public static void main(String[] args) {
8      Student std = new Student();
9
10     std.id = 12345;
11     std.name = "Kim";
12
13     System.out.println("이름: " + std.name + " 학번: "+std.id);
14     }
15 }
```

결과

```
이름: Kim 학번: 12345
```

[코드 6-2]에서 객체 외부에서 접근하여 인스턴스 변수의 값을 변경하거나 가져온 것을 메소드를 생성하여 동작하도록 구현할 수 있다. [코드 6-3]은 메소드를 이용하여 객체의 인스턴스 변수에 접근 하는 프로그램이다.

코드 6-3 메소드를 이용한 인스턴스 변수 접근

```
1   class Student {
2     String name;
3     int id ;
4
5     void setName(String str)  <---- name변수의 값을 저장하는 메소드
6     {
7       name = str;
8     }
9     void setId(int number)  <---- id 변수의 값을 저장하는 메소드
10    {
11      id = number;
12    }
13    String getName()
14    {
15      return name;
16    }
17
18      int getId()
19    {
20      return id;
21    }
22  }
23
24  public class StudentTest {
25    public static void main(String[] args) {
26      Student std = new Student();
27
28      std.setName("Kim");
29      std.setId(12345);
30
31       System.out.println("이름: " + std.getName() + " 학번: "+std.getId());
```

```
32        }
33  }
```

결과

```
이름: Kim 학번: 12345
```

void setName() 메소드와 void setId() 메소드를 이용하여 std 객체의 인스턴스 변수의 값을 설정하고 String getName() 메소드와 int getId() 메소드를 이용하여 인스턴트 변수의 값을 가져와 출력하였다.

인스턴스 변수 name과 동일한 이름을 가진 변수가 메소드 내에 존재한다면 메소드 내부에서 name 변수 호출은 인스턴스 변수의 호출이 아닌 메소드 내의 변수 호출이 될 것이다. 자바에서 클래스의 인스턴스 변수나 메소드를 호출하기 위해 this 키워드를 사용한다. this 키워드는 선언된 클래스 자신을 가리킨다. [코드 6-4]는 this 키워드를 사용하여 인스턴스 변수에 접근한 프로그램이다.

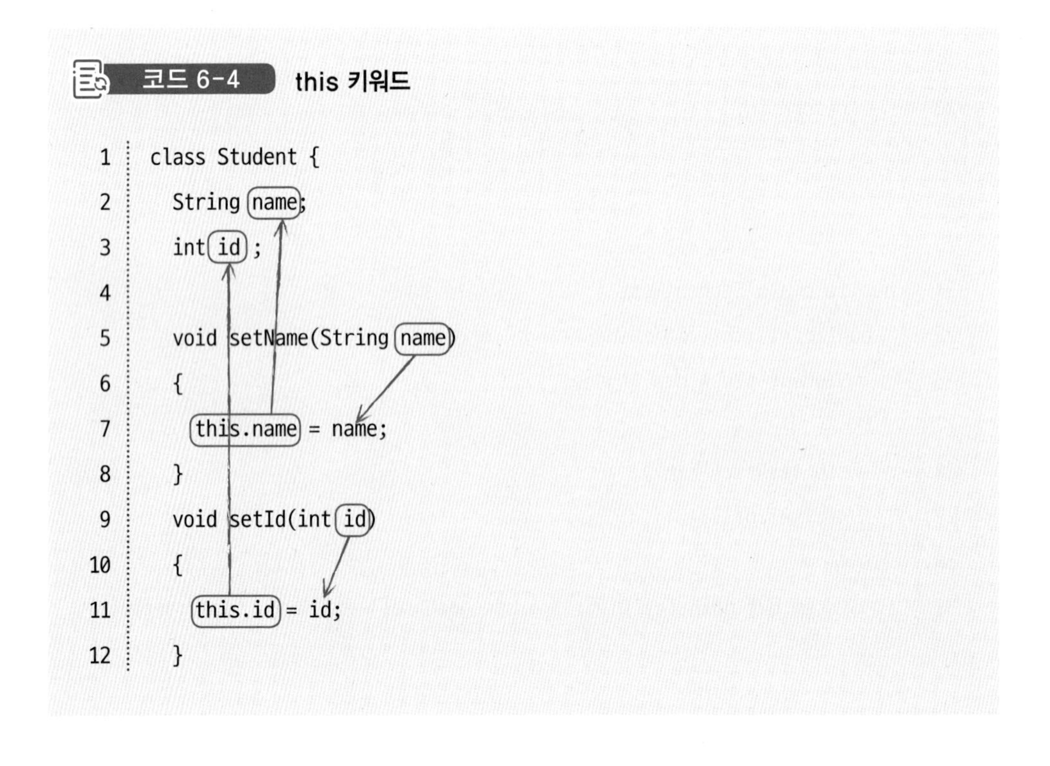

코드 6-4 this 키워드

```
1   class Student {
2     String name;
3     int id;
4
5     void setName(String name)
6     {
7       this.name = name;
8     }
9     void setId(int id)
10    {
11      this.id = id;
12    }
```

```
13      String getName()
14      {
15        return this.name;
16      }
17
18      int getId()
19      {
20        return this.id;
21      }
22
23    }
24
25    public class StudentTest {
26      public static void main(String[] args) {
27        Student std = new Student();
28        std.setName("Kim");
29        std.setId(12345);
30
31        System.out.println("이름: " + std.getName() + " 학번: "+std.getId());
32        }
33    }
```

결과

```
이름: Kim 학번: 12345
```

6.4 접근 제어지시자

[코드 6-1]~[코드 6-4]는 클래스 외부에서 인스턴스 변수에 직접 접근하여 마음대로 변경하거나 조작 할 수 있다. 이러한 경우 인스턴스 변수의 규칙에 맞지 않는 값이 들어온다 해도 어떠한 조치를 할 수 없다. 예로 id에 음수 값이 들어가는 경우를 들 수 있다.

대부분의 프로그램에서 클래스는 인스턴스 변수의 접근을 클래스 내부에서만 할 수 있도록 하는 것을 권장 한다. 또한 캡슐화의 요소를 맞추기 위하여 자바는 접근 제어지시자를 사용한다. 접근 제어지시자는 접근 할 수 있는 권한을 명시하는 키워드로 자바에서 private, default, protected, public을 사용한다.

private 키워드로 선언된 변수나 메소드는 해당 클래스에서만 접근이 가능하며 외부에서 접근을 시도할 시 프로그램은 동작 하지 않는다. 인스턴스 변수는 특별한 경우를 제외하고 private 선언을 하여 사용하는 것을 권장한다. [코드 6-5]은 [코드 6-4]의 인스턴스 변수를 private로 선언한 것이다. 프로그램은 실행되지 않는다.

코드 6-5 private 접근 제어지시자

```
1  class Student {
2    private String name;
3    private int id ;
4
5    void setName(String name)
6    {
7      this.name = name;
8    }
9    void setId(int id)
10   {
11     this.id = id;
12   }
```

```
13      String getName()
14      {
15        return this.name;
16      }
17
18      int getId()
19      {
20        return this.id;
21      }
22    }
23
24    public class StudentTest {
25      public static void main(String[] args) {
26        Student std = new Student();
27
28        std.setName("Kim");
29        std.setId(12345);
30
31        System.out.println("이름: " + std.name + " 학번: "+std.id);
32        }
33    }
```

결과

```
Exception in thread "main" java.lang.Error: Unresolved compilation problems:
    The field Student.name is not visible
    The field Student.id is not visible
```

default 키워드는 별도의 설정이 없을 경우 기본적으로 선언되며 해당 패키지 내에서만 접근이 가능하다.

protected 키워드로 선언된 변수나 메소드는 동일한 클래스나 같은 패키지내의 클래스 혹은 해당 클래스를 상속받은 외부 패키지의 클래스에서 접근이 가능하다. 상속에 대해서는 7장에 자세히 설명한다.

public 키워드로 선언된 변수나 메소드는 어느 클래스에서라도 접근이 가능하다.

자바에서는 클래스를 생성할 때 인스턴스 변수는 private로 선언하고 메소드는 public 선언하여 인스턴스 변수의 값의 입력을 메소드를 통해 전달받아 규칙에 맞지 않는 값이 입력 될 경우 그에 대한 처리를 할 수 있다. [코드 6-6]은 Student 클래스의 인스턴스 변수 id에 음수가 입력 될 경우 값이 입력지 되지 않도록 구현한 프로그램이다.

코드 6-6 객체의 캡슐화

```
1   class Student {
2     private String name;
3     private int id ;
4            어디서든 접근 가능
5     public void setName(String name)
6     {
7       this.name = name;
8     }
9     public void setId(int id)
10    {
11      if(id<0)
12      {
13        System.out.println("학번에 음수는 입력 할 수 없습니다.");
14      }
15      else
16      {
```

```
17          this.id = id;
18        }
19      }
20
21      String getName()
22      {
23        return this.name;
24      }
25      int getId()
26      {
27        return this.id;
28      }
29      public void studentPrint()  <- 객체에 대한 출력 메소드 선언
30      {
31        if(this.name == null)
32        {
33          System.out.println("이름이 입력되지 않았습니다.");
34        }
35        else if(this.id == 0)
36        {
37          System.out.println("학번이 입력되지 않았습니다.");
38        }
39        else
40        {
41         System.out.println("이름: " + this.getName() + " 학번: "+this.getId());
42        }
43      }
44    }
45
46    public class StudentTest {
47      public static void main(String[] args) {
```

```
48        Student std = new Student();
49
50        std.setName("Kim");
51        std.setId(-12345);
52
53        std.studentPrint();
54        }
55    }
```

결과

```
학번에 음수는 입력 할 수 없습니다.
학번이 입력되지 않았습니다.
```

6.5 생성자

생성자는 객체를 생성 할 때 사용하며 메소드와 비슷한 특성을 가진다. 생성자의 이름은 클래스명과 동일하며 반환형을 정의하지 않는다. new 키워드로 객체가 생성될 때 생성자가 호출 된다.

우리는 지금까지 클래스에 생성자를 선언하지 않고 객체를 생성해 왔다. 클래스에 생성자를 선언하지 않아도 기본적으로 정의 되어 있는 디폴트로 생성자가 선언되어 객체를 생성한다. [코드 6-7]은 생성자를 선언하여 객체를 생성하는 프로그램이다.

코드 6-7 생성자

```
1  class Student {
2    private String name;
3    private int id ;
4
5    Student()  <── 생성자의 선언
6    {
7    }
8
9    public void setName(String name)
10   {
11     this.name = name;
12   }
13   public void setId(int id)
14   {
15     if(id<0)
16     {
17       System.out.println("학번에 음수는 입력 할 수 없습니다.");
18     }
19     else
20     {
21       this.id = id;
22     }
23   }
24   public void studentPrint()
25   {
26     if(this.name == null)
27     {
28       System.out.println("이름이 입력되지 않았습니다.");
29     }
30     else if(this.id == 0)
```

```
31          {
32            System.out.println("학번이 입력되지 않았습니다.");
33          }
34          else
35          {
36            System.out.println("이름: " + this.name + " 학번: "+this.id);
37          }
38        }
39      }
40
41      public class StudentTest {
42        public static void main(String[] args) {
43          Student std = new Student();
44
45          std.setName("Kim");
46          std.setId(12345);
47
48          std.studentPrint();
49          }
50      }
```

결과

```
이름: Kim 학번: 12345
```

5번째 줄에 생성자를 선언하였지만 변한 것은 없다.

생성자는 메소드처럼 매개변수를 사용하여 객체를 생성 할 수 있다. [코드 6-8]는 생성자를 이용하여 객체 생성에만 인스턴스 변수에 값을 넣을 수 있도록 한 프로그램이다.

코드 6-8 생성자를 이용한 객체의 초기화

```
1  class Student {
2    private String name;
3    private int id ;
4
5    Student(String name, int id)
6    {
7      this.name = name;
8
9      if(id<0)
10     {
11       System.out.println("학번에 음수는 입력 할 수 없습니다.");
12     }
13     else
14     {
15       this.id = id;
16     }
17   }
18   public void studentPrint()
19   {
20     if(this.name == null)
21     {
22       System.out.println("이름이 입력되지 않았습니다.");
23     }
24     else if(this.id == 0)
25     {
26       System.out.println("학번이 입력되지 않았습니다.");
27     }
28     else
29     {
30       System.out.println("이름: " + this.name + " 학번: "+this.id);
```

```
31 |     }
32 |   }
33 | }
34 |
35 | public class StudentTest {
36 |   public static void main(String[] args) {
37 |     Student std = new Student("Kim", 12345);
38 |
39 |     std.studentPrint();
40 |     }
41 | }
```

결과

```
이름: Kim 학번: 12345
```

37번째 줄에서 객체를 생성 할 때 생성자의 매개변수 형태와 동일하게 적용해야한 객체가 생성된다. 기존의 Student std = new Student()와 같이 선언하면 프로그램은 동작하지 않는다. 이는 생성자가 선언 되면 기존의 디폴트 생성자는 사용 할 수 없기 때문이다.

생성자는 메소드처럼 오버로드가 가능하다. 생성자의 매개변수의 형태에 따라 동일한 이름을 가진 생성자를 만들 수 있다. [코드 6-9]는 생성자 오버로드를 이용하여 객체를 생성하는 프로그램이다.

코드 6-9 생성자 오버로드

```
1  class Student {
2    private String name;
3    private int id ;
4
5    Student()
6    {
7      System.out.println("Student() 생성자 호출");
8
9      this.name = "Park";
10     this.id = 123;
11   }
12
13   Student(String name)
14   {
15     System.out.println("Student(String name) 생성자 호출");
16
17     this.name = name;
18     this.id = 1234;
19   }
20
21   Student(String name, int id)
22   {
23     System.out.println("Student(String name, int id) 생성자 호출");
24
25     this.name = name;
26
27     if(id<0)
28     {
29       System.out.println("학번에 음수는 입력 할 수 없습니다.");
30     }
```

```
31        else
32        {
33          this.id = id;
34        }
35      }
36      public void studentPrint()
37      {
38        if(this.name == null)
39        {
40          System.out.println("이름이 입력되지 않았습니다.");
41        }
42        else if(this.id == 0)
43        {
44          System.out.println("학번이 입력되지 않았습니다.");
45        }
46        else
47        {
48          System.out.println("이름: " + this.name + " 학번: "+this.id);
49        }
50      }
51    }
52
53    public class StudentTest {
54      public static void main(String[] args) {
55        Student std1 = new Student();
56        Student std2 = new Student("Lee");
57        Student std3 = new Student("Kim", 12345);
58
59        std1.studentPrint();
60        std2.studentPrint();
61        std3.studentPrint();
62        }
63    }
```

결과

```
Student() 생성자 호출
Student(String name) 생성자 호출
Student(String name, int id) 생성자 호출
이름: Park 학번: 123
이름: Lee 학번: 1234
이름: Kim 학번: 12345
```

6.6 static 인스턴스 변수

클래스에 static 인스턴스 변수가 선언되면 클래스를 통해 생성된 객체는 모두 같은 변수를 공유하게 된다. [코드 6-10]은 static 키워드를 이용하여 객체가 같은 인스턴스 변수를 공유 하는 프로그램이다.

코드 6-10 **static 인스턴스 변수**

```
1  class Student {
2    private String name;
3    private static int id ;
4                   ↑ static 키워드 선언
5    Student()
6    {
7      System.out.println("Student() 생성자 호출");
8
9      this.name = "Park";
10     this.id = 123;
11   }
```

```
12
13    Student(String name)
14    {
15      System.out.println("Student(String name) 생성자 호출");
16
17      this.name = name;
18      this.id = 1234;
19    }
20
21    Student(String name, int id)
22    {
23      System.out.println("Student(String name, int id) 생성자 호출");
24
25      this.name = name;
26      if(id<0)
27      {
28        System.out.println("학번에 음수는 입력 할 수 없습니다.");
29      }
30      else
31      {
32        this.id = id;
33      }
34    }
35
36    public void studentPrint()
37    {
38      if(this.name == null)
39      {
40        System.out.println("이름이 입력되지 않았습니다.");
41      }
42      else if(this.id == 0)
43      {
```

```
44          System.out.println("학번이 입력되지 않았습니다.");
45        }
46        else
47        {
48          System.out.println("이름: " + this.name + " 학번: "+this.id);
49        }
50      }
51    }
52
53    public class StudentTest {
54      public static void main(String[] args) {
55        Student std1 = new Student();
56        Student std2 = new Student("Lee");
57        Student std3 = new Student("Kim", 12345);
58
59        std1.studentPrint();
60        std2.studentPrint();
61        std3.studentPrint();
62      }
63    }
```

결과

```
Student() 생성자 호출
Student(String name) 생성자 호출
Student(String name, int id) 생성자 호출
이름: Park 학번: 12345
이름: Lee 학번: 12345
이름: Kim 학번: 12345
```

static으로 선언된 id 변수는 Student 클래스로 생성된 모든 객체가 공유함으로 가장 마지막에 입력된 값으로 출력되었다.

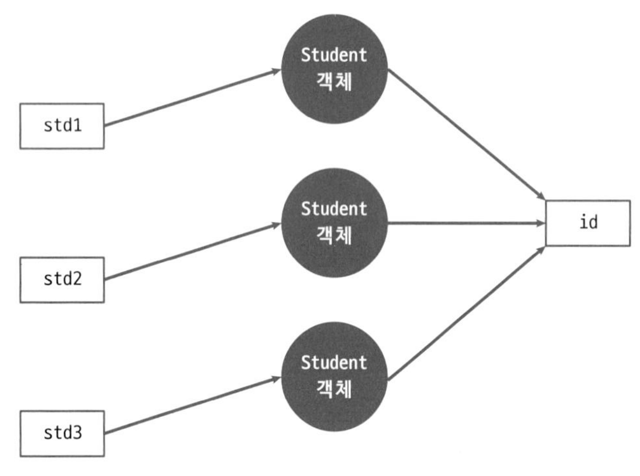

그림 6-3 인스턴스 변수를 가진 클래스의 객체선언

6.7 내부 클래스

내부 클래스란 클래스 안에 다른 클래스가 선언 되어 있는 것으로 클래스 안에 선언된 클래스를 내부 클래스라 한다. 내부 클래스는 클래스 안에 선언되어 있기 때문에 클래스의 인스턴스 변수와 메소드가 private로 선언되어 있어도 접근이 가능하다. [코드 6-11]은 내부클래스를 구현한 프로그램이다.

코드 6-11 내부클래스

```
1  public class StudentTest {
2    private String name;
3    private int id ;
4
5    class Student {
6      Student(String str, int number)
7      {
8        name = str;
9
10       if(number<0)
11       {
12         System.out.println("학번에 음수는 입력 할 수 없습니다.");
13       }
14       else
15       {
16         id = number;
17       }
18     }
19     public void studentPrint()
20     {
21       if(name == null)
22       {
23         System.out.println("이름이 입력되지 않았습니다.");
24       }
25       else if(id == 0)
26       {
27         System.out.println("학번이 입력되지 않았습니다.");
28       }
29       else
30       {
```

내부 클래스

```
31            System.out.println("이름: " + name + " 학번: "+id);
32          }
33        } <-
34      }
35      public static void main(String[] args) {
36        StudentTest stdTest = new StudentTest();
37        StudentTest.Student std = stdTest.new Student("Kim", 12345);
38                                  ↑ 내부 클래스 객체 생성
39        std.studentPrint();
40        }
41  }
```

결과

```
이름: Kim 학번: 12345
```

내부 클래스를 사용 할 때는 클래스를 감싸는 클래스의 객체를 먼저 생성해야만 내부 클래스 객체를 생성 할 수 있다.

클래스에 선언된 메소드 안에 내부 클래스를 선언 할 수도 있다. [코드 6-12]는 클래스 메소드 안에 내부클래스를 선언한 프로그램이다.

코드 6-12 메소드 안의 내부클래스

```
1  public class StudentTest {
2    private String name;
3    private int id ;
4
5    void StudentTestPrint()
6    {
7      class Student {
8        Student(String str, int number)
9        {
10         name = str;
11
12         if(number<0)
13         {
14           System.out.println("학번에 음수는 입력 할 수 없습니다.");
15         }
16         else
17         {
18           id = number;
19         }
20       }
21       public void studentPrint()
22       {
23         if(name == null)
24         {
25           System.out.println("이름이 입력되지 않았습니다.");
26         }
27         else if(id == 0)
28         {
29           System.out.println("학번이 입력되지 않았습니다.");
30         }
```

내부 클래스

```
31            else
32            {
33              System.out.println("이름: " + name + " 학번: "+id);
34            }
35          } <-
36        }
37        Student std = new Student("Kim", 12345);
38        std.studentPrint();
39      }
40
41      public static void main(String[] args) {
42        StudentTest stdTest = new StudentTest();
43
44        stdTest.StudentTestPrint();
45        }
46    }
```

결과

```
이름: Kim 학번: 12345
```

연습문제

1. Monster 클래스를 작성하고 Monster 객체의 hp를 줄이는 attack 메소드를 가진 Hunter 클래스를 생성하여 다음과 같은 결과를 보이도록 프로그램을 작성하시오.

```
1  public class Monster {
2    private int hp;
3  
4    Monster (int hp) {
5       this.hp = hp;
6    }
7  
8    public int getHp() {
9      return this.hp;
10   }
11 
12   public void setHp(int hp) {
13     this.hp = hp;
14   }
15 }
```

연습문제

```
1  public class Hunter {
2    private int power;
3
4    Hunter (int power) {
5       this.power = power;
6    }
7
8     //attack 메소드 작성
9  }
```

```
Hunter 가 Monster 을 100의 파워로 공격 했습니다.
Monster의 체력이 900 남았습니다.
```

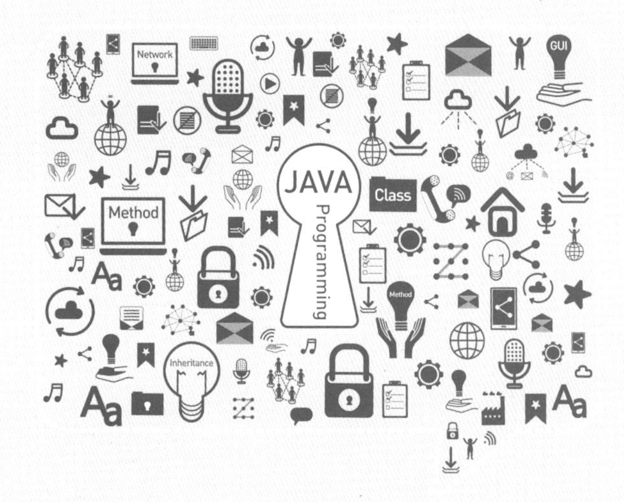
Network
GUI
JAVA
Programming
Class
Method
Method
Inheritance

CHAPTER 7

상속

CHAPTER 7

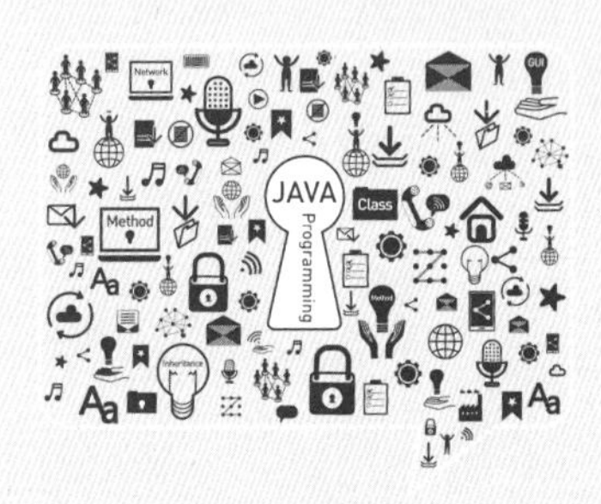

상속(Inheritance) 이란 부모로부터 자식이 무엇인가를 물려받는 것을 말한다. 객체지향 프로그램에서 상속이란 부모 클래스로부터 자식클래스가 특성을 계승 받는 것을 말한다. 자바에서 상속은 extends 키워드를 이용하여 부모클래스로부터 접근이 허가된 인스턴스 변수나 메소드를 자식클래스에서 따로 선언 하지 않고 사용 할 수 있는 것을 말한다. 인스턴스 변수와 메소드는 클래스의 멤버라 하며 상속은 자식클래스가 부모클래스의 멤버를 물려 받는 것을 의미한다. [코드 7-1]은 People을 부모클래스로 갖는 Student 클래스를 선언하고 객체를 생성한 프로그램이다.

코드 7-1 상속

```
1  public class People {
2    private String name;
3
4    public void setName(String name)
5    {
6      this.name = name;
7    }
8
9    public void peoplePrint()
10   {
11     System.out.println("이름: "+ this.name);
12   }
13 }
```

```
1  public class Student extends People{   ← People 클래스를 상속 받음
2    private int id;
3
4    public void setId(int id)
5    {
```

```
6       this.id = id;
7     }
8
9     public void studentPrint()
10    {
11      peoplePrint();   ← People 클래스에서 상속받은
                           public void peoplePrint() 메소드
12      System.out.println("학번: "+this.id);
13    }
14  }
```

```
1   public class StudentTest {
2     public static void main(String[] args) {
3
4       Student std = new Student();
5
6       std.setName("Kim");   ← People 클래스에서 상속받은
7       std.setId(12345);       public void setName(String name) 메소드
8
9       std.studentPrint();
10    }
11  }
```

결과

```
이름: Kim
학번: 12345
```

상속을 받았다고 해서 부모클래스의 모든 자원에 접근 할 수 있는 것은 아니다. Student 클래스에서 private으로 선언된 People 클래스의 name 인스턴스 변수는 직접 접근 할 수 없다. 하지만 public으로 선언된 메소드의 경우 Student 클래스 코드의 11 번째 줄과 같이 클래스 내에 선언이 되어 있지 않아도 사용 할 수 있다. Student객체의 형태는 (그림 7-1)과 같다.

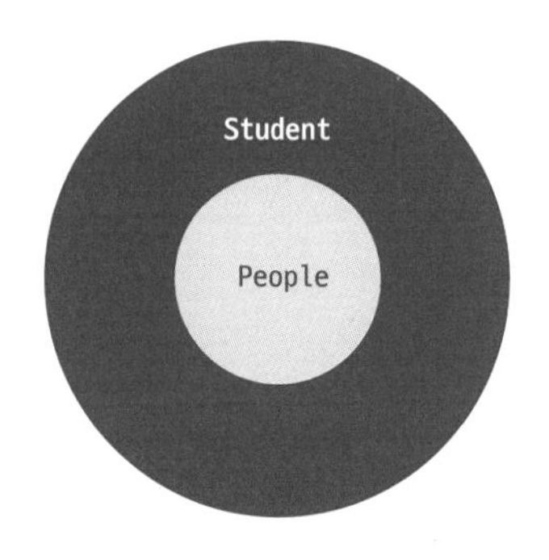

그림 7-1 People을 상속받은 Student 객체

Student 클래스는 People 클래스보다 좀 더 많은 기능을 가질 수 있다. 보통 부모 클래스를 상속받은 자식 클래스는 부모 클래스의 기능을 기반으로 하여 좀 더 다양한 행동을 할 수 있도록 만들 수 있다. 상속의 관계를 다이어그램으로 표현하면 (그림 7-2)와 같다.

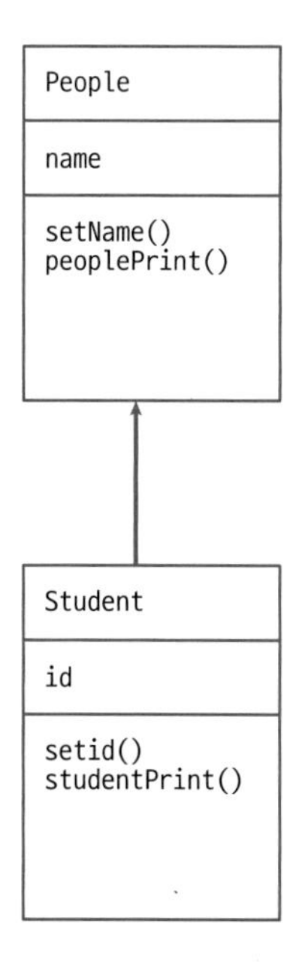

그림 7-2 상속 다이어 그램

7.1 상속의 개념

Student 클래스는 People 클래스를 상속 받았다는 것은 Student는 People에 속한 다고 할 수 있다. 상속의 관계를 맺을 때 단방향의 IS-A 관계가 성립될 경우 상속 관계를 맺는 것이 좋다. 예를 들어 "학생은 사람이다."(Student is a People.)로 표현 할 수 있는 경우 상속관계를 맺는다. 이때 반대로 "사람은 학생이다."의 관계는 성립되지 않는다.

객체를 생성 할 때

```
People std = new Student();
```

는 가능하나 반대인 경우인

```
Student std = new People();
```

을 실행할 경우 컴파일 오류가 발생한다. 이처럼 상속의 경우 IS-A의 관계는 한쪽만 성립한다.

하지만 자바에서 컴파일 중 객체의 상태를 레퍼런스 변수로 파악하기 때문에 부모클래스의 레퍼런스 변수로 연결된 자식 객체는 자식 클래스에 선언된 인스턴스 변수나 메소드를 사용 할 수 없다. [코드 7-2]는 [코드 7-1]의 StudentTest 클래스에서 4번째 줄의 레퍼런스 변수 선언을 부모클래스인 People로 변경한 프로그램이다. 컴파일러가 Student객체로 인식 하는 것이 아니라 People 객체로 인식하기 때문에 다음과 같은 문제가 발생한다.

코드 7-2 부모클래스의 레퍼런스 변수

```
1  public class StudentTest {
2    public static void main(String[] args) {
3
4      People std = new Student();
5
6      std.setName("Kim");
7      std.setId(12345);
8
9      std.studentPrint();
10   }
11 }
```

결과

```
Exception in thread "main" java.lang.Error: Unresolved compilation problems:
    The method setId(int) is undefined for the type People
    The method studentPrint() is undefined for the type People
```

부모클래스의 레퍼런스 변수를 자식 클래스의 객체와 연결 했을 때 자식 클래스의 메소드를 이용하려면 형 변환이 필요하다. [코드 7-3]은 형 변환을 이용하여 [코드 7-2]에 발생한 문제를 해결한 프로그램이다.

코드 7-3 형변환

```
1  public class StudentTest {
2    public static void main(String[] args) {
3
4      People std = new Student();
5
6      std.setName("Kim");
7      ((Student)std).setId(12345);
8
9      ((Student)std).studentPrint();
10   }
11 }
```

결과

```
이름: Kim
학번: 12345
```

상속을 검증 할 때 많이 범하게 되는 실수는 HAS-A 관계일 경우이다. "학교에 학생이 있다."(School has a Student)와 같이 포함되는 관계일 경우 상속을 이용하기 보단 클래스의 인스턴스 변수로 객체를 포함 하도록 설계한다.

```
class School{
 Student std;
}
```

자바에서 모든 클래스는 Object 클래스를 자동으로 상속 받는다. 즉 모든 객체는 Object 클래스의 메소드를 사용할 수 있다. Object 클래스의 주요 메소드는 다음과 같다.

메소드	기능
boolean equals(Object obj)	두 객체가 같은지 비교
String toString()	객체를 문자열로 반환
Class getClass()	객체의 클래스 형을 반환
int hashCode()	객체의 코드 값을 반환

[코드 7-4]는 Object 클래스로부터 상속받은 메소드를 활용한 결과이다.

코드 7-4 Object 클래스의 메소드 상속

```
1  class Student{
2  }
3
4  public class StudentDemo {
5    public static void main(String[] args) {
6
7      Student std1 = new Student();
8      Student std2 = new Student();
9      Student std3 = std1;
10
11     System.out.println(std1.equals(std2));
12     System.out.println(std1.equals(std3));
13     System.out.println(std1.toString());
14     System.out.println(std1.getClass());
15     System.out.println(std1.hashCode());
16   }
17 }
```

결과

```
false
true
Student@532760d8
class Student
1395089624
```

11번째줄에서 std1의 객체와 std2의 객체가 같은 지를 비교 하였을 때 결과로 false 이 출력 되었고 12번째 줄에서 std1과 std3이 동일한 객체 객체인지를 확인 하였을때 true의 결과를 출력하였다. std1과 std2는 동일한 클래스로 객체를 선언하였지만 각각 다른 객체를 생성 하여 가르키기 때문에 두 객체가 같지 않다는 결과를 출력하였고 std3의 경우 9번째 줄에서 std1이 가리키는 객체를 대입하였기 때문에 같다는 결과가 나왔다.

7.2 클래스의 상속

상속은 동일한 행동을 하는 클래스가 여러 개 존재 할 때 부모 클래스를 생성하며 다른 클래스들을 품을 수 있도록 한다. [코드 7-5]는 하나의 People 부모클래스를 Student 클래스와 Professor 클래스 2가 자식클래스로 상속 받은 프로그램이다.

코드 7-5 클래스의 상속

```
1  public class People {
2    private String name;
3
4    public void setName(String name)
5    {
6      this.name = name;
```

```
7       }
8
9       public void peoplePrint()
10      {
11        System.out.println("이름: "+ this.name);
12      }
13    }
```

```
1     public class Student extends People{
2       private int id;
3
4       public void setId(int id)
5       {
6         this.id = id;
7       }
8
9       public void studentPrint()
10      {
11        System.out.println("---학생---");
12        peoplePrint();
13        System.out.println("학번: "+this.id);
14      }
15    }
```

```
1     public class Professor extends People{
2       private int office;
3
4        public void setOffice(int no)
5       {
```

```
 6 |     this.office = no;
 7 |   }
 8 |
 9 |   public void professorPrint()
10 |   {
11 |     System.out.println("---교수---");
12 |     peoplePrint();
13 |     System.out.println("사무실: "+this.office);
14 |   }
15 | }
```

```
 1 | public class StudentTest {
 2 |   public static void main(String[] args) {
 3 |
 4 |     Student std = new Student();
 5 |     Professor prof = new Professor();
 6 |
 7 |     std.setName("Kim");
 8 |     std.setId(12345);
 9 |
10 |     prof.setName("Park");
11 |     prof.setOffice(365);
12 |
13 |     std.studentPrint();
14 |     prof.professorPrint();
15 |   }
16 | }
```

결과

```
---학생---
이름: Kim
학번: 12345
---교수---
이름: Park
사무실: 365
```

상속 관계에서 객체를 생성 할 때 먼저 부모클래스의 생성자가 먼저 실행된 후 자식클래스의 생성자가 실행된다. 부모클래스의 인스턴스 변수와 메소드를 자식클래스에서 사용하기 때문에 부모클래스의 생성자가 먼저 호출되는 것이다. [코드 7-6]은 상속 관계에서 생성자의 순서를 나타내는 프로그램이다.

코드 7-6 **생성자의 호출**

```
1  public class People {
2    private String name;
3
4    People() {
5      System.out.println("People 생성자 호출");
6    }
7
8    public void setName(String name)
9    {
10     this.name = name;
11   }
12
13   public void peoplePrint()
14   {
```

```
15       System.out.println("이름: "+ this.name);
16     }
17   }
```

```
1    public class Student extends People{
2      private int id;
3
4      Student() {
5        System.out.println("Student 생성자 호출");
6      }
7
8      public void setId(int id)
9      {
10       this.id = id;
11     }
12
13     public void studentPrint()
14     {
15       System.out.println("---학생---");
16       peoplePrint();
17       System.out.println("학번: "+this.id);
18     }
19   }
```

```
1    public class Professor extends People{
2      private int office;
3
4      Professor() {
5        System.out.println("Professor 생성자 호출");
```

```
6     }
7
8      public void setOffice(int no)
9     {
10      this.office = no;
11    }
12
13    public void professorPrint()
14    {
15      System.out.println("---교수---");
16      peoplePrint();
17      System.out.println("사무실: "+this.office);
18    }
19  }
```

```
1   public class StudentTest {
2     public static void main(String[] args) {
3
4       Student std = new Student();
5       Professor prof = new Professor();
6
7       std.setName("Kim");
8       std.setId(12345);
9
10      prof.setName("Park");
11      prof.setOffice(365);
12
13      std.studentPrint();
14      prof.professorPrint();
15    }
16  }
```

결과

```
People 생성자 호출
Student 생성자 호출
People 생성자 호출
Professor 생성자 호출
---학생---
이름: Kim
학번: 12345
---교수---
이름: Park
사무실: 365
```

7.3 메소드 오버라이드

부모 클래스에 정의된 메소드를 동일한 이름과 형태로 자식 클래스에서 재정의 하여 사용하는 것을 메소드 오버라이드라 한다. 하지만 부모클래스의 메소드를 호출하여 기능을 유지하고 일부분만 추가하여 사용하고자 할 때 동일한 이름의 메소드를 생성했기 때문에 메소드명을 이용하여 사용 할 수 없다. 부모클래스의 인스턴스 변수나 메소드에 접근하기 위해 super 키워드를 사용 한다. [코드 7-7]은 자식클래스의 출력 메소드를 부모 클래스의 peoplePrint() 메소드로 메소드 오버라이드를 한 프로그램이다.

코드 7-7 메소드 오버라이드

```
1  public class People {
2    private String name;
3
4    public void setName(String name)
5    {
6      this.name = name;
```

```
7   }
8
9   public void peoplePrint()
10  {
11    System.out.println("이름: "+ this.name);
12  }
13 }
```

```
1  public class Student extends People{
2    private int id;
3
4    public void setId(int id)
5    {
6      this.id = id;
7    }
8
9    public void peoplePrint()   <- 메소드 오버라이드
10   {
11     System.out.println("---학생---");
12     super.peoplePrint();   <- 부모클래스의 peoplePrint()
13     System.out.println("학번: "+this.id);
14   }
15 }
```

```
1  public class Professor extends People{
2    private int office;
3
4     public void setOffice(int no)
5    {
```

```
 6 |     this.office = no;
 7 |   }
 8 |
 9 | public void peoplePrint()   <----- 메소드 오버라이드
10 |   {
11 |     System.out.println("---교수---");
12 |     super.peoplePrint();   <----- 부모클래스의 peoplePrint()
13 |     System.out.println("사무실: "+this.office);
14 |   }
15 | }
```

```
 1 | public class StudentTest {
 2 |   public static void main(String[] args) {
 3 |
 4 |     Student std = new Student();
 5 |     Professor prof = new Professor();
 6 |
 7 |     std.setName("Kim");
 8 |     std.setId(12345);
 9 |
10 |     prof.setName("Park");
11 |     prof.setOffice(365);
12 |
13 |     std.peoplePrint();   <----- Student클래스의 peoplePrint()
14 |     prof.peoplePrint();   <----- Professor클래스의 peoplePrint()
15 |   }
16 | }
```

결과

```
---학생---
이름: Kim
학번: 12345
---교수---
이름: Park
사무실: 365
```

메소드 오버라이드를 이용하여 동일한 이름의 메소드를 생성 할 경우 부모 클래스의 객체 배열 로 객체를 생성하여 연결하고 반복문으로 자식 클래스로 생성된 객체의 메소드 호출이 가능하다. [코드 7-8]은 [코드 7-7]의 객체를 부모클래스의 객체배열로 만들어 반복문으로 오버라이드된 메소드를 호출하는 프로그램이다.

코드 7-8 객체 배열과 메소드 오버라이드

```
1  public class StudentTest {
2    public static void main(String[] args) {
3
4      Student std = new Student();
5      Professor prof = new Professor();
6
7      std.setName("Kim");
8      std.setId(12345);
9
10     prof.setName("Park");
11     prof.setOffice(365);
12
13     People p[] = new People[2];   ← People 클래스 객체 배열 생성
14     p[0] = std;
```

```
15          p[1] = prof;
16
17          for(int i = 0; i<2; i++)
18            p[i].peoplePrint();
19        }
20      }
```

결과

```
---학생---
이름: Kim
학번: 12345
---교수---
이름: Park
사무실: 365
```

CHAPTER **8**

추상화 클래스와 인터페이스

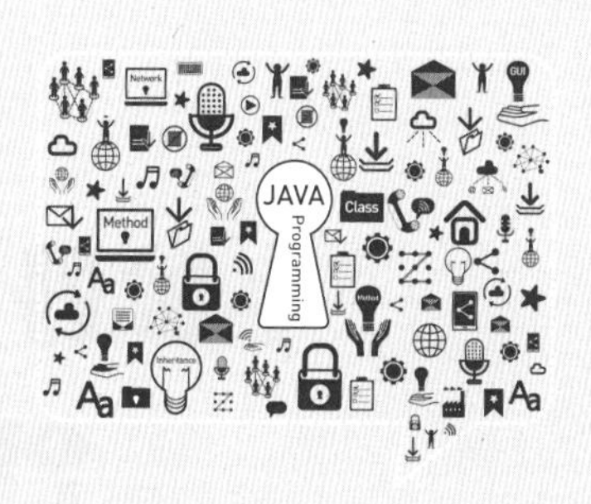

8.1 추상화 메소드

추상화 메소드는 선언은 되어있지만 구현이 되지 않는 메소드를 의미한다. 추상 메소드를 선언하기 위해 abstract 키워드를 반환형 앞에 선언하며 추상 메소드를 사용하기 위해서는 반드시 오버라이드해서 구현해야 한다. play 메소드를 추상화 클래스로 선언하는 경우 아래와 같이 abstract 키워드를 선언하고 메소드의 몸통은 구현하지 않고 세미콜론으로 끝낸다.

```
public abstract void play();
```

8.2 추상화 클래스

추상클래스(Abstract Class)는 개념적인 정의와 상속을 통해 자식클래스의 형태를 잡아주는 역할을 한다. 추상 클래스를 만드는 방법은 class 키워드 앞에 abstract 키워드를 선언 한다.

```
abstract public class 클래스명{
}
```

추상클래스는 객체를 생성 할 수 없다. 다형성을 활용하기 위해 레퍼런스 유형으로 선언 할 수 는 있지만 추상클래스를 이용하여 객체를 생성 할 경우 컴파일러에서 허용하지 않는다. [코드 8-1]은 추상 클래스로 객체를 만들 경우 발생하는 문제를 보여준다.

코드 8-1 **추상 클래스**

```
1  abstract public class Animal{
2  }
```

추상화 클래스 선언

```
1  public class AnimalTest {
2    public static void main(String[] args) {
3
4      Animal ani = new Animal();
5    }
6  }
```

결과

```
Exception in thread "main" java.lang.Error: Unresolved compilation problem:
    Cannot instantiate the type Animal
```

추상 메소드를 가진 클래스는 추상화 메소드로 선언해야 한다. [코드 8-2]은 일반클래스에 추상화 메소드를 넣었을 때 발생하는 문제를 보여준다.

코드 8-2 추상 클래스

```
1  public class Animal {
2    String name;
3
4    public void setName(String name){
5      this.name = name;
6    }
7
8    public abstract void sound();  <-- 추상화 메소드 선언
9  }
```

```
1  public class AnimalTest {
2    public static void main(String[] args) {
3
4      Animal ani = new Animal();
5    }
6  }
```

결과

```
Exception in thread "main" java.lang.Error: Unresolved compilation problems:
    The type Animal must be an abstract class to define abstract methods
    The abstract method sound in type Animal can only be defined by an
abstract class
```

추상화 클래스를 이용하여 객체를 만들려면 추상화 클래스를 상속 받는 자식클래스를 이용하여 객체를 생성 할 수 있다. [코드 8-3]는 추상클래스 Animal을 상속 받은 Dog 클래스를 생성하여 객체를 생성 하는 프로그램이다.

코드 8-3 추상 메소드 in 일반 클래스

```
1  abstract public class Animal {
2    String name;
3
4    public void setName(String name){
5      this.name = name;
6    }
7
8    public abstract void sound();  <-- 추상화로 선언된 sound 메소드
9  }
```

```
1  public class Dog extends Animal{
2
3    public void sound() {  ← sound() 메소드의 구현
4      System.out.println("멍멍");
5    }
6  }
```

```
1  public class AnimalTest {
2    public static void main(String[] args) {
3
4      Animal ani = new Dog();
5
6      ani.sound();
7    }
8  }
```

결과

멍멍

추상 메소드가 있는 추상클래스를 일반클래스가 상속 받을 경우 추상 메소드를 오버라이드 하여 메소드를 구현해야 객체의 생성이 가능하다.

[코드 8-4]는 추상 클래스 객체배열 선언을 이용한 다형성을 보여주는 프로그램이다.

코드 8-4 객체 배열을 이용한 추상클래스의 활용

```
1  abstract public class Animal {
2    String name;
3
4    public void setName(String name){
5      this.name = name;
6    }
7
8    public abstract void sound();
9  }
```

```
1  public class Dog extends Animal{
2
3    public void sound() {    ← 추상화 메소드를 오버라이드 함
4      System.out.println("멍멍");
5    }
6  }
```

```
1  public class Cat extends Animal{
2
3    public void sound() {    ← 추상화 메소드를 오버라이드 함
4      System.out.println("야옹");
5    }
6  }
```

```
1  public class AnimalTest {
2    public static void main(String[] args) {
3
4      Animal ani[] = new Animal[2];   ← 추상화 클래스로 객체 배열 선언
5
6      ani[0] = new Dog();   ← Animal로 선언된 객체 배열의 레퍼런스 변수에 Dog 객체 생성하여 가르키도록 연결
7      ani[1] = new Cat();   ← Animal로 선언된 객체 배열의 레퍼런스 변수에 Cat 객체 생성하여 가르키도록 연결
8
9      for (int i = 0; i < 2; i++)
10       ani[i].sound();
11   }
12 }
```

결과

```
멍멍
야옹
```

AnimalTest의 4번째 줄에서 Animal 객체를 생성하는 것이 아니라 Animal 객체 배열을 선언 하여 레퍼런스 변수로 활용하도록 하는 것이다.

8.3 인터페이스

인터페이스(Interface)는 약속이다. 인터페이스는 인스턴스 변수는 가지지 않으며 순수 추상 메소드로 구성되어 있다. 인터페이스를 선언 할 때 interface 키워드로 선언 한다. 인터페이스의 약속을 준수하도록 하여 지정된 형태의 메소드를 생성하도록 한다.

```
interface 인터페이스명{
}
```

인터페이스를 구현하라고 선언된 클래스는 implements 키워드를 사용 하며 인터페이스를 구현하라고 선언된 클래스는 인터페이스에 정의된 추상 메소드를 구현해야 한다.

```
class 클래스명  implements 인터페이스명{
}
```

[코드 8-5]는 인터페이스를 선언한 클래스를 구현한 프로그램이다. Pet 인터페이스를 구현하도록 선언된 클래스는 Pet 인터페이스의 추상화 메소드 play()를 꼭 구현해야 한다.

코드 8-5 인터페이스

```
1  public interface Pet{
2    public abstract void play();
3  }
```

```
1  abstract public class Animal {
2    String name;
3
4    public void setName(String name){
5      this.name = name;
6    }
7
8    public abstract void sound();
9  }
```

```
1  public class Dog extends Animal implements Pet {
2
3    public void sound() {
4      System.out.println("멍멍");
5    }
6
7    public void play() { ←── Pet 인터페이스의 추상화 메소드 구현
8      System.out.println("공 물어오기");
9   }
10 }
```

```
1  public class Cat extends Animal implements Pet{
2
3    public void sound() {
4      System.out.println("야옹");
5    }
6
7    public void play() { ←── Pet 인터페이스의 추상화 메소드 구현
8      System.out.println("캣 타워");
9    }
10 }
```

```
1  public class AnimalTest {
2    public static void main(String[] args) {
3
4      Animal ani[] = new Animal[2];
5
```

```
6        ani[0] = new Dog();
7        ani[1] = new Cat();
8
9        for (int i = 0; i < 2; i++)
10         ani[i].sound();
11
12       Pet pet[] = new Pet[2];
13
14       pet[0] = (Dog)ani[0];
15       pet[1] = (Cat)ani[1];
16
17       for (int i = 0; i < 2; i++)
18         pet[i].play();
19     }
20   }
```

결과

```
멍멍
야옹
공 물어오기
캣 타워
```

인터페이스 또한 레퍼런스로 선언되어 사용 할 수 있다. 추상 클래스가 인터페이스를 구현도록 정의 할 수 있다. 하지만 추상 클래스는 객체를 생성 할 수 없으므로 인터페이스의 추상화 클래스를 구현 하지 않아도 된다. [코드 8-6]은 추상클래스에 인터페이스를 구현 하도록 정의한 프로그램이다.

코드 8-6 추상화 클래스와 인터페이스

```
1  public interface Pet{
2    public abstract void play();
3  }
```

```
1  public abstract class Animal implements Pet{
2    String name;
3
4    public void setName(String name){
5      this.name = name;
6    }
7
8    public abstract void sound();
9  }
```

```
1  public class Dog extends Animal {
2
3    public void sound() {
4      System.out.println("멍멍");
5    }
6
7    public void play() {
8      System.out.println("공 물어오기");
9   }
10 }
```

```
1  public class Cat extends Animal{
2
3    public void sound() {
4      System.out.println("야옹");
5    }
6
7    public void play() {
8      System.out.println("캣 타워");
9    }
10 }
```

```
1  public class AnimalTest {
2    public static void main(String[] args) {
3
4      Animal ani[] = new Animal[2];
5
6      ani[0] = new Dog();
7      ani[1] = new Cat();
8
9      for (int i = 0; i < 2; i++)
10     {
11       ani[i].sound();
12       ani[i].play();
13     }
14   }
15 }
```

결과

```
멍멍
공 물어오기
야옹
캣 타워
```

자바는 다중 상속을 지원하지 않는다. 하지만 인터페이스를 사용하면 다중 상속의 효과를 누릴 수 있다. 자바에서 자식 클래스는 단 하나의 부모 클래스만 가질 수 있지만 여러 개의 인터페이스를 구현하도록 선언되는 것은 허용된다. [코드 8-7]은 다중 인터페이스를 구현한 프로그램이다.

코드 8-7 다중 인터페이스

```
1  public interface Pet{
2    public abstract void play();
3  }
```

```
1  public interface HouseAnimal{
2    public abstract void space();
3  }
```

```
1  public abstract class Animal{
2    String name;
3
4    public void setName(String name){
5      this.name = name;
6    }
```

```
7
8     public abstract void sound();
9   }
```

```
1   public class Dog extends Animal implements Pet, HouseAnimal{
2
3     public void sound() {
4       System.out.println("멍멍");
5     }
6
7     public void play() {
8       System.out.println("공 물어오기");
9     }
10
11    public void space() {
12      System.out.println("거실");
13    }
14  }
```

```
1   public class Cat extends Animal implements Pet, HouseAnimal{
2
3     public void sound() {
4       System.out.println("야옹");
5     }
6
7     public void play() {
8       System.out.println("캣 타워");
9     }
10
```

```
11     public void space() {
12       System.out.println("안방");
13     }
14   }
```

```
1    public class AnimalTest {
2      public static void main(String[] args) {
3
4        Dog dog = new Dog();
5        Cat cat = new Cat();
6
7        cat.sound();
8        cat.play();
9        cat.space();
10
11       dog.sound();
12       dog.play();
13       dog.space();
14     }
15   }
```

결과

```
야옹
캣 타워
안방
멍멍
공 물어오기
거실
```

클래스와 인터페이스 간의 상속은 불가능 하지만 인터페이스와 인터페이스 간의 상속은 가능 하다. [코드 8-8]은 인터페이스 간의 상속을 구현한 프로그램이다.

코드 8-8 인터페이스의 상속

```
1  public interface Pet extends HouseAnimal{
2    public abstract void play();
3  }
```

```
1  public interface HouseAnimal{
2    public abstract void space();
3  }
```

```
1  public abstract class Animal {
2    String name;
3
4    public void setName(String name){
5      this.name = name;
6    }
7
8    public abstract void sound();
9  }
```

```
1  public class Dog extends Animal implements Pet{
2
3    public void sound() {
4      System.out.println("멍멍");
```

```
 5      }
 6  
 7      public void play() {
 8        System.out.println("공 물어오기");
 9      }
10  
11      public void space() {
12        System.out.println("거실");
13      }
14    }
```

```
 1  public class Cat extends Animal implements Pet{
 2  
 3    public void sound() {
 4      System.out.println("야옹");
 5    }
 6  
 7    public void play() {
 8      System.out.println("캣 타워");
 9    }
10  
11    public void space() {
12      System.out.println("안방");
13    }
14  }
```

```
1  public class AnimalTest {
2    public static void main(String[] args) {
3
4      Dog dog = new Dog();
5      Cat cat = new Cat();
6
7      cat.sound();
8      cat.play();
9      cat.space();
10
11     dog.sound();
12     dog.play();
13     dog.space();
14   }
15 }
```

결과

```
야옹
캣 타워
안방
멍멍
공 물어오기
거실
```

인터페이스가 다른 인터페이스를 상속 받더라도 상속받은 추상화 메소드는 구현 할 수는 없다.

연습문제

1. Shape 추상클래스를 부모 클래스로 하는 Triangle, Rectangle, Circle 클래스를 생성하여 도형의 넓이를 출력하는 프로그램을 작성하시오. (pi = 3.14로 적용)

```
1  abstract public class Shape {
2    private int size;
3
4    public abstract void getArea();
5  }
```

```
1  abstract public class ShapeDemo {
2    public static void main(String[] args) {
3
4      Shape sha[] = new Shape[3];
5      sha[0] = new Triangle(3, 4);
6      sha[1] = new Rectangle(4, 4);
7      sha[2] = new Circle(5);
8      for (int i = 0; i < 2; i++)
9     {
10       sha[i].getArea();
11     }
12   }
13 }
```

```
삼각형의 크기: 6
사각형의 크기: 16
원의 크기: 78.5
```

2. 문제 1번의 Shape 추상클래스를 인터페이스로 선언하여 동일한 동작을 하도록 프로그래밍 하시오.

```
1  public interface class Shape {
2     public abstract void getArea();
3  }
```

```
삼각형의 크기: 6
사각형의 크기: 16
원의 크기: 78.5
```

CHAPTER 9

예외 처리

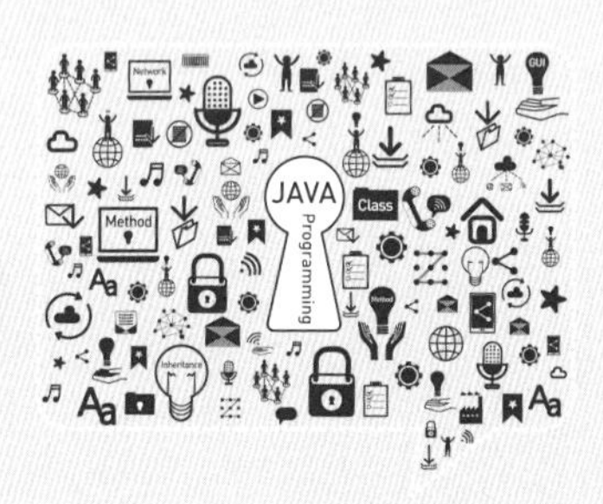
Network
GUI
JAVA
Programming
Class
Method

프로그램을 작성 할 때 발생하는 예외적인 상황이 있을 수 있다. 사용자의 문제 일 수도 있고 시스템 상의 문제 일 수도 있다. 이러한 상황에 대처하기 위해 문제가 발생할 가능성이 높은 곳에 예외적인 상황이 발생했을 때의 처리 방안을 선언한다. 자바에서 try, catch, throws를 사용하여 적절하게 예외를 처리 할 수 있다.

9.1 프로그램의 위험요소 파악하기

자바에서 예외처리는 프로그램 실행 중에 생길 수 있는 문제를 예외적인 상황으로 인식하여 처리 할 수 있다. 프로그램에서 오류를 발생할 수 있는 메소드를 사용할 때 메소드에 오류를 발생 시킬 수 있는 문제점에 대하여 선언해야 한다. 예외를 발생시킬 수 있는 문제가 발생하면 바로 던져줄 수 있도록 throw 명령어를 이용하여 메소드에 위험요소를 선언한다. 위험 요소가 선언된 메소드는 반드시 try 구문 안에서 위험 요소가 있는지 파악되어야 하고 위험 요소 발생시 catch 구분에서 예외를 받아 처리해 주어야 한다.

자바에서 예외는 Exception 클래스를 기반으로 하는 다양한 하위 클래스로 만들어 지며 Exception 클래스는 Throwable 클래스를 부모 클래스로 가진다.

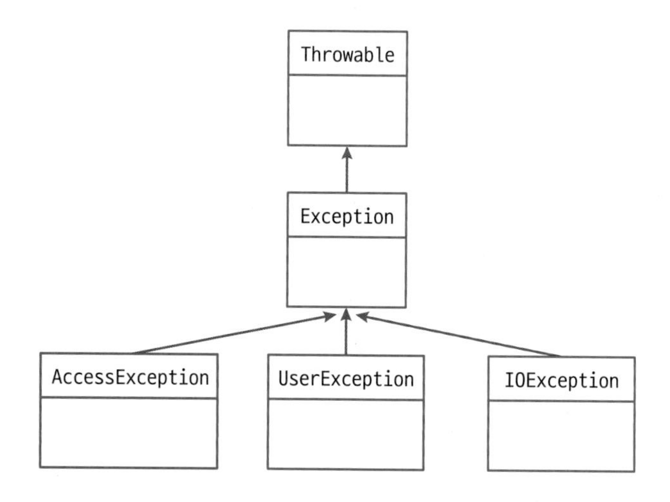

가장 간단한 오류로는 숫자를 0으로 나누는 것을 들 수 있다. [코드 9-1]은 3을 0으로 나누었을 때 발생하는 오류를 확인 하는 프로그램이다.

코드 9-1 **3/0 오류 확인**

```
1  public class ExceptionTest {
2    public static void main(String[] args) {
3
4      int x;
5      x = 3/0;  <-- 오류 발생
6
7      System.out.println("프로그램 끝");
8    }
9  }
```

결과

```
Exception in thread "main" java.lang.ArithmeticException: / by zero
```

예외상황이 발생하면 프로그램은 뒤의 코드를 실행 시키지 않고 중단되며 콘솔 창에 오류의 형태와 상황에 대한 정보를 출력한다. 이같이 간단한 예외상황으로 인해 프로그램 전체가 멈추는 상황이 발생 할 수 있기 때문에 이런 상황을 방지하기 위해서 예외처리를 해야 한다.

9.2 try, catch, throws

예외를 판단하기 위한 try ~ catch 구문은 다음과 같은 구조를 가진다.

```
try {
  (예외 검사)
} catch( 예외 종류 ) {
  (예외 상황 처리)
}
```

try구문 안에서 예외가 발생하지 않는다면 catch 구문안의 코드는 실행되지 않는지만 try구문 안에서 catch의 예외 종류에 맞는 예외가 발생하면 catch 구문안의 코드는 실행된다. try 문 뒤에 꼭 catch 문이 선언되어야 한다. [코드 9-2]는 [코드 9-1]의 예외 상황을 처리하는 프로그램이다.

코드 9-2 예외처리

```
1  public class ExceptionTest {
2    public static void main(String[] args) {
3
4      int x;
5      try {
6        x = 3/0;
7        System.out.println("나눗셈 계산");   ← 오류가 발생하여 실행되지 않는 부분
8      } catch(ArithmeticException e) {
9        System.out.println("오류 발생");
10     }
11
12     System.out.println("프로그램 끝");
13   }
14 }
```

결과

```
오류 발생
프로그램 끝
```

예외를 발생하지 않는 상황에서는 catch 구문은 실행되지 않는다. [코드 9-3]은 예외가 없을 때 예외 처리가 어떻게 진행되는지 보여주는 프로그램이다.

코드 9-3 예외가 없을 때의 예외처리

```
1  public class ExceptionTest {
2    public static void main(String[] args) {
3
4      int x;
5      try {
6        x = 3/10;
7        System.out.println("나눗셈 계산");
8      } catch(ArithmeticException e) {
9        System.out.println("오류 발생");
10     }
11
12     System.out.println("프로그램 끝");
13   }
14 }
```

오류가 발생하지않았기 때문에 실행되지 않음

결과

```
나눗셈 계산
프로그램 끝
```

throws 가 선언 된 메소드는 throw 키워드를 이용하여 예외를 던져줘야 하며 메소드는 try 구문 안에서만 선언 할 수 있다. [코드 9-4]는 예외를 던지는 메소드를 선언하고 이를 처리하는 프로그램이다.

코드 9-4 throws 가 선언 된 메소드

```
1  public class ExceptionTest {
2    public static void main(String[] args) {
3
4      BadClass bad = new BadClass();
5
6      try {
7        bad.badCode(true);
8        System.out.println("프로그램 실행");
9      }catch (Exception e){
10       System.out.println("오류 발생");
11     }
12   }
13 }
14
15 class BadClass {
16   public  void badCode(boolean bool ) throws Exception{   ← 예외를 던지도록 선언함
17     if (bool){
18       throw new Exception();   ← 예외를 생성하여 던짐
19     }
20   }
21 }
```

결과

```
오류 발생
```

9.3 다중 예외 처리하기

하나의 메소드에서 여러 개의 예외를 던질 수 있다. 하지만 catch 구문에서는 하나의 예외만 잡아야 한다. [코드 9-5]는 여러 개의 예외를 가지는 메소드를 처리하는 프로그램이다.

코드 9-5 다중 예외 처리

```
1  import java.io.IOException;
2    public class ExceptionTest {
3    public static void main(String[] args) {
4
5      BadClass bad = new BadClass();
6
7      try {
8        bad.badCode(true);
9        System.out.println("프로그램 실행");
10     }catch (Exception e){
11       System.out.println("Exception 오류 발생");
12     }catch (IOException e){
13       System.out.println("IOException 오류 발생");
14     }
15   }
16 }
17
18 class BadClass {
19   public  void badCode(boolean bool ) throws Exception, IOException{
20     if (bool){
21       throw new Exception();
22     } else {
23       throw new IOException();
```

(19행 주석: 여러개의 예외를 던지도록 선언)

```
24 |     }
25 |   }
26 | }
```

결과

```
Exception in thread "main" java.lang.Error: Unresolved compilation problem:
    Unreachable catch block for IOException. It is already handled by the catch block for Exception
```

하지만 [코드 9-5]는 제대로 실행되지 않는다. 이유는 9번째 줄의 catch 구문에서 Exception 예외를 잡았는데 Exception은 모든 예외의 부모클래스가 되어 다른 예외들 또한 Exception로 잡을 수 있기 때문이다. 여러 개의 예외를 처리할 때 범위가 작은 것부터 큰 것으로 나열해야 한다. [코드 9-6]은 [코드 9-5]의 9번째 줄과 11번째 줄을 바꿔 출력한 프로그램이다.

코드 9-6 다중 예외 처리

```
1  | import java.io.IOException;
2  | public class ExceptionTest {
3  |   public static void main(String[] args) {
4  |
5  |     BadClass bad = new BadClass();
6  |
7  |     try {
8  |       bad.badCode(true);
9  |       System.out.println("프로그램 실행");
10 |     }catch (IOException e){
11 |       System.out.println("IOException 오류 발생");
```

```
12          }catch (Exception e){
13            System.out.println("Exception 오류 발생");
14          }
15        }
16      }
17
18      class BadClass {
19        public  void badCode(boolean bool ) throws Exception, IOException{
20          if (bool){
21            throw new Exception();
22          } else {
23            throw new IOException();
24          }
25        }
26      }
```

결과

```
Exception 오류 발생
```

9.4 예외를 처리하는 방법

예외를 처리할 때 예외가 발생하거나 안하거나 꼭 실행을 해야 부분이 있을 수 있다. 이런 상황을 위해서 자바는 finally 키워드를 이용하여 무조건 실행할 내용을 지정 할 수 있다. [코드 9-7]은 finally를 사용하여 예외 유무와 상관없이 항상 "프로그램 종료" 문장을 출력하는 프로그램이다.

코드 9-7 **finally 선언**

```
public class ExceptionTest {
  public static void main(String[] args) {

    BadClass bad = new BadClass();

    try {
      bad.badCode(true);
    System.out.println("프로그램 실행");
    }catch (Exception e){
      System.out.println("오류 발생");
    }finally {
      System.out.println("프로그램 종료");
    }
  }
}

class BadClass {
  public  void badCode(boolean bool ) throws Exception{
    if (bool){
      throw new Exception();
    }
  }
}
```

결과

```
오류 발생
프로그램 종료
```

[코드 9-7]의 7번째 줄의 부울 값이 false 일 경우 결과 값은 다음과 같다.

결과

```
프로그램 실행
프로그램 종료
```

자바에서 예외는 꼭 처리하거나 다른 곳으로 던져야 한다. 예외를 처리하는 방법은 try catch 구문을 이용하여 예외를 검사하고 처리하는 것을 말하며 예외를 다른 곳으로 던지는 것은 throws 키워드를 이용하여 예외를 다른 곳으로 보낸다. 두 정수를 입력 받아 나눗셈을 하는 프로그램 [코드 9-8]을 제작 하여 보자. 먼저 입력 받는 값은 정수 여야 한다. 실수나 문자를 입력 받았을 경우 예외를 처리해야 하고 나누는 값으로 0을 선언했을 때 또한 예외를 선언해야 한다.

코드 9-8 예외 던지고 받기

```
1  import java.util.Scanner;
2
3  public class ExceptionTest {
4    public static void main(String[] args) {
5
6      ExceptionTest test = new ExceptionTest();
7      test.play();
8    }
9
10   public void play() {
11
12     try {
13       System.out.println(divide());
```

```
14        }catch(NumberFormatException e){
15          System.out.println("숫자를 입력해 주세요.");
16        }catch(ArithmeticException e){
17          System.out.println("분모가 0 입니다.");
18        }
19      }
20
21      public int divide() throws ArithmeticException {
22
23        Scanner in  = new Scanner(System.in);
24
25        int x = numberScan(in.nextLine());
26        int y = numberScan(in.nextLine());
27
28        return x/y;
29      }
30
31      public int numberScan(String str) throws NumberFormatException {
32
33        int number = Integer.parseInt(str);
34
35        return number;
36      }
37    }
```

정상적으로 입력 하였을 경우

결과

```
8
3
2
```

문자를 입력 하였을 경우

결과

```
A
숫자를 입력해 주세요.
```

나누는 수에 0을 입력 하였을 경우

결과

```
5
0
분모가 0 입니다.
```

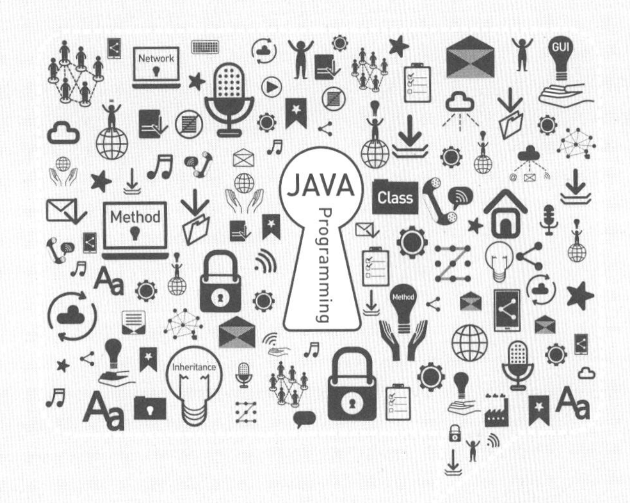

CHAPTER 10

파일 입출력

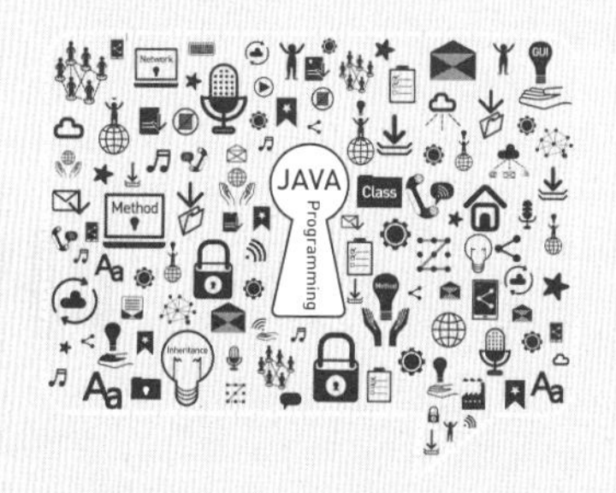
JAVA
Programming
Class
Method

10.1 입출력 스트림

컴퓨터에서 기본적으로 데이터를 저장하고 읽는데 파일을 사용한다. 파일에 데이터를 저장 할 수 있고 파일에 있는 데이터를 읽어 프로그램에 적용 할 수 있다. 컴퓨터의 데이터는 스트림 형태로 이동한다. 먼저 들어간 데이터가 먼저 나오는 순차적인 선입 선출의 구조로 되어 있으며 대부분의 데이터는 단방향으로 진행되기 때문에 읽기와 쓰기를 동시에 할 수 없다.

스트림은 출발지 혹은 목적지로의 연결을 나타낼 수 있고 스트림을 사용하기 위해 먼저 열어야 하며 사용 후는 닫는다. 입력과 출력의 스트림은 InputStream과 Output-Stream을 기반으로 생성되며 파일 입출력을 위한 스트림으로 FileInputStream과 FileOutputStream가 있다.

10.2 파일의 생성 및 저장

파일을 생성해 보자. [코드 10-1]은 간단하게 파일을 생성하는 프로그램이다.

코드 10-1 파일 생성

```
1  import java.io.FileOutputStream;
2  import java.io.IOException;
3
4  public class FileDemo {
5    public static void main(String[] args)  {
6
7      try {
8        FileOutputStream file = new FileOutputStream("text.txt");
9        file.close( );
10     }catch(IOException e) {
```

내용을 저장할 파일 지정 혹은 파일이 없을때 파일 생성

```
11          System.out.println(e.getMessage());
12        }
13      }
14    }
```

실행을 한 후 실행 워크스페이스 폴더를 보면 text.txt 파일이 생성되어 있다. 파일에 텍스트를 저장할 때는 write() 메소드를 사용한다. [코드 10-2]은 생성된 파일에 문장을 저장하는 프로그램이다.

코드 10-2 파일 입력

```
1   import java.io.FileOutputStream;
2   import java.io.IOException;
3
4   public class FileDemo {
5     public static void main(String[] args)  {
6
7       try {
8         FileOutputStream file = new FileOutputStream("text.txt");
9
10        file.write("hello World!!".getBytes());
11
12        file.close();
13      }catch(IOException e) {
14        System.out.println(e.getMessage());
15      }
16    }
17  }
```

FileOutputStream 에서는 바이트 단위로 읽기 때문에 바이트 값을 가져온다.

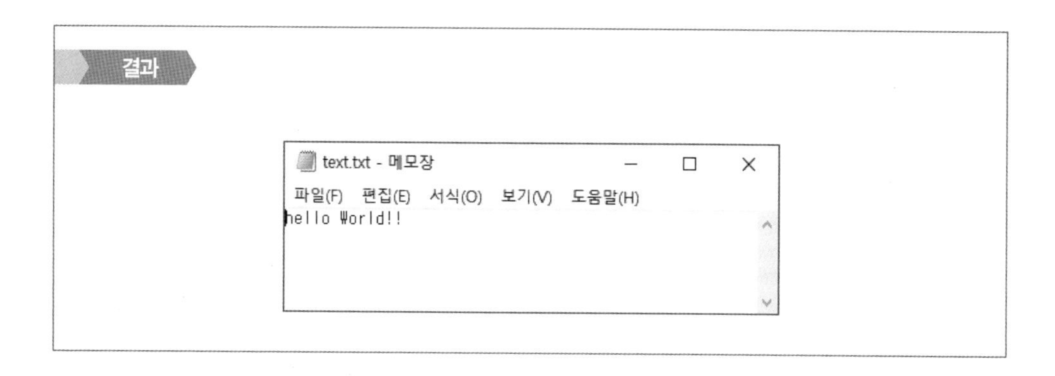

생성된 파일을 열어보면 결과와 같이 "hello World!!"가 출력되어 있다. 긴 문장의 텍스트를 입력해 보자. [코드 10-3]은 세익스피어의 희곡 로미오와 줄리엣 중 한부분이다.

코드 10-3 긴 문장의 텍스트파일 입력

```
1  import java.io.FileOutputStream;
2  import java.io.IOException;
3
4  public class FileDemo {
5    public static void main(String[] args)  {
6
7      try {
8        FileOutputStream file = new FileOutputStream("text.txt");
9
10       String Juliet = "JULIET:\r\n" +
11         "'Tis but thy name that is my enemy;\r\n" +
12         "Thou art thyself, though not a Montague.\r\n" +
13         "What's Montague? it is nor hand, nor foot,\r\n" +
14         "Nor arm, nor face, nor any other part\r\n" +
15         "Belonging to a man. O, be some other name!\r\n" +
16         "What's in a name? that which we call a rose\r\n" +
17         "By any other name would smell as sweet;\r\n" +
```

행을 바꿀때 사용되는 개행문자 (\r\n)

```
18            "So Romeo would, were he not Romeo call'd,\r\n" +
19            "Retain that dear perfection which he owes\r\n" +
20            "Without that title. Romeo, doff thy name,\r\n" +
21            "And for that name which is no part of thee\r\n" +
22            "Take all myself.";
23
24          file.write(Juliet.getBytes());
25
26          file.close();
27        }catch(IOException e) {
28          System.out.println(e.getMessage());
29        }
30      }
31    }
```

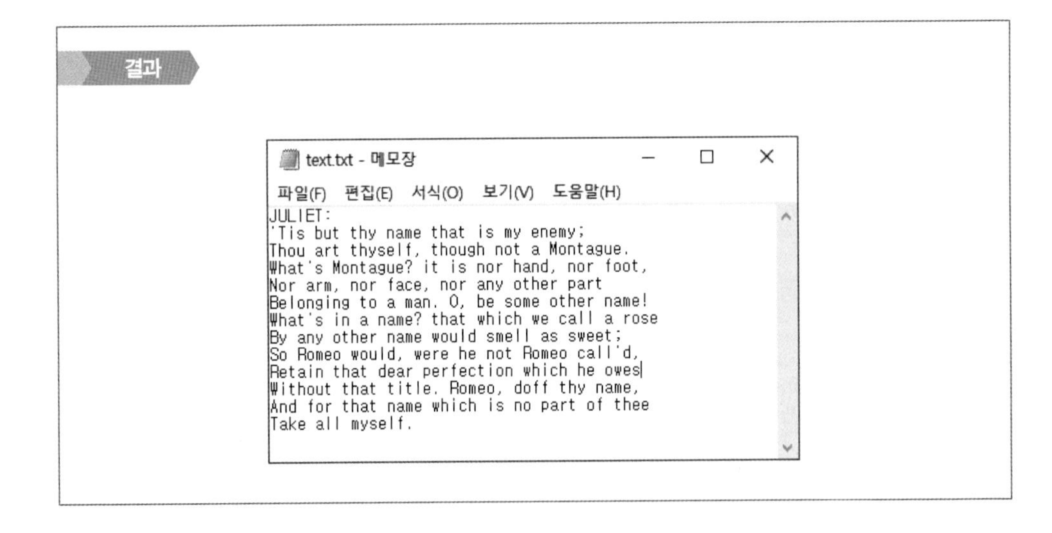

그런데 결과에서 보면 기존에 있던 “hello World!!”의 내용은 사라지고 새롭게 쓰인 줄리엣의 대사만 저장되었다. 새롭게 파일을 쓰는 것이 아니라 만들어진 문서의 뒷부분에 문장이 연결되도록 하려면 8번째 줄을 아래와 같이 변경 해야 한다.

```
FileOutputStream file = new FileOutputStream("text.txt");
-> FileOutputStream file = new FileOutputStream("text.txt", true);
```

[코드 10-4]는 줄리엣의 대사 뒷부분에 로미오의 추가한 파일을 생성하는 프로그램이다.

코드 10-4 텍스트파일 연결 입력

```
1  import java.io.FileOutputStream;
2  import java.io.IOException;
3  
4  public class FileDemo {
5    public static void main(String[] args)  {
6  
7      try {
8        FileOutputStream file = new FileOutputStream("text.txt", true);
9  
10       String Romeo = "\r\n\r\nROMEO:\r\n" +
11         "I take thee at thy word:\r\n" +
12         "Call me but love, and I'll be new baptized;\r\n" +
13         "Henceforth I never will be Romeo.\r\n";
14 
15       file.write(Romeo.getBytes());
16 
17       file.close();
18     }catch(IOException e) {
```

```
19            System.out.println(e.getMessage());
20        }
21      }
22    }
```

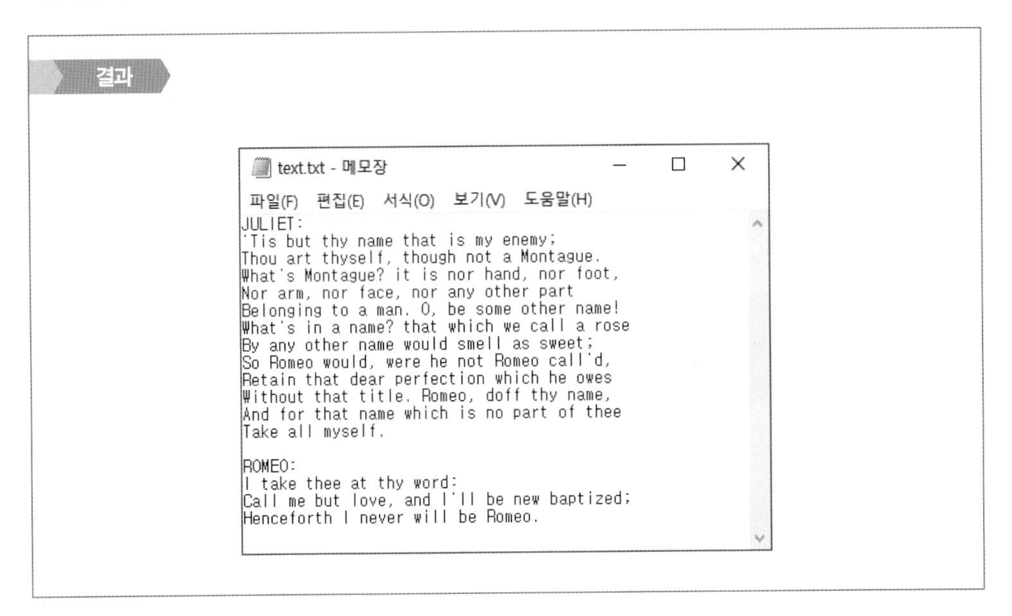

FileOutputStream은 바이트 단위로 데이터를 읽기 때문에 문자열을 사용할 때 항상 변환해 주어야 한다. 문자열을 이용한 문서 입력을 좀 더 간단하게 할 수 있는 방법으로는 FileWriter 객체를 사용하는 것이다. FileWriter 객체를 사용하면 문자열을 직접 파일에 저장 할 수 있다.

[코드 10-5]은 [코드 10-3]을 FileWriter 클래스를 이용하여 저장한 프로그램이다.

코드 10-5 FileWriter를 이용한 긴 문장의 텍스트파일 입력

```
1  import java.io.FileWriter;
2  import java.io.IOException;
3
4  public class FileDemo {
5    public static void main(String[] args)  {
6
7      try {
8        FileWriter file = new FileWriter("text.txt");
9
10       String Juliet = "JULIET:\r\n" +
11         "'Tis but thy name that is my enemy;\r\n" +
12         "Thou art thyself, though not a Montague.\r\n" +
13         "What's Montague? it is nor hand, nor foot,\r\n" +
14         "Nor arm, nor face, nor any other part\r\n" +
15         "Belonging to a man. O, be some other name!\r\n" +
16         "What's in a name? that which we call a rose\r\n" +
17         "By any other name would smell as sweet;\r\n" +
18         "So Romeo would, were he not Romeo call'd,\r\n" +
19         "Retain that dear perfection which he owes\r\n" +
20         "Without that title. Romeo, doff thy name,\r\n" +
21         "And for that name which is no part of thee\r\n" +
22         "Take all myself.";
23
24       file.write(Juliet);
25
26       file.close();
27     }catch(IOException e) {
28       System.out.println(e.getMessage());
29     }
30   }
31 }
```

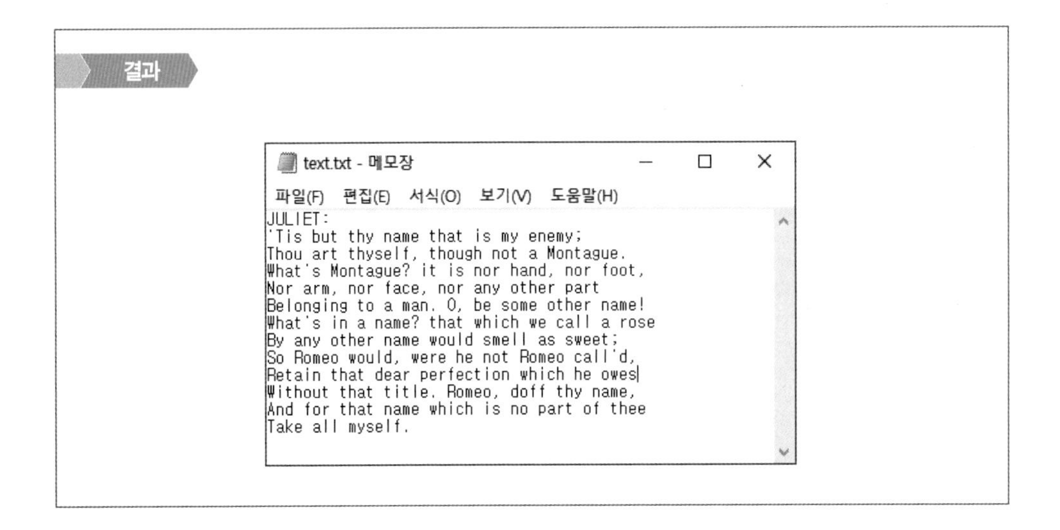

그런데 결과에서 [코드 10-3]과 마찬가지로 기존의 문장은 사라지고 새롭게 쓰인 줄리엣의 대사만 저장되었다. 새롭게 파일을 쓰는 것이 아니라 만들어진 문서의 뒷부분에 문장이 연결되도록 하려면 8번째 줄을 아래와 같이 변경해야 한다.

```
FileWriter file = new FileWriter("text.txt");
-> FileWriter file = new FileWriter("text.txt", true);
```

[코드 10-6]는 FileWriter를 이용하여 줄리엣의 대사 뒷부분에 로미오의 추가한 파일을 생성하는 프로그램이다.

코드 10-6 FileWriter를 이용한 텍스트파일 연결 입력

```
1  import java.io.FileWriter;
2  import java.io.IOException;
3  
4  public class FileDemo {
5    public static void main(String[] args)  {
6  
```

```
7       try {
8         FileWriter file = new FileWriter("text.txt", true);
9
10        String Romeo = "\r\n\r\nROMEO:\r\n" +
11          "I take thee at thy word:\r\n" +
12          "Call me but love, and I'll be new baptized;\r\n" +
13          "Henceforth I never will be Romeo.\r\n";
14
15        file.write(Romeo);
16
17        file.close();
18      }catch(IOException e) {
19        System.out.println(e.getMessage());
20      }
21    }
22  }
```

결과

text.txt - 메모장

파일(F) 편집(E) 서식(O) 보기(V) 도움말(H)

```
JULIET:
'Tis but thy name that is my enemy;
Thou art thyself, though not a Montague.
What's Montague? it is nor hand, nor foot,
Nor arm, nor face, nor any other part
Belonging to a man. O, be some other name!
What's in a name? that which we call a rose
By any other name would smell as sweet;
So Romeo would, were he not Romeo call'd,
Retain that dear perfection which he owes
Without that title. Romeo, doff thy name,
And for that name which is no part of thee
Take all myself.

ROMEO:
I take thee at thy word:
Call me but love, and I'll be new baptized;
Henceforth I never will be Romeo.
```

FileWriter 객체를 사용하면 문자열을 직접 파일에 저장이 가능 하지만 행을 바꿀 때 "\r\n" 표시를 꼭 해주어야 하는 번거로움이 있다. PrintWriter를 사용하면 한 줄씩 문장을 출력 할 수 있다. [코드 10-7]은 PrintWriter를 이용하여 텍스트를 파일에 저장하는 프로그램이다.

코드 10-7 PrintWriter를 이용한 긴 문장의 텍스트파일 입력

```
1   import java.io.PrintWriter;
2   import java.io.IOException;
3
4   public class FileDemo {
5     public static void main(String[] args)  {
6
7       try {
8         PrintWriter file = new PrintWriter("text.txt");
9
10        file.println("JULIET:");
11        file.println("'Tis but thy name that is my enemy;");
12        file.println("Thou art thyself, though not a Montague.");
13        file.println("What's Montague? it is nor hand, nor foot,");
14        file.println("Nor arm, nor face, nor any other part");
15        file.println("Belonging to a man. O, be some other name!");
16        file.println("What's in a name? that which we call a rose");
17        file.println("By any other name would smell as sweet;");
18        file.println("So Romeo would, were he not Romeo call'd,");
19        file.println("Retain that dear perfection which he owes");
20        file.println("Without that title. Romeo, doff thy name,");
21        file.println("And for that name which is no part of thee");
22        file.println("Take all myself.");
23
24        file.close();
```

```
25       }catch(IOException e) {
26         System.out.println(e.getMessage());
27       }
28     }
29   }
```

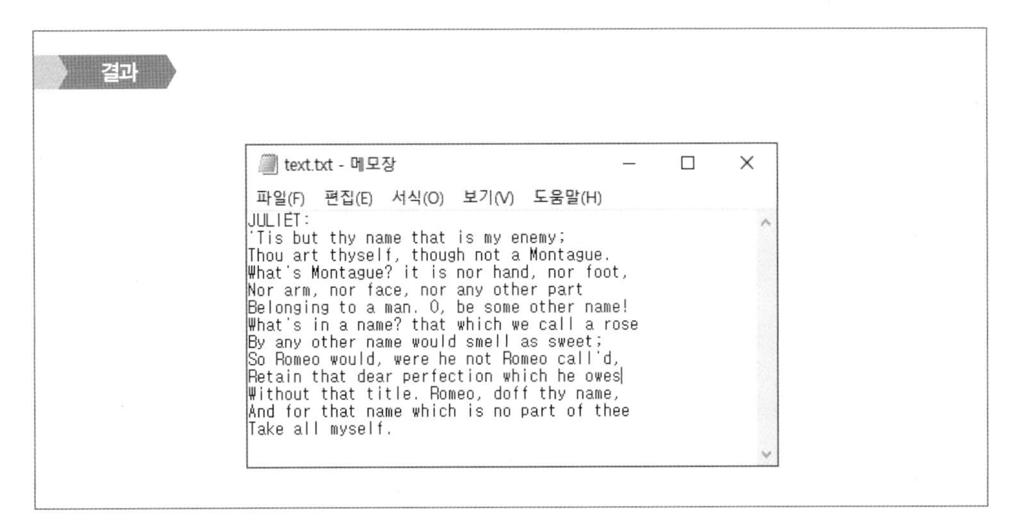

이번에도 전과 동일하게 기존에 있었던 문장은 사라지고 새롭게 입력된 문장만 저장되었다. 새롭게 파일을 쓰는 것이 아니라 만들어진 문서의 뒷부분에 문장이 연결되도록 하려면 8번째 줄을 아래와 같이 변경해야 한다.

```
PrintWriter file = new PrintWriter("text.txt");
-> PrintWriter file = new PrintWriter(new FileWriter("text.txt",true ));
```

PrintWriter 객체는 파일 뒷부분에 연결하여 새로운 문장을 저장할 때 FileWriter 객체를 이용하여 설정한다. [코드 10-8]은 PrintWriter를 이용하여 줄리엣의 대사 뒷부분에 로미오의 추가한 파일을 생성하는 프로그램이다.

코드 10-8 PrintWriter를 이용한 텍스트파일 연결 입력

```
1  import java.io.FileWriter;
2  import java.io.IOException;
3  import java.io.PrintWriter;
4
5  public class FileDemo {
6    public static void main(String[] args)  {
7
8      try {
9        PrintWriter file = new PrintWriter(new FileWriter("text.txt",true ));
10
11       file.println();
12       file.println("ROMEO:");
13       file.println("I take thee at thy word:");
14       file.println("Call me but love, and I'll be new baptized;");
15         file.println("Henceforth I never will be Romeo.");
16
17       file.close();
18     }catch(IOException e) {
19       System.out.println(e.getMessage());
20     }
21   }
22 }
```

결과

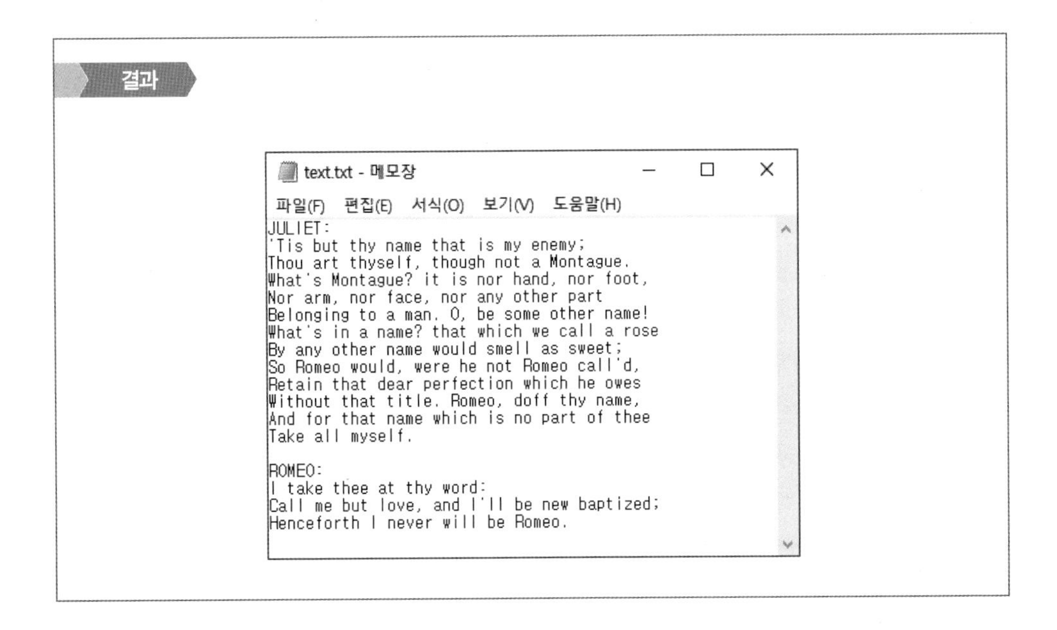

10.3 파일의 출력

이제 입력 받을 파일의 내용을 출력해 보자. 파일의 내용을 화면에 출력하는데 FileInputStream 객체가 사용된다. [코드 10-9]는 텍스트 파일을 읽고 출력하는 프로그램이다.

코드 10-9 텍스트파일 출력

```
1  import java.io.FileInputStream;
2  import java.io.IOException;
3  
4  public class FileDemo {
5    public static void main(String[] args)  {
6  
7      try {
8        byte[] b = new byte[1024];
```

```
 9
10          FileInputStream file = new FileInputStream("text.txt");
11
12          file.read(b);
13          System.out.println(new String(b));
14
15          file.close();
16        }catch(IOException e) {
17          System.out.println(e.getMessage());
18        }
19      }
20    }
```

불러올 파일을 선택

결과

```
JULIET:
'Tis but thy name that is my enemy;
Thou art thyself, though not a Montague.
What's Montague? it is nor hand, nor foot,
Nor arm, nor face, nor any other part
Belonging to a man. O, be some other name!
What's in a name? that which we call a rose
By any other name would smell as sweet;
So Romeo would, were he not Romeo call'd,
Retain that dear perfection which he owes
Without that title. Romeo, doff thy name,
And for that name which is no part of thee
Take all myself.

ROMEO:
I take thee at thy word:
Call me but love, and I'll be new baptized;
Henceforth I never will be Romeo.
```

읽고자 하는 파일이 패스 폴더에 존재하지 않을 때 오류가 발생한다. [코드 10-10]은 읽고자 하는 파일이 없을 때 발생하는 예외 상황을 보여주는 프로그램이다.

코드 10-10 텍스트파일 출력 오류

```
1  import java.io.FileInputStream;
2  import java.io.IOException;
3  
4  public class FileDemo {
5    public static void main(String[] args)  {
6  
7      try {
8        byte[] buff = new byte[1024];
9  
10       FileInputStream file = new FileInputStream("no.txt");
11 
12       file.read(buff);
13       System.out.println(new String(buff));
14 
15       file.close();
16     }catch(IOException e) {
17       System.out.println(e.getMessage());
18     }
19   }
20 }
```

결과

```
no.txt (지정된 파일을 찾을 수 없습니다)
```

버퍼단위로 파일을 읽어 화면에 출력하기 위해 BufferedReader와 FileReader를 사용한다. FileReader로 지정된 파일의 입력 스트림을 생성하고 BufferedReader로 파일의 크기만큼의 버퍼를 가진 객체를 생성하여 BufferedReader객체의 readLine 메소드를 이용하여 한 줄씩 읽는다. readLine 메소드는 더 이상 읽을 라인이 없을 경우 null값을 반환한다. [코드 10-11]은 BufferedReader와 FileReader를 이용하여 텍스트 파일을 읽어 화면에 출력하는 프로그램이다.

코드 10-11 BufferedReader를 이용한 텍스트파일 출력

```
1  import java.io.BufferedReader;
2  import java.io.FileReader;
3  import java.io.IOException;
4
5  public class FileDemo {
6    public static void main(String[] args)  {
7
8      try {
9        BufferedReader file = new BufferedReader(new FileReader("text.txt"));
10
11       while(true){
12         String str = file.readLine();
13
14         if( str == null )
15           break;
16
17         System.out.println(str);
18       }
19
20       file.close();
21     }catch(IOException e) {
22       System.out.println(e.getMessage());
```

```
23        }
24      }
25  }
```

결과

```
JULIET:
'Tis but thy name that is my enemy;
Thou art thyself, though not a Montague.
What's Montague? it is nor hand, nor foot,
Nor arm, nor face, nor any other part
Belonging to a man. O, be some other name!
What's in a name? that which we call a rose
By any other name would smell as sweet;
So Romeo would, were he not Romeo call'd,
Retain that dear perfection which he owes
Without that title. Romeo, doff thy name,
And for that name which is no part of thee
Take all myself.

ROMEO:
I take thee at thy word:
Call me but love, and I'll be new baptized;
Henceforth I never will be Romeo.
```

10.4 Date을 이용한 Log파일 만들기

로그(Log)파일은 컴퓨터의 프로그램이 실행 중에 발생하는 이벤트나 각종 통신 메시지를 기록한 파일이다. 로그파일을 생성할 때 이벤트나 발생이나 메시지 전달 시간의 기록 또한 저장된다. 시간의 정보를 받기위해 Date 클래스를 이용하며 받은 시간정보를 표현하기 위해 SimpleDateFormat 클래스를 사용한다. SimpleDateFormat은 문자를 이용하여 [표 10-1]과 같은 정보를 받을 수 있다.

표 10-1 Date and Time Patterns

Letter	Date or Time Component	Presentation	Examples
G	Era designator	Text	AD
y	Year	Year	1996; 96
Y	Week year	Year	2009; 09
M	Month in year	Month	July; Jul; 07
w	Week in year	Number	27
W	Week in month	Number	2
D	Day in year	Number	189
d	Day in month	Number	10
F	Day of week in month	Number	2
E	Day name in week	Text	Tuesday; Tue
u	Day number of week (1 = Monday, ..., 7 = Sunday)	Number	1
a	Am/pm marker	Text	PM
H	Hour in day (0-23)	Number	0
k	Hour in day (1-24)	Number	24
K	Hour in am/pm (0-11)	Number	0
h	Hour in am/pm (1-12)	Number	12
m	Minute in hour	Number	30

Letter	Date or Time Component	Presentation	Examples
s	Second in minute	Number	55
S	Millisecond	Number	978
z	Time zone	General time zone	Pacific Standard Time; PST; GMT-08:00
Z	Time zone	RFC 822 time zone	-0800
X	Time zone	ISO 8601 time zone	-08; -0800; -08:00

SimpleDateFormat의 여러 패턴을 이용하여 시간 정보를 기록 할 수 있다. [표 10-2]는 SimpleDateFormatd을 이용한 시간 패턴의 예이다.

표 10-2 SimpleDateFormat 예시

Date and Time Pattern	Result
"yyyy.MM.dd G 'at' HH:mm:ss z"	2001.07.04 AD at 12:08:56 PDT
"EEE, MMM d, ''yy"	Wed, Jul 4, '01
"h:mm a"	12:08 PM
"hh 'o''clock' a, zzzz"	12 o'clock PM, Pacific Daylight Time
"K:mm a, z"	0:08 PM, PDT
"yyyyy.MMMMM.dd GGG hh:mm aaa"	02001.July.04 AD 12:08 PM
"EEE, d MMM yyyy HH:mm:ss Z"	Wed, 4 Jul 2001 12:08:56 -0700
"yyMMddHHmmssZ"	010704120856-0700
"yyyy-MM-dd'T'HH:mm:ss.SSSZ"	2001-07-04T12:08:56.235-0700
"yyyy-MM-dd'T'HH:mm:ss.SSSXXX"	2001-07-04T12:08:56.235-07:00
"YYYY-'W'ww-u"	2001-W27-3

[코드10-12]는 현재 시간 정보를 파일에 저장 하고 읽어오는 프로그램이다.

코드 10-12 **Log파일 입출력**

```
1  import java.io.*;
2  import java.text.SimpleDateFormat;
3  import java.util.*;
4  
5  public class TimeLogfile {
6    public static void main(String[] args)  {
7      Date date = new Date();
8  
9      SimpleDateFormat format = new SimpleDateFormat("yyyy-MM-dd HH:mm:ss");
10     try {
11       FileOutputStream file = new FileOutputStream("TimeLog.txt");
12 
13       file.write(format.format(date).getBytes());
14 
15       file.close();
16     }catch(IOException e) {
17       System.out.println(e.getMessage());
18     }
19 
20     try {
21       BufferedReader file = new BufferedReader(new FileReader("TimeLog.txt"));
22 
23       while(true){
24         String str = file.readLine();
25 
26         if( str == null )
27           break;
28 
29         System.out.println(str);
30       }
```

```
31
32            file.close();
33         }catch(IOException e) {
34            System.out.println(e.getMessage());
35         }
36      }
37   }
```

결과

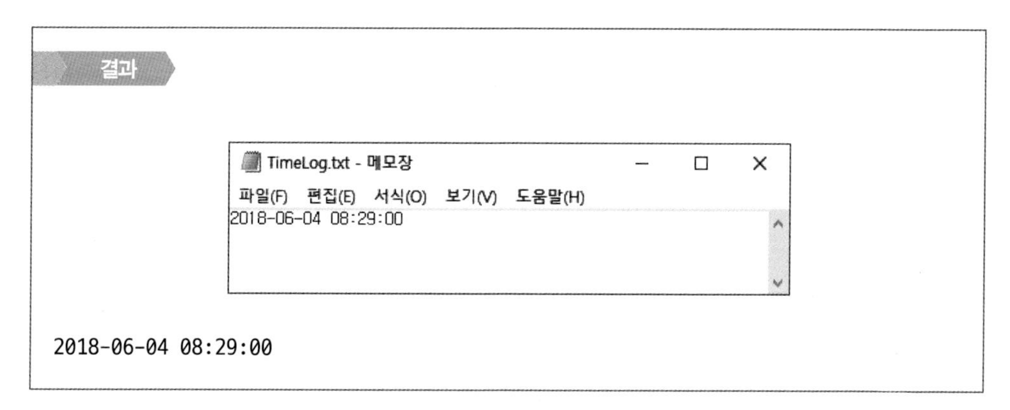


```
2018-06-04 08:29:00
```

프로그램을 실행할 때마다 파일에 기존에 시간정보에 새로운 시간정보를 더하기 위해서는 11번째 줄에 true 선언을 해야 한다.

연습문제

1. 아래와 같이 파일이 저장 되고 출력되도록 프로그램을 작성하시오.

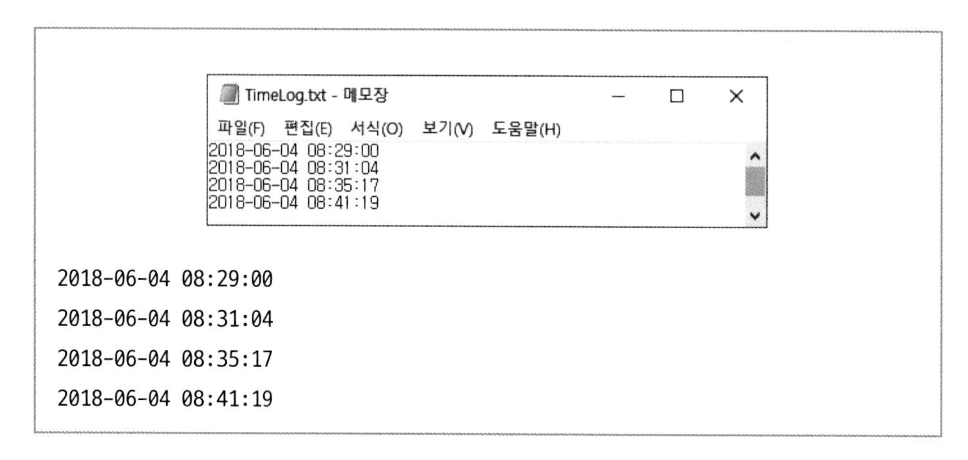

CHAPTER 11

쓰레드

Network
GUI
JAVA
Programming
Class
Method
Inheritance

동작하고 있는 프로그램을 프로세스(Process)라고 한다. 여러 개의 프로세스를 동시에 실행 시키는 것을 멀티 프로세싱이라 한다. 보통 한 개의 프로세스는 한 가지의 일을 한다. 하지만 하나의 프로세스에서 여러 가지의 일을 동시에 실행 시키게 되는 경우가 있다. 이럴 때 쓰레드를 사용하면 한 프로세스 내에서 두 가지 또는 그 이상의 일을 동시에 할 수 있다. 이것을 멀티쓰레딩이라 한다.

11.1 쓰레드란

쓰레드는 사전적으로 작은 실타래를 의미한다. 쓰레드는 하나의 흐름으로 프로세스 내에 하나이상 존재한다. 쓰레드는 프로세스와 자원을 공유함으로 공유된 자원의 문제가 있을시 쓰레드에 영향을 미친다. 쓰레드가 프로세스에 하나 있을 때 단일 스레드 프로세싱이라 하며 쓰레드가 프로세스 내에 여러 개 존재하면 멀티 쓰레드 프로세싱이라 한다. 쓰레드의 일생은 (그림 11-1)과 같다.

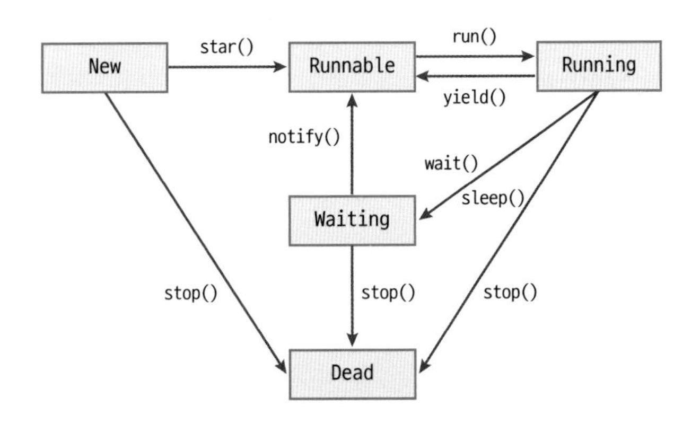

그림 11-1 쓰레드의 일생

쓰레드가 객체를 생성하고 start() 메소드를 이용하여 Runnable 상태로 변경한다. Runnable 상태는 실행되는 것이 아니라 실행 대기 상태를 의미한다. 실행대기 상태에서 run() 메소드를 사용하면 쓰레드가 실행되고 쓰레드의 실행 상태에서 stop() 메소드를 사용하면 쓰레드는 없어진다. 쓰레드의 실행 중에 쓰레드를 없애지 않고 잠시 대기 상태로 만들기 위해 sleep()나 wait()메소드를 사용한다.

11.2 쓰레드의 생성

자바에서 쓰레드는 여러 개 사용 할 수 있지만 Thread 클래스는 하나이다. 새로운 쓰레드를 생성 할 때 Thread 객체를 생성해야 한다. 쓰레드를 시작하는 방법은 Runnable 인터페이스를 이용하는 방법과 Thread 클래스를 상속 받는 두 가지 방법이 있다.

Runnable 인터페이스를 이용한 방법은 먼저 Runnable 인터페이스를 가지는 객체를 Runnable 레퍼런스를 이용하여 생성한다. Runnable 인터페이스를 가진 객체에 쓰레드에서 할 작업을 구현 한다. Thread 객체를 생성하여 Runnable 레퍼런스를 전달한고 Thread 객체를 실행 한다. [코드 11-1]은 Runnable 인터페이스를 이용하여 쓰레드를 구현한 프로그램이다.

코드 11-1 Runnable 인터페이스를 사용한 쓰레드

```
1  public class MyRunnable implements Runnable{
2
3    public void run() { ← Runnable 인터페이스의 run 메소드를 오버라이드 함
4      System.out.println("동작을 실행 합니다.");
5    }
6  }
```

```
1  public class ThreadTest {
2    public static void main(String[] args) {
3
4      Runnable threadRun = new MyRunnable();
5      Thread myThread = new Thread(threadRun);
6
7      myThread.start();
8    }
9  }
```

결과

```
동작을 실행 합니다.
```

Thread 클래스를 상속 받아 쓰레드를 생성하는 할 때는 상속받은 자식 클래스에 run() 메소드를 오버라이드 하여 쓰레드의 동작을 구현 한다. [코드 11-2]는 Thread 클래스를 상속 받아 쓰레드를 구현한 프로그램이다.

코드 11-2 Thread 클래스를 상속 받은 쓰레드

```
1  public class MyThread extends Thread{
2
3    public void run() {   ← Thread 클래스의 run 메소드를 오버라이드 함
4      System.out.println("동작을 실행 합니다.");
5    }
6  }
```

```
1  public class ThreadTest {
2    public static void main(String[] args) {
3
4      Thread myThread = new MyThread();
5
6      myThread.start();
7    }
8  }
```

결과

```
동작을 실행 합니다.
```

11.3 쓰레드의 실행 및 제어

Thread 클래스는 쓰레드의 상태를 제어하기 위해 다음과 같은 메소드를 제공한다.

메소드	기능
static void sleep(long msec) throws InterruptedException	지정된 시간동안 쓰레드를 대기시킴, 사용 시 예외처리를 해주어함
void start()	쓰레드를 시작 run() 메소드를 호출함
void join() throws InterruptedException	쓰레드가 끝날 때 까지 대기함, 사용 시 예외처리를 해주어함
void suspend()	쓰레드를 일시 정지시킴
void resume()	일시 정지된 쓰레드를 다시 실행시킴
void yield()	다른 쓰레드에게 실행 상태를 양보하고 준비 상태로 돌아감
void stop()	쓰레드를 종료함.

위의 메소드를 이용하여 쓰레드를 실행 시키고 제어 할 수 있다. [코드 11-3]은 Runnable인터페이스를 이용하여 sleep() 메서드를 사용하여 쓰레드의 동작을 지정된 시간동안 정지시키는 프로그램이다.

코드 11-3 쓰레드 일정 시간동안 정지시키기 (Runnable)

```
1  public class MyRunnable implements Runnable{
2
3    public void run() {
4      System.out.println("동작을 실행 합니다.");
5
6      try {
7        Thread.sleep(1000);
```

```
 8 |       }catch (InterruptedException e) {
 9 |       }
10 |
11 |     System.out.println("동작을 종료 합니다.");
12 |   }
13 | }
```

```
1 | public class ThreadTest {
2 |   public static void main(String[] args) {
3 |
4 |     Runnable threadRun = new MyRunnable();
5 |     Thread myThread = new Thread(threadRun);
6 |
7 |     myThread.start();
8 |   }
9 | }
```

결과

```
동작을 시작 합니다.
동작을 종료 합니다.
```

[코드 11-4]는 Thread 클래스를 상속받은 쓰레드를 sleep() 메서드를 사용하여 쓰레드의 동작을 지정된 시간동안 정지시키는 프로그램이다.

코드 11-4 쓰레드 일정 시간동안 정지시키기 (Thread)

```
1   public class MyThread extends Thread{
2
3     public void run() {
4       System.out.println("동작을 실행 합니다.");
5
6       try {                   마이크로세컨즈 단위
7         Thread.sleep(1000);
8       }catch (InterruptedException e) {
9       }
10
11    System.out.println("동작을 종료 합니다.");
12    }
13  }
```

```
1   public class ThreadTest {
2     public static void main(String[] args) {
3
4       Thread myThread = new MyThread();
5
6       myThread.start();
7     }
8   }
```

결과

동작을 시작 합니다.
동작을 종료 합니다.

11.4 멀티 쓰레드

여러 개의 쓰레드를 실행하기 위해서는 쓰레드 객체를 여러 개 생성하면 된다. [코드 11-5]는 2개의 쓰레드를 만들어 이름을 선언 하고 실행하는 하는 프로그램이다.

코드 11-5 두 개의 쓰레드 시작하기

```
1  public class MyThread extends Thread{
2  
3    public void run() {
4      System.out.println(this.getName()+"가 동작을 합니다.");
5    }
6  }
```

```
1  public class ThreadTest {
2    public static void main(String[] args) {
3  
4      Thread myThread1 = new MyThread();
5      Thread myThread2 = new MyThread();
6  
7      myThread1.setName("Thread One");
8      myThread2.setName("Thread Two");
9  
10     myThread1.start();
11     myThread2.start();
12   }
13 }
```

결과

```
Thread One가 동작을 합니다.
Thread Two가 동작을 합니다.
```

[코드 11-5]에서 쓰레드는 순서대로 동작하였다. 이번에는 반복되는 동작에서도 쓰레드가 순차적으로 작동 될지 확인해 보고자 한다. [코드 11-6]은 반복문을 사용한 쓰레드의 동작을 확인하는 프로그램이다.

코드 11-6 반복문을 이용한 두 개의 쓰레드 시작하기

```
1  public class MyThread extends Thread{
2
3    public void run() {
4      for(int i = 0; i < 5 ;i++)
5        System.out.println(this.getName()+"가 동작을 합니다.");
6    }
7  }
```

```
1  public class ThreadTest {
2    public static void main(String[] args) {
3
4      Thread myThread1 = new MyThread();
5      Thread myThread2 = new MyThread();
6
7      myThread1.setName("Thread One");
8      myThread2.setName("Thread Two");
9
10     myThread1.start();
```

```
11      myThread2.start();
12    }
13  }
```

결과

```
Thread Two가 동작을 합니다.
Thread One가 동작을 합니다.
Thread Two가 동작을 합니다.
Thread Two가 동작을 합니다.
Thread One가 동작을 합니다.
Thread Two가 동작을 합니다.
Thread One가 동작을 합니다.
Thread Two가 동작을 합니다.
Thread One가 동작을 합니다.
Thread One가 동작을 합니다.
```

예상과는 다르게 쓰레드의 작동 순서는 무작위로 진행된다. 쓰레드는 스케줄라에 의해 진행 순서가 달라지며 쓰레드의 작동 순서를 정확하게 확정 할 수는 없다. [코드 11-7]은 Runnable 인터페이스를 이용하여 [코드 11-6]과 같이 작동하도록 한 프로그램이다.

코드 11-7 반복문을 이용한 두 개의 쓰레드 시작하기 (Runnable)

```
1  public class MyRunnable implements Runnable{
2
3    public void run() {
4      for(int i = 0; i < 5 ;i++)
5        System.out.println(Thread.currentThread().getName()+"가 동작을 합니다.");
6    }
7  }
```

```
1  public class ThreadTest {
2    public static void main(String[] args) {
3
4      Runnable threadRun = new MyRunnable();
5
6      Thread myThread1 = new Thread(threadRun);
7      Thread myThread2 = new Thread(threadRun);
8
9      myThread1.setName("Thread One");
10     myThread2.setName("Thread Two");
11
12     myThread1.start();
13     myThread2.start();
14   }
15 }
```

결과

```
Thread Two가 동작을 합니다.
Thread One가 동작을 합니다.
Thread One가 동작을 합니다.
Thread One가 동작을 합니다.
Thread One가 동작을 합니다.
Thread One가 동작을 합니다.
Thread Two가 동작을 합니다.
Thread Two가 동작을 합니다.
Thread Two가 동작을 합니다.
Thread Two가 동작을 합니다.
```

11.5 동기화

하나의 쓰레드를 사용할 경우 프로세스 내에 하나의 쓰레드만 작업하기 때문에 프로세스의 자원을 가지고 작업하는 영향이 없다. 하지만 여러 개의 쓰레드를 사용하여 같은 프로세스 내의 자원을 공유해서 작업을 할 때 다른 쓰레드의 작업에 영향을 주게 된다. 하나의 쓰레드가 작업하던 도중에 다른 쓰레드에게 제어권이 넘겼을 때, 기존의 쓰레드가 작업하던 공유 데이터를 다른 쓰레드가 임의로 변경하였다면, 기존의 쓰레드가 제어권을 받아서 나머지 작업을 마쳤을 때 원래 의도했던 것과는 다른 결과를 나타낼 수 있다. 이럴 때 기존의 쓰레드가 사용하던 자원의 상태가 변경되었어도 이를 인지하지 못하고 작업을 실행하기 때문이다. 자바에서는 한 쓰레드가 먼저 선점한 자원을 작업이 끝날 때 까지 다른 쓰레드가 점유 하지 못하도록 하여 이런 문제를 방지할 수 있는데 이것을 동기화라 한다. [코드 11-8]은 쓰레드가 하나의 자원을 공유할 때 발생하는 문제를 보여주는 프로그램이다.

코드 11-8 **동기화 문제**

```
1  public class MyRunnable implements Runnable{
2    Money mon = new Money();
3
4    public void run() {
5      while(mon.getMoney() > 0) {
6        int money = (int)((Math.random()*3)+1) * 100;
7
8        mon.setMoney(money);
9
10       System.out.println(Thread.currentThread().getName() + "가 "+money+
         "원을 꺼내려고 합니다. "+mon.getMoney()+"원 남았습니다.");
11     }
12   }
13 }
```

```
1  public class Money {
2    private int money = 1000;
3
4    public void setMoney(int money){
5      if(this.money >= money) {
6        try {
7          Thread.sleep(1000);
8        }catch (InterruptedException e) {
9        }
10
11       this.money -= money;
12     } else {
13       System.out.println("출금 불가");
14     }
15   }
16
17   public int getMoney(){
18     return this.money;
19   }
20 }
```

```
1  public class ThreadTest {
2    public static void main(String[] args) {
3
4      Runnable threadRun = new MyRunnable();
5
6      Thread myThread1 = new Thread(threadRun);
7      Thread myThread2 = new Thread(threadRun);
8
9      myThread1.setName("Thread One");
```

```
10        myThread2.setName("Thread Two");
11
12        myThread1.start();
13        myThread2.start();
14    }
15 }
```

결과

```
Thread One가 200원을 꺼내려고 합니다. 800원 남았습니다.
Thread Two가 200원을 꺼내려고 합니다. 800원 남았습니다.
Thread One가 200원을 꺼내려고 합니다. 700원 남았습니다.
Thread Two가 100원을 꺼내려고 합니다. 700원 남았습니다.
Thread Two가 300원을 꺼내려고 합니다. 400원 남았습니다.
Thread One가 300원을 꺼내려고 합니다. 400원 남았습니다.
Thread Two가 300원을 꺼내려고 합니다. -100원 남았습니다.
Thread One가 200원을 꺼내려고 합니다. -100원 남았습니다.
```

돈이 음수로 나오는 것을 볼 수 있는데 이는 하나의 쓰레드가 돈을 money 의 값을 변경하기 전에 잠깐 쉬고 있을 때 다른 쓰레드가 끼어들어 값을 변경했기 때문이다. 이러한 문제점을 해결하는 방법으로 synchronized 키워드를 사용하여 동기화 시키는 것이 있다. [코드 11-9]는 Money 클래스의 setMoney() 메소드에 synchronized 키워드를 적용하여 동기화를 진행한 프로그램이다.

코드 11-9 동기화 문제 해결

```
1  public class MyRunnable implements Runnable{
2    Money mon = new Money();
3
4    public void run() {
5      while(mon.getMoney() > 0) {
6        int money = (int)((Math.random()*3)+1) * 100;
7
8        mon.setMoney(money);
9
10       System.out.println(Thread.currentThread().getName() + "가 "+money+
         "원을 꺼내려고 합니다. "+mon.getMoney()+"원 남았습니다.");
11     }
12   }
13 }
```

```
1  public class Money {
2    private int money = 1000;
3
4    public 동기화 void setMoney(int money){
5      if(this.money >= money) {
6        try {
7          Thread.sleep(1000);
8        }catch (InterruptedException e) {
9        }
10
11       this.money -= money;
12     } else {
13       System.out.println("출금 불가");
14     }
```

```
15     }
16
17     public int getMoney(){
18       return this.money;
19     }
20   }
```

```
1   public class ThreadTest {
2     public static void main(String[] args) {
3
4       Runnable threadRun = new MyRunnable();
5
6       Thread myThread1 = new Thread(threadRun);
7       Thread myThread2 = new Thread(threadRun);
8
9       myThread1.setName("Thread One");
10      myThread2.setName("Thread Two");
11
12      myThread1.start();
13      myThread2.start();
14    }
15  }
```

결과

```
Thread Two가 300원을 꺼내려고 합니다. 700원 남았습니다.
Thread One가 200원을 꺼내려고 합니다. 500원 남았습니다.
Thread Two가 200원을 꺼내려고 합니다. 300원 남았습니다.
Thread One가 300원을 꺼내려고 합니다. 0원 남았습니다.
출금 불가
Thread Two가 200원을 꺼내려고 합니다. 0원 남았습니다.
```

CHAPTER 12

네트워크

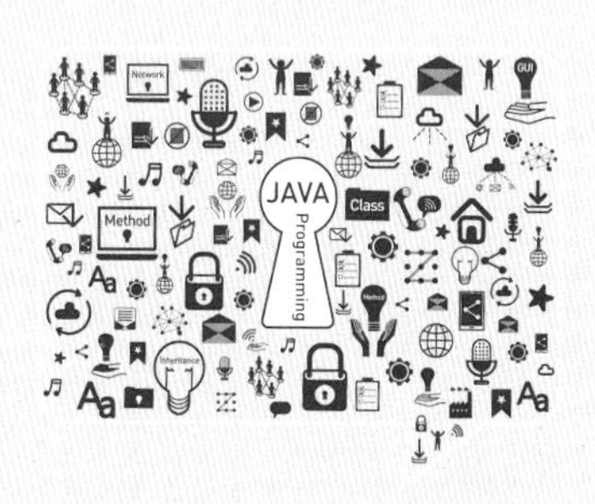
JAVA
Programming
Method
Class
Network
Aa

12.1 네트워크의 기초

네트워크는 서버와 클라이언트를 이용하여 복수개의 컴퓨터가 데이터를 교환 할 수 있도록 한다. 서버는 서비스를 제공하는 주체가 되는 컴퓨터를 말하며 클라이언트는 서비스를 요청하는 컴퓨터를 말한다. 서버는 클라이언트보다 먼저 실행되어 있어야 하며 (그림 12-1)과 같이 하나의 서버에 여러 개의 클라이언트가 접속 할 수 있다. 클라이언트는 서버에 접속하는 방법에 대하여 알아야 하고 서버는 모든 클라이언트에 대하여 인지하고 있어야 한다. 서버와 클라이언트가 연결되면 클라이언트의 요청을 하고 서버는 요청에 대하여 처리하여 응답한다.

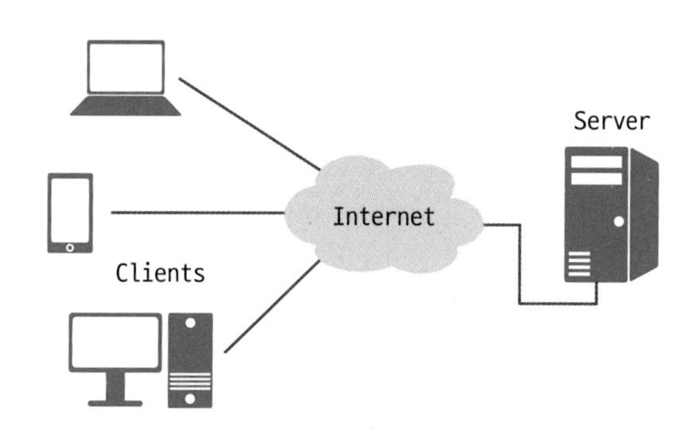

그림 12-1 서버와 클라이언트

서버와 클라이언트가 통신하기 위해서 먼저 서버와 클라이언트 사이의 연결하는 방법과 클라이언트가 서버로 메시지를 전달하는 방법, 서버에서 클라이언트가 메시지를 받는 방법에 대하여 알아야 한다. 자바에서 서버와 클라이언트간의 통신은 (그림 12-2)와 같다.

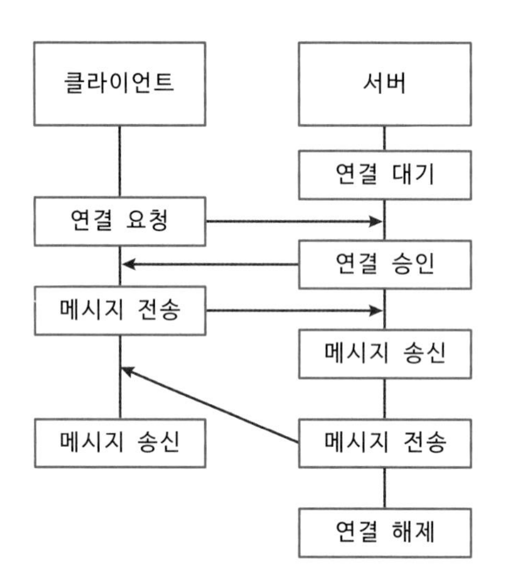

그림 12-2 서버와 클라이언트간의 통신

12.2 소켓

컴퓨터간의 연결은 대부분 인터넷 프로토콜을 기반으로 하며 다른 너트워크를 통해서 다른 컴퓨터와 연결하려면 소켓 연결이 필요하다. 자바에서 네트워크를 이용하여 다른 컴퓨터에 데이터를 전송하기 위해서 Socket 클래스를 사용한다. Socket 클래스를 통해 생성된 Socket 객체는 서버와 클라이언트 사이의 네트워크 연결을 나타내는 객체이며 클라이언트의 소켓은 서버의 주소와 포트를 알아야 하고 서버는 ServerSocket 클래스를 사용하여 클라이언트와 통신할 포트를 정의해야 한다. [코드 12-1]와 [코드 12-2]는 소켓을 이용한 서버와 클라이언트의 연결을 확인하는 프로그램이다. 이 프로그램을 실행시키기 위해서 터미널을 사용할 경우 두 개의 터미널을 사용하여 서버와 클라이언트를 각각 실행 시켜야 하며 이클립스를 이용하여 실행할 경우 두 개의 이클립스 프로그램을 이용하여 서버와 클라이언트를 각각 실행 시켜야 한다. 하나의 이클립스로 두 개의 프로그램을 사용할 경우 프로그램 실행 시 다른 이름의 workspace를 사용하면 된다.

코드 12-1 연결 확인 서버 프로그램

```
1  import java.io.*;
2  import java.net.*;
3  
4  public class SimpleServer {
5    public void play() {
6      try {
7        ServerSocket server = new ServerSocket(5020);
8        if (server.accept() != null)
9          System.out.println("연결 성공");
10 
11       server.close();
12     }catch (IOException e){
13       e.printStackTrace();
14     }
15   }
16 
17   public static void main(String[] args) {
18     SimpleServer simServer = new SimpleServer();
19     simServer.play();
20   }
21 }
```

결과

```
연결성공
```

[코드 12-1]에서 소켓 연결에 관한 부분은 try-catch 구문으로 예외처리가 되었다. 소켓 연결은 잘못될 부분이 많아 자바에서 소켓의 연결을 사용할 때 예외처리를 해야 한다. 7번째 줄에서 연결 할 서버의 포트를 설정하고 8번째 줄에서 클라이언트와의 연결

을 확인하여 연결에 성공 했을 경우 9번째 줄에서 "연결성공" 문자열을 화면에 출력한고 11번째 줄에서 소켓통신을 종료한다.

코드 12-2 연결 확인 클라이언트 프로그램

```
1  import java.io.*;
2  import java.net.*;
3
4  public class SimpleClient {
5    public void play() {
6      try {
7        Socket client = new Socket("localhost", 5020);
8
9      }catch (IOException e){
10       e.printStackTrace();
11     }
12   }
13
14   public static void main(String[] args) {
15     SimpleClient simClient = new SimpleClient();
16     simClient.play();
17   }
18 }
```

연결할 서버와 포트 설정

[코드 12-2]에서 서버와 마찬가지로 소켓 연결에 관한 부분은 try-catch 구문으로 예외처리가 되었다. 7번째 줄에서 연결 할 서버의 주소와 포트를 설정한다. localhost는 컴퓨터 자신을 의미하고 "127.0.0.1"과 동일한 의미를 가진다. 클라이언트는 서버에 연결만 하도록 프로그램 되어있기 때문에 출력 결과는 없다.

클라이언트에서 서버와의 연결을 확인하기 위해 서버에서 연결성공에 대한 데이터를 전송해야 한다. 서버와 클라이언트간의 데이터를 전송할 때 스트림을 사용한다. 자바에서는 일반적인 입출력스트림을 사용하여 데이터가 전송되고 파일쓰기와 마찬가지로 서버와 클라이언트간의 전송된 데이터스트림은 BufferedReader와 BufferedWriter를 이용하여 읽고 쓸 수 있다. [코드 12-3]과 [코드 12-4]는 연결이 확인되고 서버에서 클라이언트에 연결확인 문자를 전송하는 프로그램이다.

코드 12-3 간단한 서버 프로그램

```
1  import java.io.*;
2  import java.net.*;
3
4  public class SimpleServer {
5    public void play() {
6      try {
7        ServerSocket server = new ServerSocket(5020);
8        Socket sock = server.accept();
9        if (sock != null)
10         System.out.println("연결 성공");
11
12       BufferedWriter writer =
13          new BufferedWriter(new OutputStreamWriter(sock.getOutputStream()));
14
15       writer.write("연결 성공");
16
17       writer.close();
18       server.close();
19     }catch (IOException e){
20       e.printStackTrace();
21     }
22   }
23
24   public static void main(String[] args) {
```

연결할 포트를 설정

```
25        SimpleServer simServer = new SimpleServer();
26        simServer.play();
27    }
28  }
```

결과

연결성공

[코드 12-3]의 13번째 줄에서 클라이언트와 연결된 스트림을 이용하여 BufferedWriter 객체 writer을 생성하고 15번째 줄에서 BufferedWriter의 write메소드를 이용하여 클라이언트에 "연결성공" 을 전송하고 17번째 줄에서 사용된 스트림을 닫고 18번째 줄에서 소켓통신을 종료한다.

코드 12-4 간단한 클라이언트 프로그램

```
1   import java.io.*;
2   import java.net.*;
3
4   public class SimpleClient {
5     public void play() {
6       try {
7         Socket client = new Socket("localhost", 5020);
8         InputStreamReader input = new InputStreamReader(client.getInputStream());
9         BufferedReader reader = new BufferedReader(input);
10
11        System.out.println(reader.readLine());
12
```

```
13            reader.close();
14          }catch (IOException e){
15            e.printStackTrace();
16          }
17        }
18
19        public static void main(String[] args) {
20          SimpleClient simClient = new SimpleClient();
21          simClient.play();
22        }
23      }
```

결과

연결성공

[코드 12-4] 8번째 줄에서 서버와 연결을 통해 입력스트림을 받아오고 9번째 줄에서 BufferedReader를 이용하여 서버에서 입력된 문자열을 읽어 11번째 줄에서 서버에서 전송된 "연결성공"을 화면에 출력한다.

한 번에 하나씩 문자열을 사용할 때 BufferedWriter 클래스 보다 PrintWriter 클래스를 쓰는 것이 좋다. PrintWriter 클래스는 print() 메소드와 println() 메소드를 사용하여 문자열을 좀더 편하게 사용할 수 있다. [코드 12-5]는 PrintWriter 클래스를 이용하여 전송할 스트림을 처리한 서버 프로그램이다.

코드 12-5 PrintWriter를 이용한 서버 프로그램

```
1  import java.io.*;
2  import java.net.*;
3
4  public class SimpleServer {
5    public void play() {
6      try {
7        ServerSocket server = new ServerSocket(5020);
8        Socket sock = server.accept();
9        if (sock != null)
10         System.out.println("연결 성공");
11
12       PrintWriter writer = new PrintWriter(sock.getOutputStream());
13
14       writer.println("연결 성공");
15
16       writer.close();
17       server.close();
18     }catch (IOException e){
19       e.printStackTrace();
20     }
21   }
22
23   public static void main(String[] args) {
24     SimpleServer simServer = new SimpleServer();
25     simServer.play();
26   }
27 }
```

결과

연결성공

[코드 12-5]12번째 줄에서 클라이언트와 연결된 것을 이용하여 PrintWriter 객체를 생성하고 14번째 줄에서 PrintWriter 클래스의 println() 메소드를 이용하여 클라이언트에 "연결성공"을 전송하였다.

클라이언트의 사용자가 직접 입력한 데이터를 서버에 전달하기 위해 Scanner 클래스를 사용한다. [코드 12-6]과 [코드 12-7]는 클라이언트 사용자가 입력한 문장이 서버에서 출력되는 프로그램이다.

코드 12-6 클라이언트 사용자 입력 서버 프로그램

```
1  import java.io.*;
2  import java.net.*;
3
4  public class SimpleServer {
5    public void play() {
6      try {
7        ServerSocket server = new ServerSocket(5020);
8        Socket sock = server.accept();
9        if (sock != null)
10         System.out.println("연결 성공");
11
12       InputStreamReader input = new InputStreamReader(sock.getInputStream());
13       BufferedReader reader = new BufferedReader(input);
14
15       System.out.println(reader.readLine());
16
17       reader.close();
18       server.close();
19     }catch (IOException e){
20       e.printStackTrace();
```

```
21        }
22      }
23
24      public static void main(String[] args) {
25        SimpleServer simServer = new SimpleServer();
26        simServer.play();
27      }
28    }
```

결과

```
연결성공
Hello
```

[코드 12-6]은 클라이언트가 입력한 결과를 서버에 출력하는 프로그램으로 12번째 줄에서 클라이언트가 전송한 입력스트림을 받아오고 13번째 줄에서 BufferedReader를 이용하여 클라이언트 사용자가 입력한 문자열을 읽어 15번째 줄에서 입력받은 문자열을 출력한다.

코드 12-7 사용자 입력 클라이언트 프로그램

```
1   import java.io.*;
2   import java.net.*;
3   import java.util.Scanner;
4
5   public class SimpleClient {
6     public void play() {
7       try {
8         Socket client = new Socket("localhost", 5020);
```

```
9          PrintWriter writer = new PrintWriter(client.getOutputStream());
10
11         Scanner input = new Scanner(System.in);
12
13         writer.println(input.nextLine());
14
15         writer.close();
16       }catch (IOException e){
17         e.printStackTrace();
18       }
19     }
20
21     public static void main(String[] args) {
22       SimpleClient simClient = new SimpleClient();
23       simClient.play();
24     }
25   }
```

결과

```
Hello
```

[코드 12-7] 9번째 줄에서 클라이언트와 연결된 것을 이용하여 PrintWriter 클래스의 writer 객체를 만들고 11번째 줄에서 선언한 Scanner 클래스 input 객체의 nextLine() 메소드로 13번째 줄에서 writer 객체의 println() 메소드를 이용해 사용자 입력을 서버에 전송한다.

연속적인 클라이언트 사용자의 입력을 서버에 전송하기 위해서 반복문을 활용한다. [코드 12-8]과 [코드 12-9]는 클라이언트 사용자가 반복해서 입력한 문장이 서버에 출력되는 프로그램이다.

코드 12-8 사용자 반복 입력 서버 프로그램

```
1   import java.io.*;
2   import java.net.*;
3
4   public class SimpleServer {
5     public void play() {
6       try {
7         ServerSocket server = new ServerSocket(5020);
8         Socket sock = server.accept();
9         if (sock != null)
10          System.out.println("연결 성공");
11
12        InputStreamReader input = new InputStreamReader(sock.getInputStream());
13        BufferedReader reader = new BufferedReader(input);
14
15        String msg;
16
17        while ((msg = reader.readLine()) != null) {
18          System.out.println(msg);
19        }
20
21        reader.close();
22        server.close();
23      }catch (IOException e){
24        e.printStackTrace();
25      }
26    }
27
28    public static void main(String[] args) {
29      SimpleServer simServer = new SimpleServer();
30      simServer.play();
```

```
31	  }
32	}
```

결과

```
연결성공
Hello
Tim
```

[코드 12-8]은 클라이언트가 반복적으로 입력한 결과를 서버에 출력하는 프로그램으로 15번째 줄에서 클라이언트가 전송한 입력스트림을 받기위한 문자열을 msg를 선언하고 17번째 줄에서 반복문 while를 선언하고 문자열 클라이언트에서 입력 스트림이 전송 될 때까지 반복하며 문자열 msg에 클라이언트로부터 입력된 스트림을 저장한다. 18번째 줄에서 입력받은 문자열을 출력한다.

코드 12-9 사용자 반복 입력 클라이언트 프로그램

```
1	import java.io.*;
2	import java.net.*;
3	import java.util.Scanner;
4	
5	public class SimpleClient {
6	  public void play() {
7	    try {
8	      Socket client = new Socket("localhost", 5020);
9	      PrintWriter writer = new PrintWriter(client.getOutputStream(), true);
10	
11	      Scanner input = new Scanner(System.in);
12	      String msg;
```

```
13
14         System.out.println("실행 중지(x)");
15         while ((msg = input.nextLine()) != null) {
16           if (msg.equals("x"))
17             break;
18           writer.println(msg);
19         }
20
21         writer.close();
22       }catch (IOException e){
23         e.printStackTrace();
24       }
25     }
26
27     public static void main(String[] args) {
28       SimpleClient simClient = new SimpleClient();
29       simClient.play();
30     }
31   }
```

결과

```
실행 중지(x)
Hello
Tim
x
```

[코드 12-9]의 9번째 줄에서 버퍼를 자동으로 비우는 옵션인 true를 선언하고 12번째 줄에서 사용자의 입력 값을 저장할 문자열 msg를 선언한다.15번째 줄에서 19번째 줄까지 반복문을 이용하여 사용자의 입력을 받아 서버에 전송하고 사용자가 "x"를 입력할 시 프로그램을 종료한다.

클라이언트와 서버를 연결하여 클라이언트에서 서버로 메시지를 보내는 것에는 성공하였다. 이제 문제는 서버에서 메시지를 받는 방법이 남았다. 클라이언트에서 서버로 메시지를 보내거나 받는 한 가지 행동을 할 때 한쪽을 서버로 만들고 다른 쪽을 클라이언트로 만들었을 때 문제점은 한 쪽은 하나의 행동만 할 수 있다는 점이였다. 다른 메시지를 전달하거나 전송받는 행동을 동시에 하기 위해서 쓰레드를 사용한다.

[코드 12-10]과 [코드 12-11]은 쓰레드를 사용한 채팅 서버와 클라이언트 프로그램이다.

코드 12-10 쓰레드를 이용한 채팅 서버 프로그램

```
1  import java.io.*;
2  import java.net.*;
3  import java.util.*;
4
5  public class SimpleServer {
6    ArrayList clientOutputStreams;
7
8    public static void main(String[] args) {
9      SimpleServer simServer = new SimpleServer();
10     simServer.play();
11   }
12
13   public void play() {
14     clientOutputStreams = new ArrayList();
15     try {
16
17         ServerSocket server = new ServerSocket(5020);
18         while(true) {
19           Socket sock = server.accept();
20           PrintWriter writer = new PrintWriter(sock.getOutputStream(), true);
```

```
21            clientOutputStreams.add(writer);
22            Thread client = new Thread(new ClientHandler(sock));
23            client.start();
24
25            if (sock != null)
26              System.out.println("연결 성공");
27          }
28      }catch (IOException e){
29          e.printStackTrace();
30      }
31    }
32
33    public class ClientHandler implements Runnable {
34      BufferedReader reader;
35
36      public ClientHandler(Socket sock) {
37        try {
38          InputStreamReader input = new InputStreamReader(sock.getInputStream());
39          reader = new BufferedReader(input);
40        }catch (IOException e){
41          e.printStackTrace();
42        }
43      }
44
45      public void run() {
46        String msg;
47        try {
48          while ((msg = reader.readLine()) != null) {
49            System.out.println(msg);
50            pushMsg(msg);
51          }
52        }catch (IOException e){
```

```
53             e.printStackTrace();
54           }
55         }
56       }
57
58       public void pushMsg(String msg) {
59         Iterator it = clientOutputStreams.iterator();
60         while (it.hasNext()) {
61           try {
62             PrintWriter writer = (PrintWriter) it.next();
63             writer.println(msg);
64             writer.flush();
65           }catch (Exception e){
66             e.printStackTrace();
67           }
68         }
69       }
70     }
```

[코드 12-10]의 6번째 줄에 ArrayList를 선언하여 20번째 줄에서 클라이언트의 입력을 저장한다. 22번째 줄에서 스레드를 생성하고 33번째 줄의 ClientHandler를 연결하고 23번째 줄에서 스레드를 실행한다. ClientHandler 클래스는 클라이언트의 입력값을 읽어 화면에 출력하고 58번째 줄의 pushMsg 클래스를 이용하여 모든 클라이언트에게 메시지를 전달한다.

코드 12-11 쓰레드를 이용한 채팅 클라이언트 프로그램

```
1  import java.io.*;
2  import java.net.*;
3  import java.util.*;
4
5  public class SimpleClient {
6    BufferedReader reader;
7    public static void main(String[] args) {
8      SimpleClient simClient = new SimpleClient();
9      simClient.play();
10   }
11
12   public void play() {
13     try {
14       Socket client = new Socket("localhost", 5020);
15       PrintWriter writer = new PrintWriter(client.getOutputStream(), true);
16       InputStreamReader in = new InputStreamReader(client.getInputStream());
17       reader = new BufferedReader(in);
18
19       Thread readerThread = new Thread(new IncomeReader());
20       readerThread.start();
21
22       Scanner input = new Scanner(System.in);
23       String msg;
24
25       System.out.println("실행 중지(x)");
26       while ((msg = input.nextLine()) != null) {
27         if (msg.equals("x"))
28           break;
29         writer.println(msg);
30       }
```

```
31          readerThread.stop();
32          writer.close();
33        }catch (IOException e){
34          e.printStackTrace();
35        }
36      }
37
38      public class  IncomeReader implements Runnable{
39        public void run() {
40          String msg;
41          try {
42            while ((msg = reader.readLine()) != null)
43            {
44              System.out.println("read: "+ msg);
45            }
46          }catch (IOException e){
47            e.printStackTrace();
48          }
49        }
50      }
51    }
```

[코드 12-11]의 19번째 줄에서 스레드를 생성하고 38번째 줄의 IncomeReader를 연결하고 20번째 줄에서 스레드를 실행한다. IncomeReader 클래스는 서버로부터 버퍼가 들어오면 즉시 버퍼를 읽어 화면에 출력한다.

12.3 UDP

자바에서 소켓을 이용한 통신은 TCP(Transmission Control Protocol)의 사용법이다. TCP는 메시지를 교환하기 전에 서버와 클라이언트간의 연결이 되어 있는지 확인하고 연결이 된 것을 확인하고 통신하는 방법이다. 반면 UDP(User Datagram Protocol)은 수신자가 데이터를 받을 준비를 확인하지 않고 메세지를 전송한다. UDP는 TCP에 비해 신뢰성이 낮고 메세지의 도착의 순서를 예측 할 수 없는 단점이 있지만 전송속도가 높고 오버헤드가 적다. UDP기반의 서버 클라이언트간의 통신은 (그림 12-3)과 같다. 자바에서 UDP는 DatagramSocket와 DatagramPacket 클래스로 사용한다.

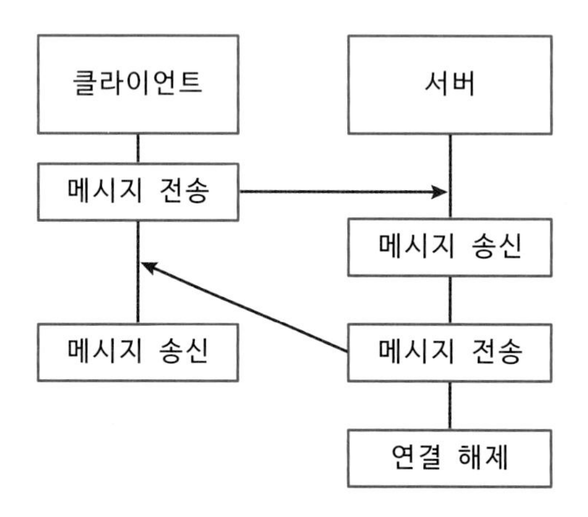

그림 12-3 UDP 통신

[코드 12-12]와 [코드 12-13]은 UDP를 이용한 클라이언트 사용자가 반복해서 입력한 문장이 서버에 출력되는 프로그램이다.

코드 12-12 사용자 반복 입력 UDP서버 프로그램

```
1  import java.io.*;
2  import java.net.*;
3
4  public class SimpleServerUDP {
5  String msg;
6    public void play() {
7      try {
8        DatagramSocket sock = new DatagramSocket(5020);
9
10       byte [] date = new byte[Byte.MAX_VALUE];
11
12       DatagramPacket dataPack = new DatagramPacket(date, date.length);
13
14       while (true) {
15         sock.receive(dataPack);
16
17         msg = new String(dataPack.getData(),"UTF-8");
18         System.out.println("받은 내용  : " + msg);
19       }
20     }catch (IOException e){
21       e.printStackTrace();
22     }
23   }
24
25   public static void main(String[] args) {
26     SimpleServerUDP simServer = new SimpleServerUDP();
27     simServer.play();
28   }
29 }
```

결과

```
받은 내용 : Hi
받은 내용 : Hello
```

[코드 12-12]은 클라이언트가 반복적으로 입력한 결과를 서버에 출력하는 프로그램으로 8번째 줄에서 데이터를 받을 포트를 지정하여 소켓을 생성하고 12번째 줄에서 입력받을 데이터 패킷을 선언하여 15번째 줄에서 데이터를 받는다. 17번째 줄에서 입력받은 패킷데이터를 문자열로 변환하고 18번째 줄에서 출력한다.

코드 12-13 사용자 반복 입력 UDP클라이언트 프로그램

```
1  import java.io.*;
2  import java.net.*;
3  import java.util.Scanner;
4
5  public class SimpleClientUDP {
6    BufferedReader reader;
7    public void play() {
8      try {
9        DatagramSocket sock = new DatagramSocket();
10       InetAddress hostname = InetAddress.getByName("localhost");
11
12       InputStreamReader in = new InputStreamReader(System.in);
13       reader = new BufferedReader(in);
14
15       Scanner input = new Scanner(System.in);
16       String msg;
17
18       System.out.println("실행 중지(x)");
```

```
19            while ((msg = input.nextLine()) != null) {
20              if (msg.equals("x"))
21                break;
22              byte[] data = msg.getBytes();
23              DatagramPacket dataPack = new DatagramPacket(data,
                                         data.length,hostname, 5020);
24              sock.send(dataPack);
25            }
26
27            sock.close();
28          }catch (IOException e){
29            e.printStackTrace();
30          }
31        }
32
33        public static void main(String[] args) {
34          SimpleClientUDP simClient = new SimpleClientUDP();
35          simClient.play();
36        }
37      }
```

결과

```
실행 중지(x)
Hi
Hello
x
```

[코드 12-12]의 9번째 줄에서 소켓을 생성하고 10번째 줄에서 서버의 주소를 선언한다. 23번째 줄에서 입력받은 메시지를 이용하여 패킷을 생성하고 24번째 줄에서 메시지를 전송한다.

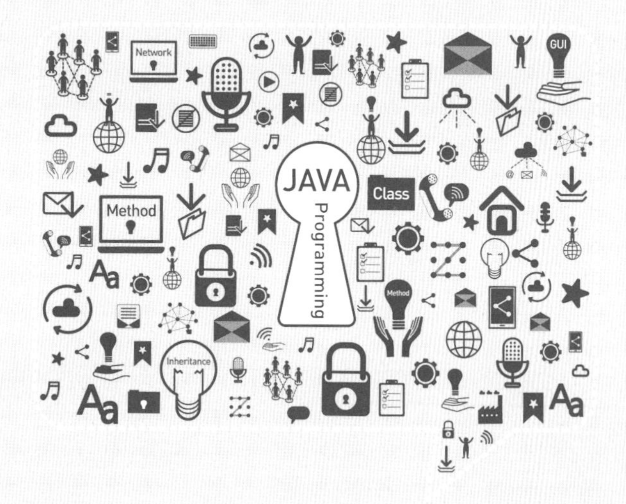

CHAPTER 13

GUI

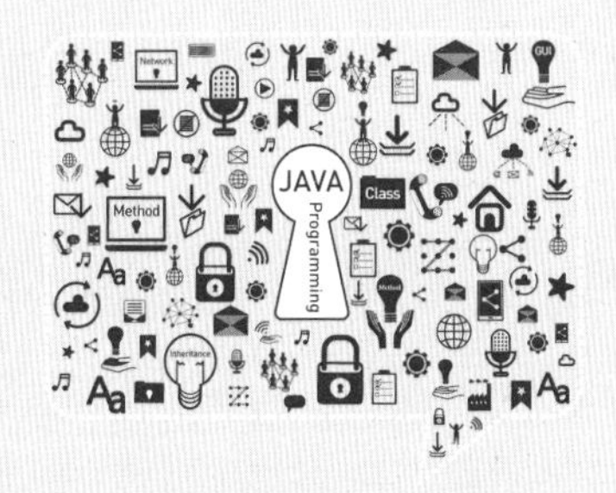
JAVA
Programming
Method
Class
Network

우리가 대부분 화면에 나타난 창과 메뉴들을 이용하여 컴퓨터를 이용한다. GUI란 Graphic User Interface의 약자로 사용자가 화면에 나타난 버튼 등을 이용하여 컴퓨터에 명령을 내리는 것을 말하며 사용자와 컴퓨터간의 상호작용을 위하여 사용된다. 자바에서는 GUI 구현을 위해 다양한 라이브러리를 제공하지만 본 책에서는 그중 스윙(swing)과 awt를 이용하여 GUI를 구현한다.

13.1 화면의 구성과 동작

스윙은 GUI를 쉽게 구현하기 위해 자바에서 제공하는 라이브러리로 javax.swing.*;을 import하며 사용한다. 프레임과 창, 버튼 등의 위젯을 제공하며 프레임 안에 Pane를 이용하여 지역을 구분한다. [코드 13-1]은 창을 출력하는 GUI 프로그램이다.

코드 13-1 창 출력

```
1  import javax.swing.*;
2
3  public class SimpleGui {
4    public static void main(String[] args) {
5
6      JFrame  frame = new JFrame();   ← 프레임 생성
7
8      frame.setDefaultCloseOperation(JFrame.EXIT_ON_CLOSE);   ← 창을 닫으면 프로그램이 종료됨
9
10     frame.setSize(300, 300);   ← 프레임의 크기를 설정
11     frame.setVisible(true);   ← 화면에 표시되도록 설정
12   }
13 }
```

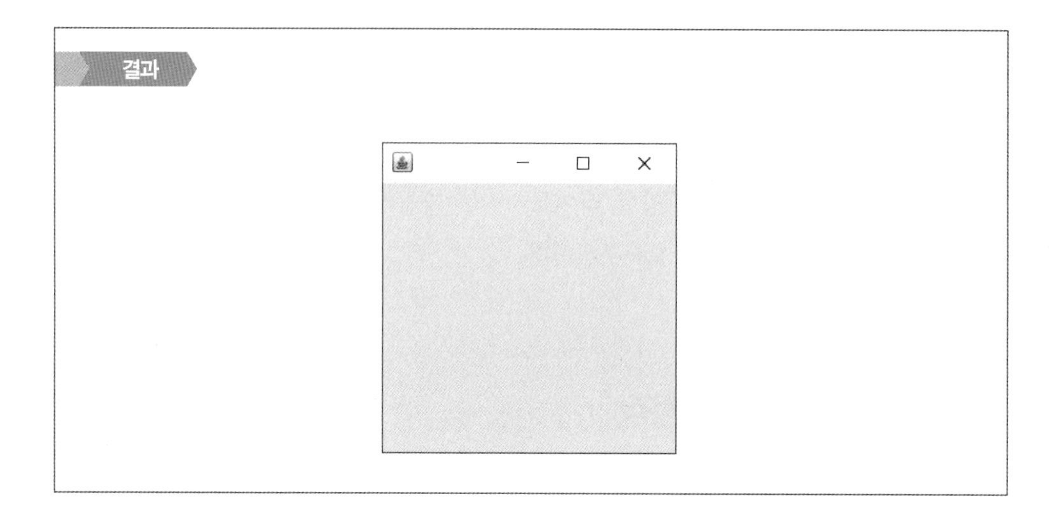

[코드 13-1]은 빈 화면만 출력 되어 있을 뿐 아무런 행동을 할 수 없다. 어떤 동작 수행하게 하기 위해서 버튼과 같은 위젯이 추가 되어야 한다. [코드 13-2]화면에 버튼을 스윙을 이용한 간단한 버튼 GUI 프로그램이다.

코드 13-2 버튼 출력

```
1  import javax.swing.*;
2
3  public class SimpleGui {
4    public static void main(String[] args) {
5
6      JFrame  frame = new JFrame();
7      JButton button = new JButton("확인"); ← 버튼 생성
8
9      frame.setDefaultCloseOperation(JFrame.EXIT_ON_CLOSE);
10
11     frame.getContentPane().add(button); ← 프레임 버튼 추가
12
13     frame.setSize(300, 300);
```

```
14        frame.setVisible(true);
15     }
16  }
```

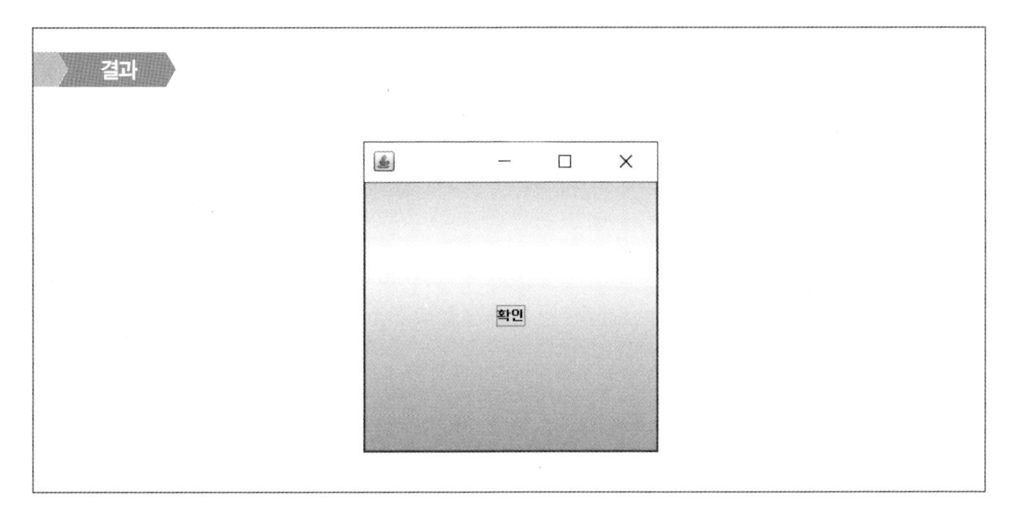

창에 버튼과 같은 스윙을 배치할 때 레이아웃을 사용한대 대표적인 레이아웃으로는 BorderLayout과 FlowLayout, BoxLayout 등이 있다. BorderLayout은 동, 서, 남, 북과 중앙 5개의 공간으로 설정하여 배치하는 레이아웃이고, FlowLayout은 지정된 공간에서 왼쪽에서 오른쪽으로 차례대로 위젯들이 배치되는 레이아웃으로 해당 행에 배치할 공간이 없을 때 다음 행으로 내려온다. BoxLayout은 플래그 선언에 따라 가로축이나 세로축으로 위젯들을 배치하는 레이아웃이다. [코드 13-3]는 화면에 BorderLayout을 이용하여 버튼을 배치한 프로그램이다.

코드 13-3 BorderLayout

```
 1  import javax.swing.*;
 2  import java.awt.*;
 3
 4  public class ButtonGuiLayout {
 5    JFrame  frame;
 6
 7    public static void main(String[] args) {
 8
 9      ButtonGuiLayout gui = new ButtonGuiLayout();
10      gui.play();
11    }
12
13    public void play() {
14
15      frame = new JFrame();
16
17      frame.setDefaultCloseOperation(JFrame.EXIT_ON_CLOSE);
18
19      JButton east = new JButton("East");
20      JButton west = new JButton("West");
21      JButton south = new JButton("South");
22      JButton north = new JButton("North");
23      JButton center = new JButton("Center");
24
25      frame.getContentPane().add(BorderLayout.EAST, east);
26      frame.getContentPane().add(BorderLayout.WEST, west);
27      frame.getContentPane().add(BorderLayout.SOUTH, south);
28      frame.getContentPane().add(BorderLayout.NORTH, north);
29      frame.getContentPane().add(BorderLayout.CENTER, center);
30
```

```
31        frame.setSize(300, 300);
32        frame.setVisible(true);
33    }
34  }
```

결과

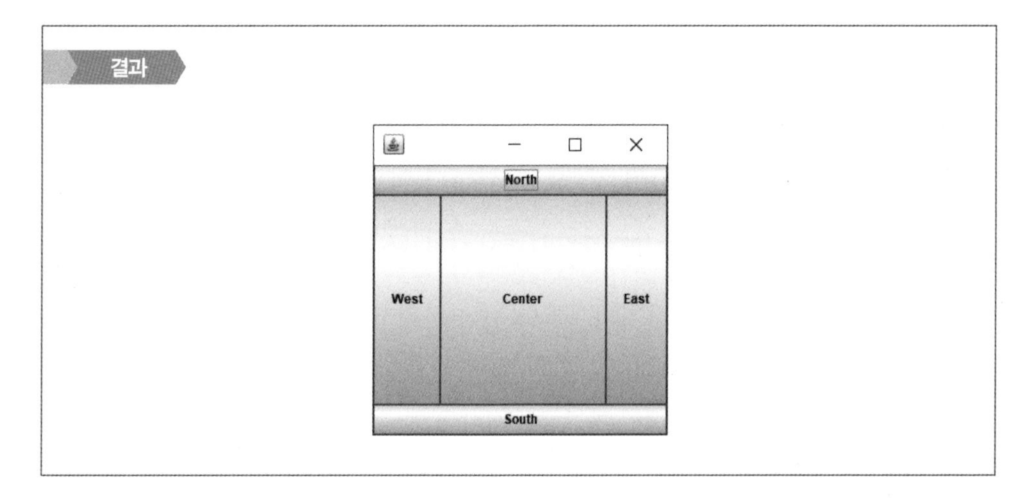

프레임(Frame) 안에는 하나의 위젯만 배치할 수 있다. 여러 개의 위젯을 설치하기 위해 패널(Panel)을 사용한다. 패널은 위젯들을 배치할 수 있는 판으로 프레임 안에 배치 할 수 있다. [코드 13-4]은 패널을 이용하여 중앙에 두 개의 버튼을 배치한 프로그램이다. 패널은 디폴트 레이아웃으로 FlowLayout을 가진다.

코드 13-4 **FlowLayout**

```
1  import javax.swing.*;
2  import java.awt.*;
3
4  public class ButtonGuiLayout {
5    JFrame  frame;
6
```

```
7      public static void main(String[] args) {
8
9        ButtonGuiLayout gui = new ButtonGuiLayout();
10       gui.play();
11     }
12
13     public void play() {
14
15       frame = new JFrame();
16
17       frame.setDefaultCloseOperation(JFrame.EXIT_ON_CLOSE);
18
19       JButton east = new JButton("East");
20       JButton west = new JButton("West");
21       JButton south = new JButton("South");
22       JButton north = new JButton("North");
23
24       JPanel panel = new JPanel();
25
26       JButton centerOne = new JButton("One");
27       JButton centerTwo = new JButton("Two");
28
29       panel.add(centerOne);
30       panel.add(centerTwo);
31
32       frame.getContentPane().add(BorderLayout.EAST, east);
33       frame.getContentPane().add(BorderLayout.WEST, west);
34       frame.getContentPane().add(BorderLayout.SOUTH, south);
35       frame.getContentPane().add(BorderLayout.NORTH, north);
36       frame.getContentPane().add(BorderLayout.CENTER, panel);
37
38       frame.setSize(300, 300);
```

```
39
40      frame.setVisible(true);
41    }
42  }
```

결과

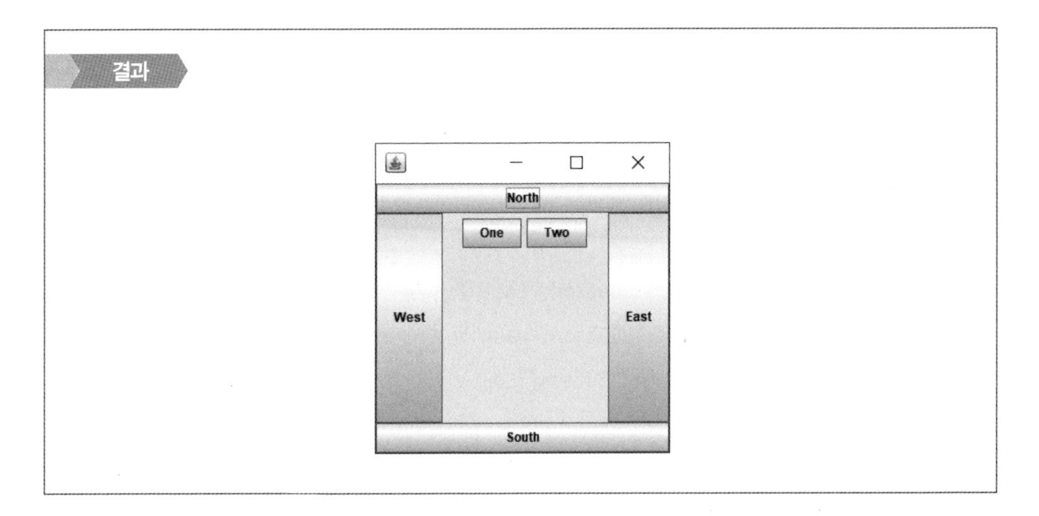

만약 중앙 두 개의 버튼을 상하로 배치하도록 레이아웃을 설정 하고 싶다면 BoxLayout을 선언하고 Y_AXIS 플레그를 이용하면 된다. [코드 13-5]은 [코드 13-4]의 중앙 패널의 버튼을 상하로 배치한 프로그램이다.

코드 13-5 **BoxLayout**

```
1  import javax.swing.*;
2  import java.awt.*;
3
4  public class ButtonGuiLayout {
5    JFrame  frame;
6
7    public static void main(String[] args) {
```

```
8
9       ButtonGuiLayout gui = new ButtonGuiLayout();
10      gui.play();
11    }
12
13    public void play() {
14
15      frame = new JFrame();
16
17      frame.setDefaultCloseOperation(JFrame.EXIT_ON_CLOSE);
18
19      JButton east = new JButton("East");
20      JButton west = new JButton("West");
21      JButton south = new JButton("South");
22      JButton north = new JButton("North");
23
24      JPanel panel = new JPanel();
25
26      panel.setLayout(new BoxLayout(panel, BoxLayout.Y_AXIS));
27
28      JButton centerOne = new JButton("One");
29      JButton centerTwo = new JButton("Two");
30
31      panel.add(centerOne);
32      panel.add(centerTwo);
33
34      frame.getContentPane().add(BorderLayout.EAST, east);
35      frame.getContentPane().add(BorderLayout.WEST, west);
36      frame.getContentPane().add(BorderLayout.SOUTH, south);
37      frame.getContentPane().add(BorderLayout.NORTH, north);
38      frame.getContentPane().add(BorderLayout.CENTER, panel);
39
```

```
40         frame.setSize(300, 300);
41         frame.setVisible(true);
42     }
43 }
```

결과

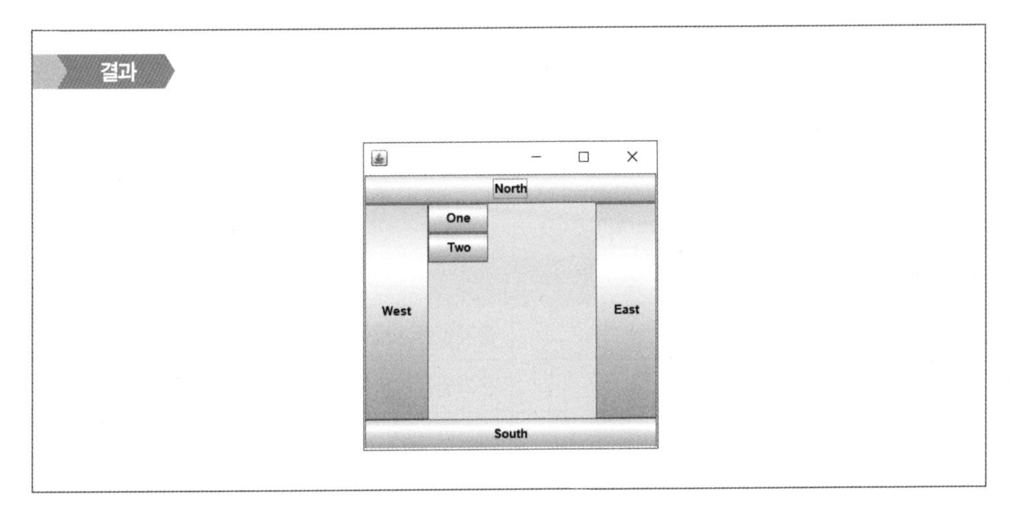

자바는 버튼뿐만 아니라 다양한 위젯을 제공한다. 텍스트를 출력하는 JLabel과 텍스트를 입력 할 수 있는 JTextField 그리도 여러 줄의 문자열을 입력 받을 수 있는 JTextArea 가 있다. 각 위젯의 주요 메소드는 다음과 같다.

■ JLabel

메소드	정의
String getText()	문자열을 반환한다.
void setText()	문자열을 설정한다.

■ JTextField

메소드	정의
String getText()	문자열을 반환한다.
void setText()	문자열을 설정한다.
int getColunms()	설정된 열의 개수를 반환한다.
void setColunms(int n)	열의 수를 n개만큼 설정한다.
void setEditable(boolean b)	편집 가능 여부를 설정한다.
void setFont(Font f)	폰트를 설정한다.

■ JTextArea

메소드	정의
String getText()	문자열을 반환한다.
void setText()	문자열을 설정한다.
int getColunms()	설정된 열의 개수를 반환한다.
int getRows()	설정된 행의 개수를 반환한다.
void append(String str)	끝에 문자열을 추가한다.
void insert(String str, int p)	p 위치에 주어진 문자열을 추가한다.
void setRows(int n)	행의 수를 n개만큼 설정한다.
void setColunms(int n)	열의 수를 n개만큼 설정한다.
void setEditable(boolean b)	편집 가능 여부를 설정한다.
void setFont(Font f)	폰트를 설정한다.

[코드 13-6]은 [코드 13-5]의 중앙 패널에 JLabel, JTextField, JTextArea를 배치한 프로그램이다.

코드 13-6 **위젯**

```
import javax.swing.*;
import java.awt.*;

public class ButtonGuiLayout {
  JFrame  frame;

  public static void main(String[] args) {

    ButtonGuiLayout gui = new ButtonGuiLayout();
    gui.play();
  }

  public void play() {

    frame = new JFrame();

    frame.setDefaultCloseOperation(JFrame.EXIT_ON_CLOSE);

    JButton east = new JButton("East");
    JButton west = new JButton("West");
    JButton south = new JButton("South");
    JButton north = new JButton("North");

    JPanel panel = new JPanel();

    panel.setLayout(new BoxLayout(panel, BoxLayout.Y_AXIS));

    JButton centerOne = new JButton("One");
    JButton centerTwo = new JButton("Two");

```

```
31        JLabel label = new JLabel("중앙");
32        JTextField textfield = new JTextField();
33        JTextArea textarea = new JTextArea();
34
35        textfield.setText("안녕하세요\n안녕하세요\n");
36        textarea.setText("안녕하세요\n안녕하세요\n");
37
38        panel.add(centerOne);
39        panel.add(centerTwo);
40
41        panel.add(label);
42        panel.add(textfield);
43        panel.add(textarea);
44
45        frame.getContentPane().add(BorderLayout.EAST, east);
46        frame.getContentPane().add(BorderLayout.WEST, west);
47        frame.getContentPane().add(BorderLayout.SOUTH, south);
48        frame.getContentPane().add(BorderLayout.NORTH, north);
49        frame.getContentPane().add(BorderLayout.CENTER, panel);
50
51        frame.setSize(300, 300);
52        frame.setVisible(true);
53    }
54 }
```

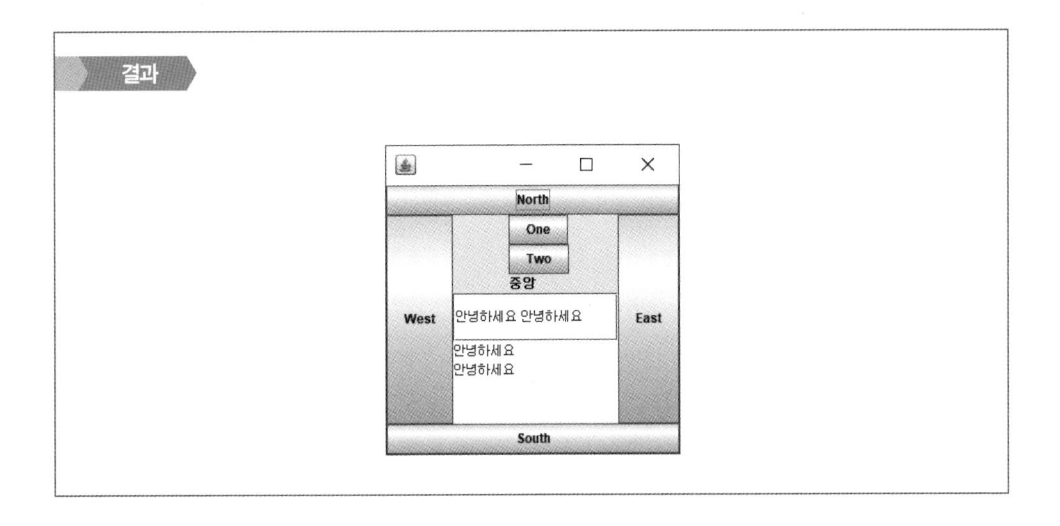

13.2 그래픽

자바에서 도형을 그리거나 이미지를 출력할 때 JPanel 클래스를 부모클래스로 상속받는 자식클래스를 생성하고 paintComponent() 메소드를 오버라이드 된다. [코드 13-7]는 [코드 13-6]의 중앙에 빨간색 사각형과 파란색 원을 그리는 프로그램이다.

코드 13-7 그래픽 출력

```
1  import javax.swing.*;
2  import java.awt.*;
3
4  public class ButtonGuiLayout {
5    JFrame  frame;
6
7    public static void main(String[] args) {
8
9      ButtonGuiLayout gui = new ButtonGuiLayout();
10     gui.play();
```

```
11    }
12
13    public void play() {
14
15      frame = new JFrame();
16
17      frame.setDefaultCloseOperation(JFrame.EXIT_ON_CLOSE);
18
19      JButton east = new JButton("East");
20      JButton west = new JButton("West");
21      JButton south = new JButton("South");
22      JButton north = new JButton("North");
23
24      class Draw extends JPanel  {
25        protected void paintComponent(Graphics g) {
26
27          g.setColor(Color.RED);
28          g.fillRect(30, 40, 30, 40);
29
30          g.setColor(Color.BLUE);
31          g.fillOval(80, 10, 50, 50);
32        }
33      };
34
35      Draw draw = new Draw();
36
37      frame.getContentPane().add(BorderLayout.EAST, east);
38      frame.getContentPane().add(BorderLayout.WEST, west);
39      frame.getContentPane().add(BorderLayout.SOUTH, south);
40      frame.getContentPane().add(BorderLayout.NORTH, north);
41      frame.getContentPane().add(BorderLayout.CENTER, draw);
42
```

```
43        frame.setSize(300, 300);
44        frame.setVisible(true);
45      }
46    }
```

결과

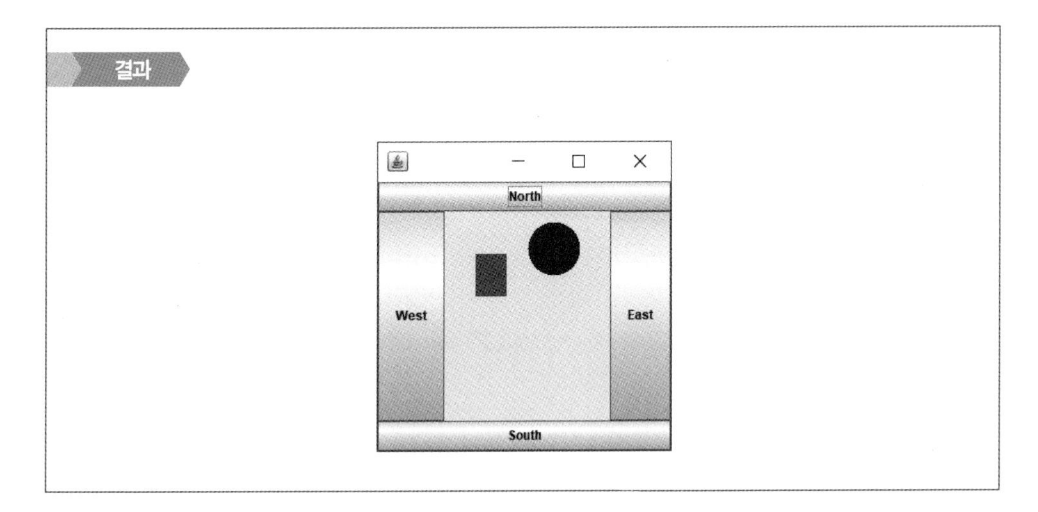

13.3 이미지

[코드 13-8]은 [코드 13-7]의 중앙에 설정된 이미지를 출력하는 프로그램이다. 이미지 파일은 C:₩ 에 저장하여 출력 하였다.

코드 13-8 **이미지 출력**

```
1  import javax.swing.*;
2  import java.awt.*;
3
4  public class ButtonGuiLayout {
```

```
5   JFrame  frame;
6
7   public static void main(String[] args) {
8
9     ButtonGuiLayout gui = new ButtonGuiLayout();
10    gui.play();
11  }
12
13  public void play() {
14
15    frame = new JFrame();
16
17    frame.setDefaultCloseOperation(JFrame.EXIT_ON_CLOSE);
18
19    JButton east = new JButton("East");
20    JButton west = new JButton("West");
21    JButton south = new JButton("South");
22    JButton north = new JButton("North");
23
24    class Draw extends JPanel  {
25      Image img = new ImageIcon("c:\\java.jpg").getImage();
26                                     ↑ 이미지 경로 설정
27      protected void paintComponent(Graphics g) {
28
29  g.drawImage(img, 5,5,this); ← 이미지를 지정된 위치에 그림
30
31      }
32    };
33
34    Draw draw = new Draw();
35
36    frame.getContentPane().add(BorderLayout.EAST, east);
37    frame.getContentPane().add(BorderLayout.WEST, west);
```

```
38        frame.getContentPane().add(BorderLayout.SOUTH, south);
39        frame.getContentPane().add(BorderLayout.NORTH, north);
40        frame.getContentPane().add(BorderLayout.CENTER, draw);
41
42        frame.setSize(300, 300);
43        frame.setVisible(true);
44    }
45 }
```

13.4 이벤트 처리

[코드 13- 2]의 버튼을 클릭 했지만 아무런 반응이 없다. 사용자의 동작을 인식하기 위해서 먼저 사용자가 버튼을 클릭 했을 때 동작을 수행할 메소드와 버튼을 클릭한 동작을 확인하는 리스너가 필요하다. 자바에서 리스너는 인터페이스로 구현되며 사용자와 GUI를 연결해주는 역할을 한다. 이벤트에 관한 부분은 java.awt.event.*;를 import 하여 사용한다. [코드 13-9]는 버튼을 클릭했을 때 콘솔 창에 버튼클릭 문자를 출력하는 프로그램이다.

코드 13-9 **버튼 클릭 동작**

```
1  import javax.swing.*;
2  import java.awt.event.*;
3
4  public class ButtonGui {
5    public static void main(String[] args) {
6
7      JFrame  frame = new JFrame();
8      JButton button = new JButton("확인");
9
10     frame.setDefaultCloseOperation(JFrame.EXIT_ON_CLOSE);
11
12     ActionListener buttonAction = new ActionListener() {
13       public void actionPerformed(ActionEvent arg0) {
14         System.out.println("버튼 클릭");
15       }
16     };
17
18     button.addActionListener(buttonAction);
19     frame.getContentPane().add(button);
20
21     frame.setSize(300, 300);
22     frame.setVisible(true);
23   }
24 }
```

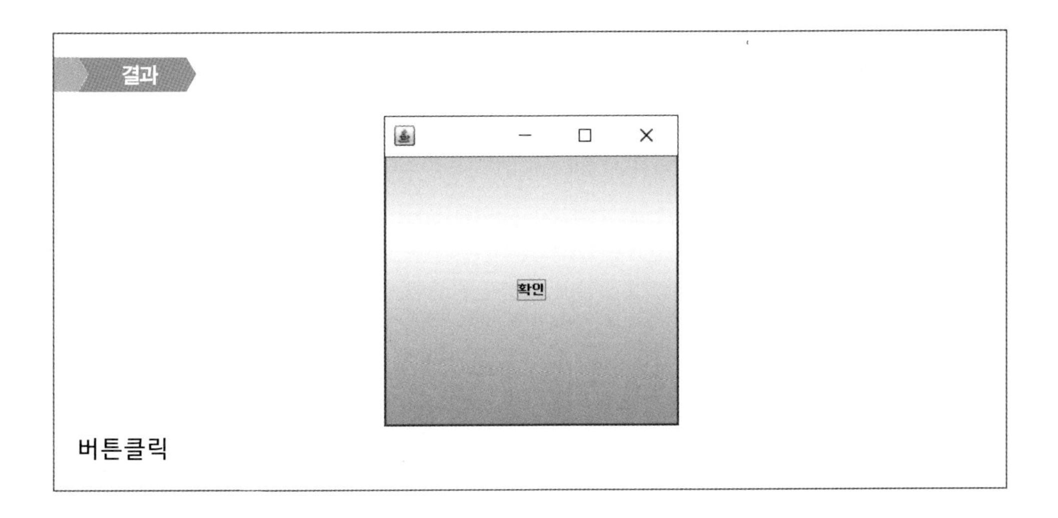

main() 메소드에 모든 행동을 명시하는 것은 그리 좋은 프로그래밍 기법은 아니다. [코드 13-10]은 클래스에 ActionListener 인터페이스를 구현한 프로그램이다.

코드 13-10 이벤트 리스너

```
1  import javax.swing.*;
2  import java.awt.event.*;
3
4  public class ButtonGui implements ActionListener {
5    JFrame  frame;
6    public static void main(String[] args) {
7
8      ButtonGui gui = new ButtonGui();
9      gui.play();
10   }
11
12   public void play() {
13
14     frame = new JFrame();
15     JButton button = new JButton("확인");
```

```
16
17          frame.setDefaultCloseOperation(JFrame.EXIT_ON_CLOSE);
18
19          button.addActionListener(this);
20
21          frame.getContentPane().add(button);
22
23          frame.setSize(300, 300);
24          frame.setVisible(true);
25      }
26
27      public void actionPerformed(ActionEvent arg0) {
28          System.out.println("버튼클릭");
29      }
30  }
```

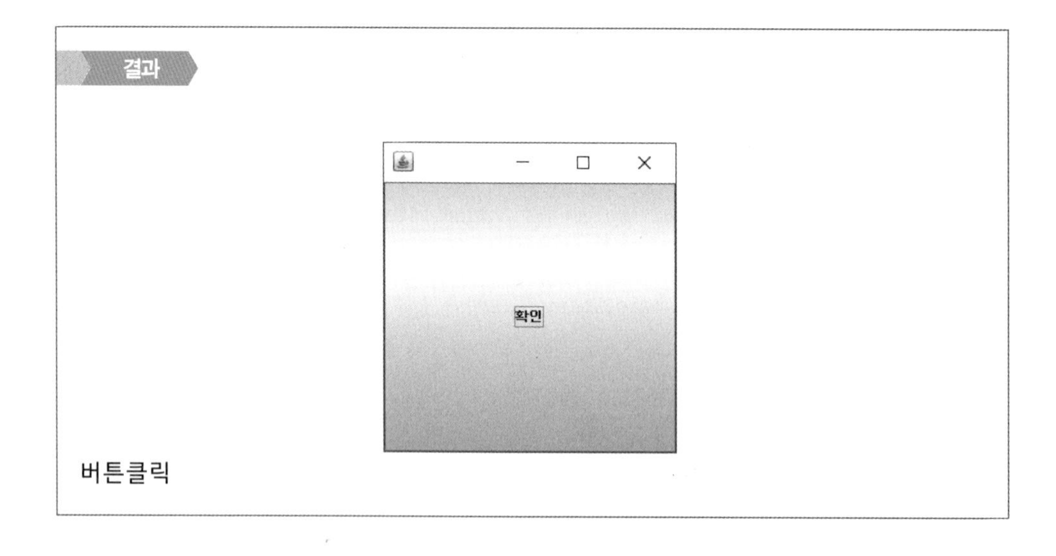

여러개의 버튼을 이용하여 동작을 설정 하려고 할 때는 각각의 이벤트 리스너를 생성하여 버튼의 동작을 파악한다. [코드 13-11]은 코드 [코드 13-3]의 버튼에 각각의 이벤트를 설정한 프로그램이다.

코드 13-11 여러개의 버튼 클릭 동작

```
1  import javax.swing.*;
2  import java.awt.*;
3  import java.awt.event.*;
4  
5  public class ButtonGuiLayout
6    JFrame  frame;
7  
8    public static void main(String[] args) {
9  
10     ButtonGuiLayout gui = new ButtonGuiLayout();
11     gui.play();
12   }
13 
14   public void play() {
15 
16     frame = new JFrame();
17 
18     frame.setDefaultCloseOperation(JFrame.EXIT_ON_CLOSE);
19 
20     JButton east = new JButton("East");
21     JButton west = new JButton("West");
22     JButton south = new JButton("South");
23     JButton north = new JButton("North");
24     JButton center = new JButton("Center");
25 
```

```
26      ActionListener eastAction = new ActionListener() {
27        public void actionPerformed(ActionEvent arg0) {
28          System.out.println("동쪽");
29        }
30      };
31
32      ActionListener westAction = new ActionListener() {
33        public void actionPerformed(ActionEvent arg0) {
34          System.out.println("서쪽");
35        }
36      };
37
38      ActionListener southAction = new ActionListener() {
39        public void actionPerformed(ActionEvent arg0) {
40          System.out.println("남쪽");
41        }
42      };
43
44      ActionListener northAction = new ActionListener() {
45        public void actionPerformed(ActionEvent arg0) {
46          System.out.println("북쪽");
47        }
48      };
49
50      ActionListener centerAction = new ActionListener() {
51        public void actionPerformed(ActionEvent arg0) {
52          System.out.println("중앙");
53        }
54      };
55
56      east.addActionListener(eastAction);
57      west.addActionListener(westAction);
```

```
58        south.addActionListener(southAction);
59        north.addActionListener(northAction);
60        center.addActionListener(centerAction);
61
62        frame.getContentPane().add(BorderLayout.EAST, east);
63        frame.getContentPane().add(BorderLayout.WEST, west);
64        frame.getContentPane().add(BorderLayout.SOUTH, south);
65        frame.getContentPane().add(BorderLayout.NORTH, north);
66        frame.getContentPane().add(BorderLayout.CENTER, center);
67
68        frame.setSize(300, 300);
69        frame.setVisible(true);
70      }
71    }
```

결과

North
West
Center
East
South

동쪽
서쪽
남쪽
북쪽
중앙

각각의 이벤트 리스너를 클래스로 선언하여 내부 클래스로 선언하여 사용 할 수 있다. [코드 13-12]는 이벤트 리스너를 내부클래스로 선언한 프로그램이다.

코드 13-12 이벤트 리스너 클래스 생성

```
1  import javax.swing.*;
2  import java.awt.*;
3  import java.awt.event.*;
4
5  public class ButtonGuiLayout {
6    JFrame  frame;
7
8    public static void main(String[] args) {
9
10     ButtonGuiLayout gui = new ButtonGuiLayout();
11     gui.play();
12   }
13
14   public void play() {
15
16     frame = new JFrame();
17
18     frame.setDefaultCloseOperation(JFrame.EXIT_ON_CLOSE);
19
20     JButton east = new JButton("East");
21     JButton west = new JButton("West");
22     JButton south = new JButton("South");
23     JButton north = new JButton("North");
24     JButton center = new JButton("Center");
25
26     east.addActionListener(new EastAction());
```

```
27        west.addActionListener(new WestAction());
28        south.addActionListener(new SouthAction());
29        north.addActionListener(new NorthAction());
30        center.addActionListener(new CenterAction());
31
32        frame.getContentPane().add(BorderLayout.EAST, east);
33        frame.getContentPane().add(BorderLayout.WEST, west);
34        frame.getContentPane().add(BorderLayout.SOUTH, south);
35        frame.getContentPane().add(BorderLayout.NORTH, north);
36        frame.getContentPane().add(BorderLayout.CENTER, center);
37
38        frame.setSize(300, 300);
39        frame.setVisible(true);
40      }
41
42      class EastAction implements ActionListener{
43        public void actionPerformed(ActionEvent e) {
44          System.out.println("동쪽");
45        }
46      }
47
48      class WestAction implements ActionListener{
49        public void actionPerformed(ActionEvent e) {
50          System.out.println("서쪽");
51        }
52      }
53
54      class SouthAction implements ActionListener{
55        public void actionPerformed(ActionEvent e) {
56          System.out.println("남쪽");
57        }
58      }
```

```
59
60    class NorthAction implements ActionListener{
61      public void actionPerformed(ActionEvent e) {
62        System.out.println("북쪽");
63      }
64    }
65
66    class CenterAction implements ActionListener{
67      public void actionPerformed(ActionEvent e) {
68        System.out.println("중앙");
69      }
70    }
71  }
```

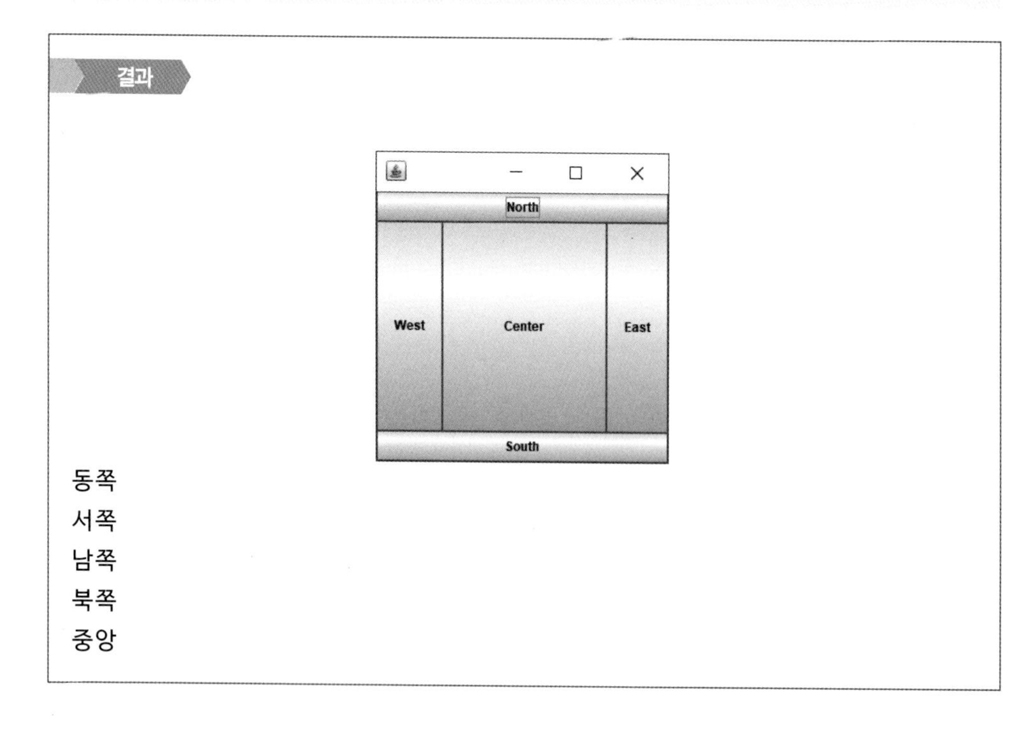

연습문제

1. 이름과 학번을 입력받는 GUI를 작성하시오.

2. 이름과 학번을 입력 하고 확인을 선택 하였을 경우 밑의 이름과 학번이 출력되는 GUI를 작성하시오.

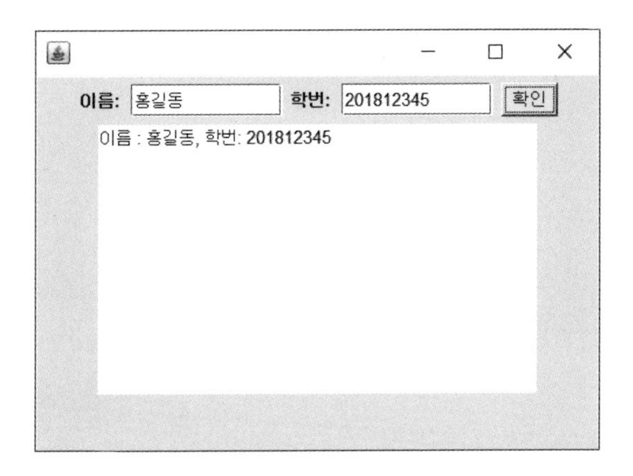

3. GUI를 이용한 채팅프로그램을 작성하시오.

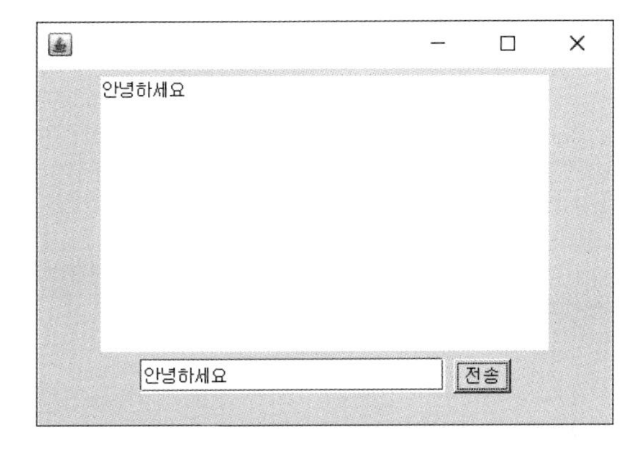

CHAPTER 14

게임제작

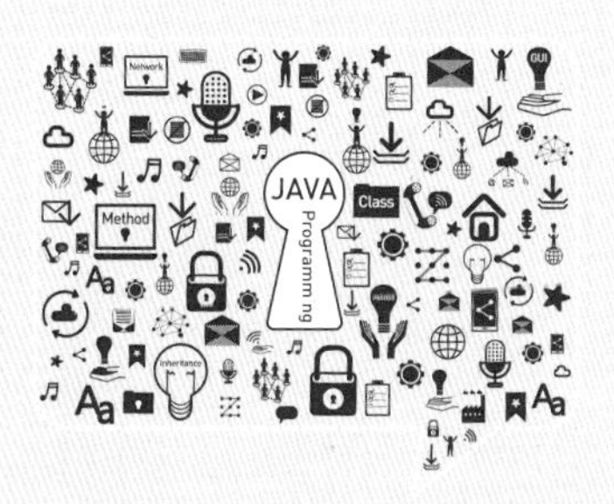
Network
GUI
JAVA
Class
Programm ng
Method

14.1 테트리스

코드 14-1 테트리스 게임제작

```
1  import java.awt.*;
2  import java.awt.event.*;
3  import java.util.*;
4  import javax.swing.*;
5
6  public class Tetris extends JPanel {
7    private final Point[][][] tetrisBlock = {
8      {
9        { new Point(0, 1), new Point(1, 1), new Point(2, 1), new Point(3, 1) },
10       { new Point(1, 0), new Point(1, 1), new Point(1, 2), new Point(1, 3) },
11       { new Point(0, 1), new Point(1, 1), new Point(2, 1), new Point(3, 1) },
12       { new Point(1, 0), new Point(1, 1), new Point(1, 2), new Point(1, 3) }
13     },
14     {
15       { new Point(0, 1), new Point(1, 1), new Point(2, 1), new Point(2, 0) },
16       { new Point(1, 0), new Point(1, 1), new Point(1, 2), new Point(2, 2) },
17       { new Point(0, 1), new Point(1, 1), new Point(2, 1), new Point(0, 2) },
18       { new Point(1, 0), new Point(1, 1), new Point(1, 2), new Point(0, 0) }
19     },
20     {
21       { new Point(0, 1), new Point(1, 1), new Point(2, 1), new Point(2, 2) },
22       { new Point(1, 0), new Point(1, 1), new Point(1, 2), new Point(0, 2) },
23       { new Point(0, 1), new Point(1, 1), new Point(2, 1), new Point(0, 0) },
24       { new Point(1, 0), new Point(1, 1), new Point(1, 2), new Point(2, 0) }
25     },
26     {
27       { new Point(0, 0), new Point(0, 1), new Point(1, 0), new Point(1, 1) },
```

```
28            { new Point(0, 0), new Point(0, 1), new Point(1, 0), new Point(1, 1) },
29            { new Point(0, 0), new Point(0, 1), new Point(1, 0), new Point(1, 1) },
30            { new Point(0, 0), new Point(0, 1), new Point(1, 0), new Point(1, 1) }
31        },
32        {                                                                  형태의 블록
33            { new Point(1, 0), new Point(2, 0), new Point(0, 1), new Point(1, 1) },
34            { new Point(0, 0), new Point(0, 1), new Point(1, 1), new Point(1, 2) },
35            { new Point(1, 0), new Point(2, 0), new Point(0, 1), new Point(1, 1) },
36            { new Point(0, 0), new Point(0, 1), new Point(1, 1), new Point(1, 2) }
37        },
38        {                                                                  형태의 블록
39            { new Point(1, 0), new Point(0, 1), new Point(1, 1), new Point(2, 1) },
40            { new Point(1, 0), new Point(0, 1), new Point(1, 1), new Point(1, 2) },
41            { new Point(0, 1), new Point(1, 1), new Point(2, 1), new Point(1, 2) },
42            { new Point(1, 0), new Point(1, 1), new Point(2, 1), new Point(1, 2) }
43        },
44        {                                                                  형태의 블록
45            { new Point(0, 0), new Point(1, 0), new Point(1, 1), new Point(2, 1) },
46            { new Point(1, 0), new Point(0, 1), new Point(1, 1), new Point(0, 2) },
47            { new Point(0, 0), new Point(1, 0), new Point(1, 1), new Point(2, 1) },
48            { new Point(1, 0), new Point(0, 1), new Point(1, 1), new Point(0, 2) }
49        }
50    };
51                                      블록의 색을 결정
52    private final Color[] tetrisBlockColors = {
53        Color.cyan, Color.blue, Color.orange, Color.yellow, Color.green,
   Color.pink, Color.red };
54
55    private Point blockOrigin;
56    private int currentBlock;
57    private int rotation;
```

```
58    private ArrayList<Integer> nextBlock = new ArrayList<Integer>();
59
60    private long score;
61    private Color[][] well;
62                            ↓ 게임을 배경을 생성하고 블록을 호출함
63    private void init() {
64      well = new Color[12][24];
65      for (int i = 0; i < 12; i++) {
66        for (int j = 0; j < 23; j++) {
67          if (i == 0 || i == 11 || j == 22) {
68            well[i][j] = Color.GRAY;
69          } else {
70            well[i][j] = Color.BLACK;
71          }
72        }
73      }
74      newBlock(); ← 새로운 블록을 호출함
75    }
76
77    public void newBlock() {
78      blockOrigin = new Point(5, 2);
79      rotation = 0;
80      if (nextBlock.isEmpty()) { ← 새로운 블록이 없을경우
81        Collections.addAll(nextBlock, 0, 1, 2, 3, 4, 5, 6);
82        Collections.shuffle(nextBlock); ← 순서를 적음
83      }
84      currentBlock = nextBlock.get(0); ← 0번째 인덱스의 블록을 가져오고
85      nextBlock.remove(0); ← 0번째 인덱스를 지움
86    }
87                                ↓ 블록의 충돌 검사
88    private boolean collidesAt(int x, int y, int rotation) {
```

```
89      for (Point p : tetrisBlock[currentBlock][rotation]) {
90        if (well[p.x + x][p.y + y] != Color.BLACK) {
91          return true;
92        }
93      }
94      return false;
95    }
96                        ← 블록의 회전
97    public void rotate() {
98      int newRotation = (rotation + 1) % 4;
99
100       if (!collidesAt(blockOrigin.x, blockOrigin.y, newRotation)) {
101         rotation = newRotation;
102       }
103       repaint();
104     }
105                       ← 블록을 좌우로 이동
106   public void move(int i) {
107     if (!collidesAt(blockOrigin.x + i,blockOrigin.y, rotation)) {
108       blockOrigin.x += i;
109     }
110     repaint();
111   }
112                       ← 블록을 아래로 이동
113   public void dropDown() {
114     if (!collidesAt(blockOrigin.x, blockOrigin.y + 1, rotation)) {
115       blockOrigin.y += 1;
116     } else {
117       fixToWell();
118     }
119     repaint();
```

```
120     }
121
122     public void fixToWell() {
123       for (Point p : tetrisBlock[currentBlock][rotation]) {
124         well[blockOrigin.x + p.x][blockOrigin.y + p.y]
                                        = tetrisBlockColors[currentBlock];
125       }
126       clearRows();
127       newBlock();
128     }
129                        ← 한 줄을 지움
130     public void deleteRow(int row) {
131       for (int j = row-1; j > 0; j--) {
132         for (int i = 1; i < 11; i++) {
133           well[i][j+1] = well[i][j];
134         }
135       }
136     }
137
138     public void clearRows() {
139       boolean gap;
140       int numClears = 0;
141
142         for (int j = 21; j > 0; j--) {
143           gap = false;
144           for (int i = 1; i < 11; i++) {
145             if (well[i][j] == Color.BLACK) {
146               gap = true;
147               break;
148             }
149           }
```

```
150        if (!gap) {
151            deleteRow(j);
152            j += 1;
153            numClears += 1;
154          }
155        }
156
157        switch (numClears) {  ← 동시에 없앤 블록 줄의 수에 따라 점수를 배정
158          case 1:
159            score += 100;
160            break;
161          case 2:
162            score += 250;
163            break;
164          case 3:
165            score += 400;
166            break;
167          case 4:
168            score += 600;
169            break;
170        }
171      }
172                        ┌── 도형을 그림
173      private void drawBlock(Graphics g) {
174        g.setColor(tetrisBlockColors[currentBlock]);
175        for (Point p : tetrisBlock[currentBlock][rotation]) {
176          g.fillRect((p.x +blockOrigin.x) * 26, (p.y + blockOrigin.y) * 26, 25, 25);
177        }
178      }
179
180      public void paintComponent(Graphics g) {
```

```
181        g.fillRect(0, 0, 26*12, 26*23);
182        g.drawRect(0, 0, 26*12, 26*23);
183        for (int i = 0; i < 12; i++) {
184          for (int j = 0; j < 23; j++) {
185            g.setColor(well[i][j]);                        벽과 배경을 만들고 색칠함
186            if (g.getColor()==Color.BLACK || g.getColor()==Color.GRAY ) {
187              g.fillRect(26*i, 26*j, 25, 25);
188              g.drawRect(26*i, 26*j, 25, 25);
189            }else { <- 바닥에 닿은 블로을 회색으로 칠함
190              g.setColor(Color.DARK_GRAY);
191              g.fillRect(26*i, 26*j, 25, 25);
192            }
193          }
194        }
195
196        g.setColor(Color.WHITE);
197        g.drawString("score = " + score, 210, 25); <- 점수를 표시함
198        drawBlock(g);
199      }
200
201      public static void play() {
202        JFrame gameFrame = new JFrame("Tetris");
203        gameFrame.setDefaultCloseOperation(JFrame.EXIT_ON_CLOSE);
204        gameFrame.setSize(325, 635);
205        gameFrame.setVisible(true);
206
207        Tetris game = new Tetris();
208        game.init();
209        gameFrame.add(game);
210
211        class GameKeyListener implements KeyListener { <- 키보드 이벤트를 받음
```

```
212        public void keyTyped(KeyEvent e) {
213        }
214
215        public void keyPressed(KeyEvent e) {
216          switch (e.getKeyCode()) {
217            case KeyEvent.VK_UP:
218              game.rotate();
219              break;
220            case KeyEvent.VK_DOWN:
221              game.dropDown();
222              break;
223            case KeyEvent.VK_LEFT:
224              game.move(-1);
225              break;
226            case KeyEvent.VK_RIGHT:
227              game.move(+1);
228              break;
229          }
230        }
231
232        public void keyReleased(KeyEvent e) {
233        }
234      }
235
236      gameFrame.addKeyListener(new GameKeyListener());
237
238      class DropRunnable implements Runnable{
239        public void run() {
240          while (true) {
241            try {
242              Thread.sleep(1000);
```

블록이 자동으로 내려가도록 쓰레드를 실행함

```
243                 game.dropDown();
244               } catch ( InterruptedException e ) {
245                 e.printStackTrace();
246               }
247             }
248           }
249         }
250
251         Runnable dropRun = new DropRunnable();
252         Thread dropThread = new Thread(dropRun);
253         dropThread.start();
254       }
255
256       public static void main(String[] args) {
257         play();
258       }
259     }
```

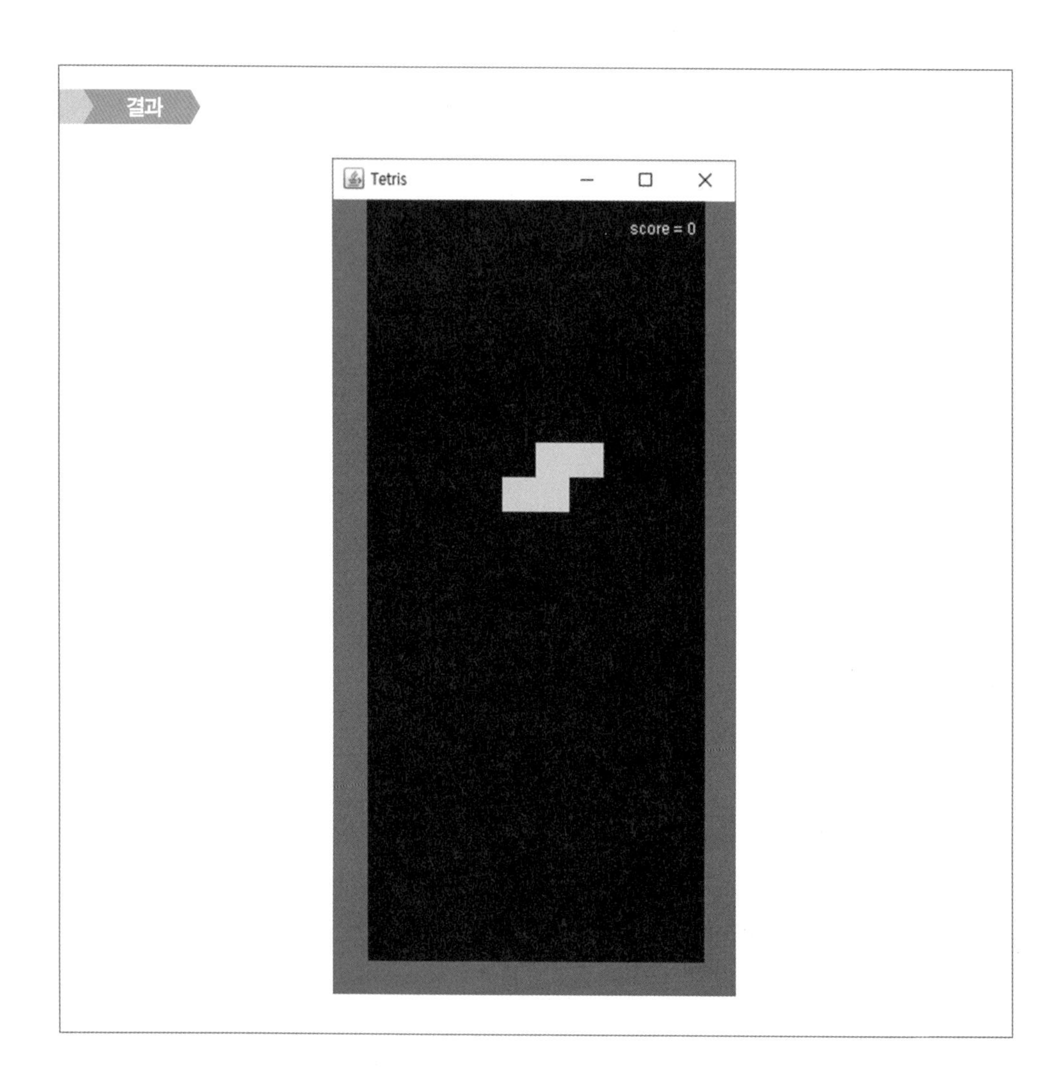

소스 참고: https://gist.github.com/DataWraith/5236083

14.2 핑퐁게임

코드 14-2 **핑퐁 게임제작**

```
1  public class Ball {
2    private int x_pos;
3    private int y_pos;
4    private int diameter;
5    private int x_vel;
6    private int y_vel;
7
8    public Ball() {
9      x_vel = 4;
10     y_vel = 4;
11     diameter = 20;
12     x_pos = PongFrame.WIDTH/2;
13     y_pos = PongFrame.HEIGHT/2;
14   }
15
16   public void move(){
17     x_pos += x_vel;
18     y_pos += y_vel;
19   }
20
21   public int getX_pos() {
22     return x_pos;
23   }
24
25   public int getY_pos() {
26     return y_pos;
27   }
```

```
28
29    public int getDiameter() {
30      return diameter;
31    }
32                          ┌── 공 x 좌표의 이동 방향을 변경
33    public void revVelocityX(){
34      x_vel = -x_vel;
35    }
36                          ┌── 공 y 좌표의 이동방향을 변경
37    public void revVelocityY(){
38      y_vel = -y_vel;
39    }
40
41    public void setX_pos(int x_pos) {
42      this.x_pos = x_pos;
43    }
44
45    public void setY_pos(int y_pos) {
46      this.y_pos = y_pos;
47    }
48  }
```

```
1  public class Bat {
2    private int height;
3    private int width;
4    private int x_pos;
5    private int y_pos;
6    private int vel;
7    private int score = 0;
```

```
8
9     public Bat(String s) {
10      vel = 10;
11      height = 150;
12      width = 20;
13      y_pos = (PongFrame.HEIGHT / 2) - (height / 2);
14      if(s.equals("left")){
15        x_pos = 15;
16      } else if(s.equals("right")){
17         x_pos = PongFrame.WIDTH - 35;
18      }
19    }
20
21    public int getHeight() {
22      return height;
23    }
24
25    public int getWidth() {
26      return width;
27    }
28
29    public int getX_pos() {
30      return x_pos;
31    }
32
33    public int getY_pos() {
34      return y_pos;
35    }
36
37    public void setScore(int score) {
38      this.score = score;
```

```
39      }
40
41      public int getScore() {
42        return score;
43      }
44
45      public void moveUp(){
46        if(y_pos > 0){
47          y_pos -= vel;
48        }
49      }
50
51      public void moveDown(){
52        if(y_pos < (PongFrame.HEIGHT - height - 29)) {
53          y_pos += vel;
54        }
55      }
56    }
```

```
1     import javax.swing.*;
2     import java.awt.*;
3     import java.awt.event.*;
4
5     public class PongPanel extends JPanel
                                    implements ActionListener,KeyListener{
6       private Ball ball;
7       private Bat left_bet;
8       private Bat right_bet;
9       private Timer timer;
10      private int DELAY = 10;
```

```
11      private boolean keys[];
12      private int LEFT_UP = 0;
13      private int LEFT_DOWN = 1;
14      private int RIGHT_UP = 2;
15      private int RIGHT_DOWN = 3;
16
17      public PongPanel(){
18        setBackground(Color.BLACK);
19        ball = new Ball();
20        left_bet = new Bat("left");
21        right_bet = new Bat("right");
22        addKeyListener(this);
23        setFocusable(true);
24
25        timer = new Timer(DELAY,this);  ← 이동 속도를 조절
26        timer.start();
27
28        setDoubleBuffered(true);  ← 이중 버퍼링을 설정
29        keys = new boolean[]{false,false,false,false};  ← 키 눌림을 배열로 저장
30      }
31
32      public void actionPerformed(ActionEvent e) {
33        ball.move();
34        checkCollision();
35
36        if(keys[LEFT_UP]) {
37          left_bet.moveUp();
38        }
39        if(keys[LEFT_DOWN]) {
40          left_bet.moveDown();
41        }
```

```
42        if(keys[RIGHT_UP]) {
43          right_bet.moveUp();
44        }
45        if(keys[RIGHT_DOWN]) {
46          right_bet.moveDown();
47        }
48
49        repaint();
50      }
51
52      private void checkCollision() {  <- 충돌을 검사함
53        if(ball.getX_pos() < (left_bet.getX_pos() + left_bet.getWidth())) {
54          if((ball.getY_pos() > left_bet.getY_pos()) &&
               (ball.getY_pos() < (left_bet.getY_pos() + left_bet.getHeight()))) {
55            ball.revVelocityX();
56          } else {
57            right_bet.setScore(right_bet.getScore()+1);
58            ball.setX_pos(PongFrame.WIDTH / 2);
59            ball.setY_pos(PongFrame.HEIGHT / 2);
60          }
61        }
62        if(ball.getX_pos() > (right_bet.getX_pos() -ball.getDiameter())) {
63          if((ball.getY_pos() > right_bet.getY_pos()) &&
             (ball.getY_pos() < (right_bet.getY_pos() + right_bet.getHeight()))) {
64            ball.revVelocityX();
65          } else {
66            left_bet.setScore(left_bet.getScore()+1);
67            ball.setX_pos(PongFrame.WIDTH / 2);
68            ball.setY_pos(PongFrame.HEIGHT / 2);
69          }
70        }
```

```
71        else if(ball.getY_pos()< 0 || ball.getY_pos() >
                 (PongFrame.HEIGHT-ball.getDiameter()-29)) {
72          ball.revVelocityY();
73        }
74      }
75
76      public void paintComponent(Graphics g) {
77        super.paintComponent(g);
78
79        g.setFont(new Font("TimesRoman", Font.PLAIN, 20));
80        g.setColor(Color.WHITE);
81        g.drawString(left_bet.getScore() + " : " + right_bet.getScore(),
                                               PongFrame.WIDTH / 2, 25);
82        drawBall(g);
83        drawPaddles(g);
84      }
85
86      private void drawPaddles(Graphics g) {
87        g.setColor(Color.GREEN);
88        g.fillRect(left_bet.getX_pos(), left_bet.getY_pos(), left_bet.getWidth(),
                                                  left_bet.getHeight());
89        g.fillRect(right_bet.getX_pos(), right_bet.getY_pos(), right_bet.getWidth(),
90                                                right_bet.getHeight());
91      }
92      private void drawBall(Graphics g) {
93        g.setColor(Color.RED);
94        g.fillOval(ball.getX_pos(), ball.getY_pos(), ball.getDiameter(),
                                                   ball.getDiameter());
95      }
96
97      public void keyTyped(KeyEvent keyEvent) {
```

점수 현황을 화면에 표시

키 눌림 이벤트 동작

```
98	}
99
100	public void keyPressed(KeyEvent e) {
101		if(e.getKeyCode() == KeyEvent.VK_UP) {
102			keys[RIGHT_UP] = true;
103		}
104		if(e.getKeyCode() == KeyEvent.VK_DOWN) {
105			keys[RIGHT_DOWN] = true;
106		}
107		if(e.getKeyCode() == KeyEvent.VK_W){
108			keys[LEFT_UP] = true;
109		}
110		if(e.getKeyCode() == KeyEvent.VK_S){
111			keys[LEFT_DOWN] = true;
112		}
113	}
114
115	public void keyReleased(KeyEvent e) {
116		if(e.getKeyCode() == KeyEvent.VK_UP) {
117			keys[RIGHT_UP] = false;
118		}
119		if(e.getKeyCode() == KeyEvent.VK_DOWN) {
120			keys[RIGHT_DOWN] = false;
121		}
122		if(e.getKeyCode() == KeyEvent.VK_W){
123			keys[LEFT_UP] = false;
124		}
125		if(e.getKeyCode() == KeyEvent.VK_S){
126			keys[LEFT_DOWN] = false;
127		}
128	}
129 }
```

키가 떨어졌을 때 이벤트 동작

```
1  import javax.swing.*;
2  
3  public class PongFrame extends JFrame{
4    static final int HEIGHT=650;
5    static final int WIDTH=800;
6    private PongPanel panel;
7  
8    public PongFrame(){
9      setSize(WIDTH,HEIGHT);
10     setTitle("PingPong Gmae");
11     panel = new PongPanel();
12     add(panel);
13     setResizable(false);
14     setDefaultCloseOperation(JFrame.EXIT_ON_CLOSE);
15     setVisible(true);
16   }
17 }
```

```
1  public class PongPlay {
2    public static void main(String[] args) {
3      new PongFrame();
4    }
5  }
```

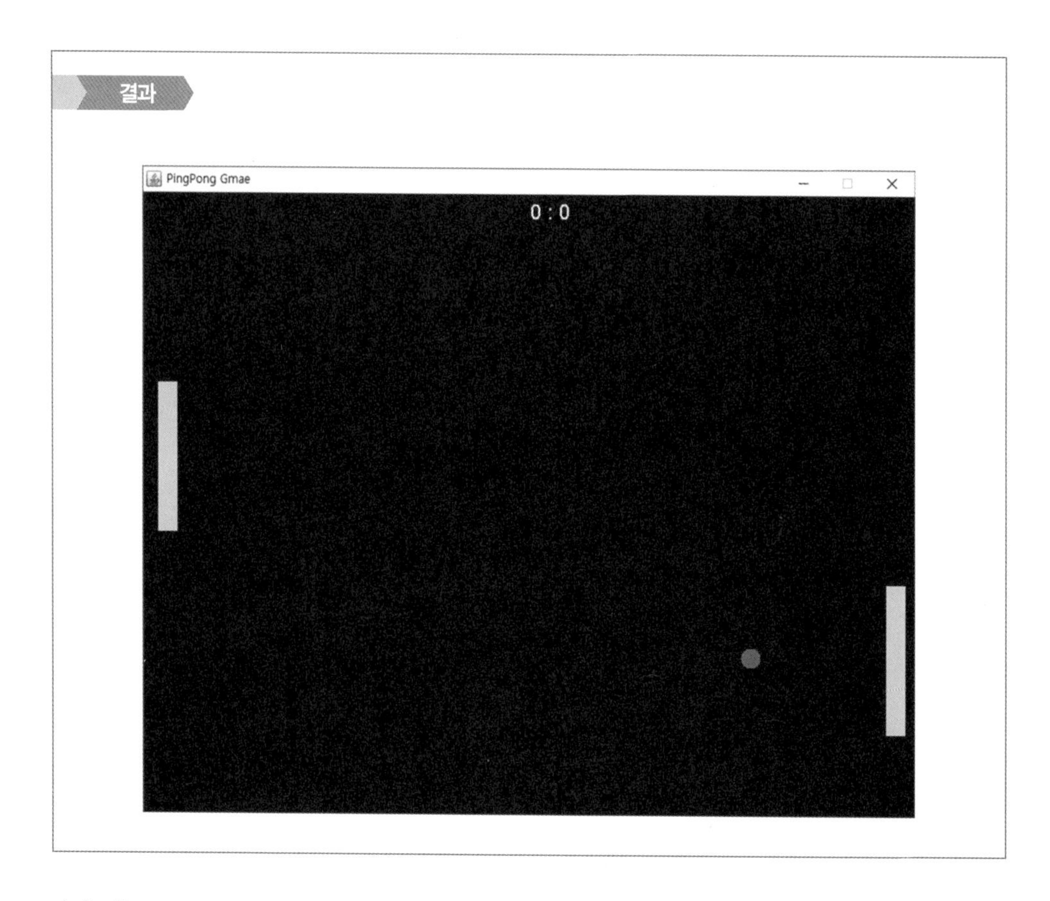

소스 참고: https://codereview.stackexchange.com/questions/178044/pong-game-in-swing

Network
GUI
JAVA
Programming
Class
Method
Method
Inheritance

INDEX

심재연 지음

든든한 Java Programming with a workbook

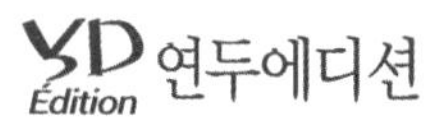

든든한 JAVA_programming with a workbook

발행일 2018년 12월 15일 초판 1쇄
지은이 심재연
펴낸이 심규남
기 획 염의섭 · 이정선
펴낸곳 연두에디션
주 소 경기도 고양시 일산동구 동국로 32 동국대학교 산학협력관 608호
등 록 2015년 12월 15일 (제2015-000242호)
전 화 031-932-9896
팩 스 070-8220-5528
ISBN 979-11-8883-108-1

이 책에 대한 의견이나 잘못된 내용에 대한 수정정보는 연두에디션 홈페이지나 이메일로 알려주십시오.
독자님의 의견을 충분히 반영하도록 늘 노력하겠습니다.
홈페이지 www.yundu.co.kr

※ 잘못된 도서는 구입처에서 바꾸어 드립니다.

이책의 답안은 제공되지 않습니다.

심재연

삼육대학교 컴퓨터과학과에서 이학사, 서울시립대학교 컴퓨터과학과에서 석 · 박사 학위를 받았다. 2012년부터 2015년까지 서울시립대학교와 서울과학기술대학교에서 프로그래밍 강의를 진행하였으며 2015년부터 현재까지 경동대학교 컴퓨터공학과 조교수로 재직했다. 현재 금융관련 소프트웨어를 개발 중이며 주요 연구 분야는 멀티미디어와 게임, 패턴인식이며 그와 관련 하여 다수의 연구 실적을 발표하였다.

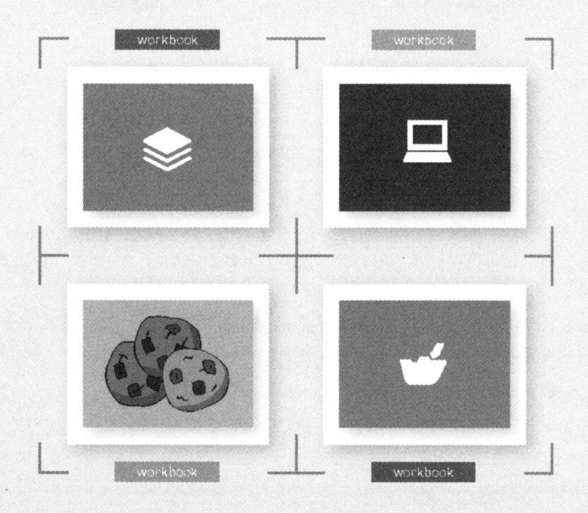

든든한 JAVA_programming with a workbook

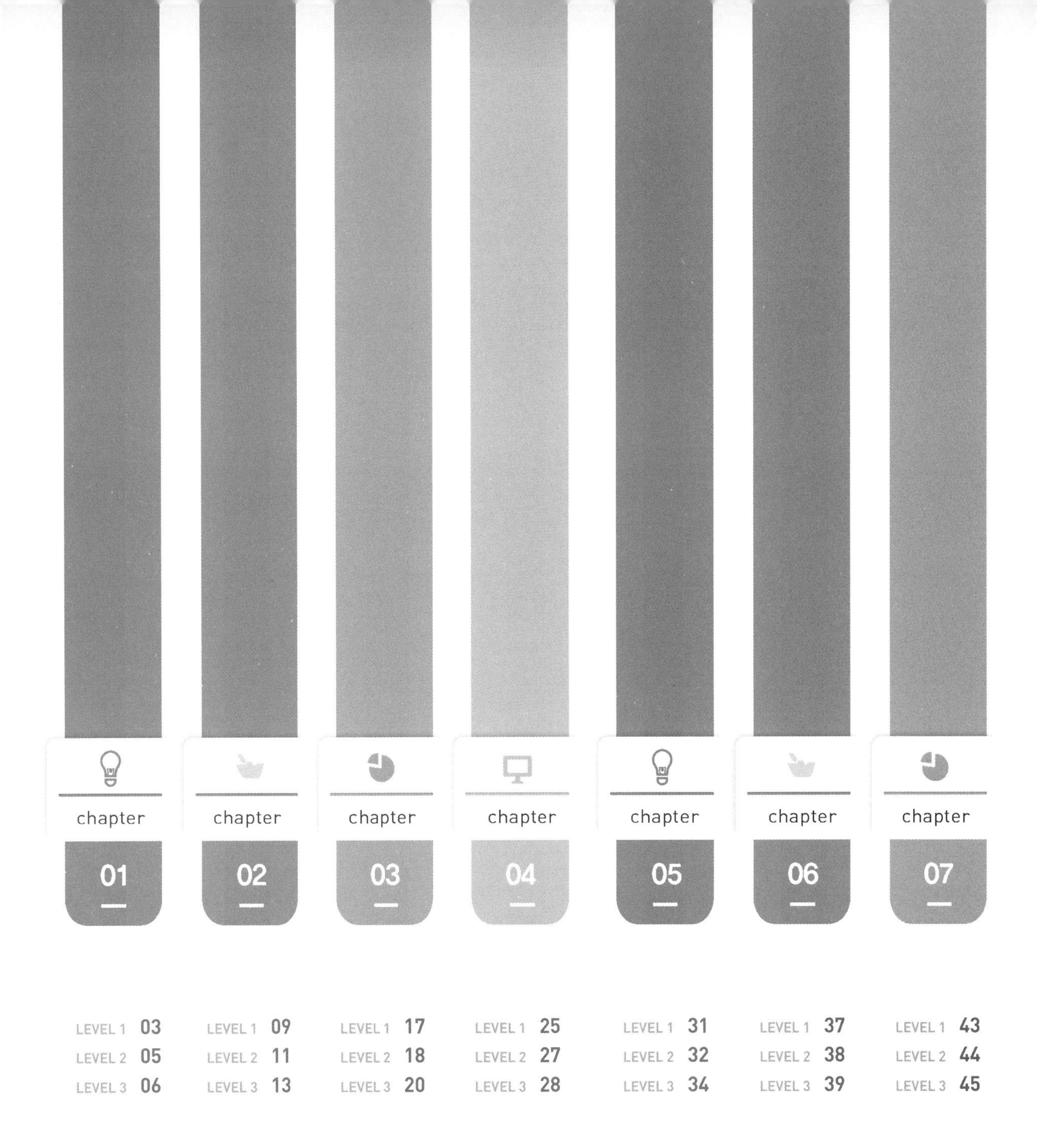
chapter
01
LEVEL 1 03
LEVEL 2 05
LEVEL 3 06
chapter
02
LEVEL 1 09
LEVEL 2 11
LEVEL 3 13
chapter
03
LEVEL 1 17
LEVEL 2 18
LEVEL 3 20
chapter
04
LEVEL 1 25
LEVEL 2 27
LEVEL 3 28
chapter
05
LEVEL 1 31
LEVEL 2 32
LEVEL 3 34
chapter
06
LEVEL 1 37
LEVEL 2 38
LEVEL 3 39
chapter
07
LEVEL 1 43
LEVEL 2 44
LEVEL 3 45

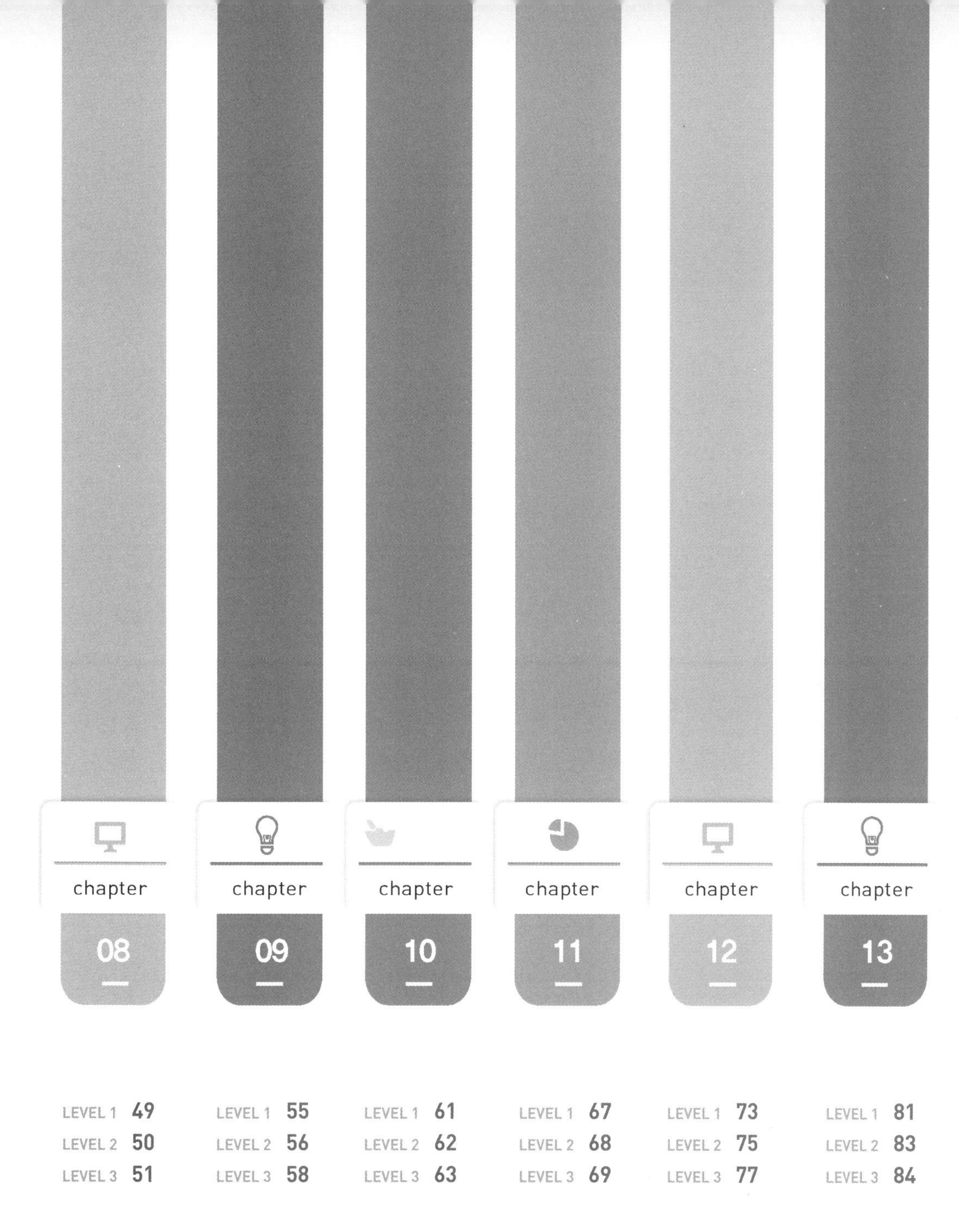

CONTENTS

든든한 JAVA_programming with a workbook

CHAPTER 01

LEVEL 1 연습문제
LEVEL 2 연습문제
LEVEL 3 연습문제

CHAPTER 01

든든한 JAVA_programming with a workbook

1 프로그램 언어 중 저급 언어에 속하는 것으로 짝지어진 것을 고르시오.

① C언어, 베이직
② C언어, 기계어
③ C언어, 어셈블리어
④ 기계어, 어셈블리어
⑤ 베이직, 기계어

2 프로그램 언어 중 고급 언어의 특징은 무엇인가?

3 이진코드란 무엇인가?

4 JAVA를 개발한 곳은?

① 오라클
② 마이크로소프트
③ 썬 마이크로시스템즈
④ 넥스트소프트
⑤ 벨 연구소

5 자바 공식 홈페이지에 소개된 자바 프로그램을 작성 할 때의 설계방법이 아닌 것은?

① 단순하고 객체지향에 대해 친화적이어야 한다.
② 견고하고 안전해야 한다.
③ 아키텍처에 중립적이며 어디서나 쉽게 동작시킬 수 있어야 한다.
④ 고성능을 추구한다.
⑤ 인터프리트적이며, 스레드로 동작하고 정적이어야 한다.

든든한 JAVA
programming with
a workbook

6 주로 프로그램에 대한 이해를 돕기 위해 쓰여진 글로 프로그램 내에서 작성되었으나 실행에는 영향을 미치지 않는 것을 무엇이라 하는가?

7 JDK는 무엇의 약자인가?

8 printf에서 문자를 표현하는 포멧은 무엇인가?

9 //와 /* */ 의 차이점은 무엇인가?

10 print(), println(), printf() 각각의 사용법은 무엇인가?

든든한 JAVA
programming with
a workbook

11 main 함수를 출력하는 형식을 작성하시오.

12 printf()를 이용하여 3.141592의 값을 받아 소수점 2째 자리까지만 출력하는 프로그램을 작성하시오.

13 다음의 코드를 실행 가능하도록 고치시오.

```
public class Hello {
  public static void main(String[] args) {

    System.out.println("hello World!!")
  }
}
```

CHAPTER 02

LEVEL 1 연습문제
LEVEL 2 연습문제
LEVEL 3 연습문제

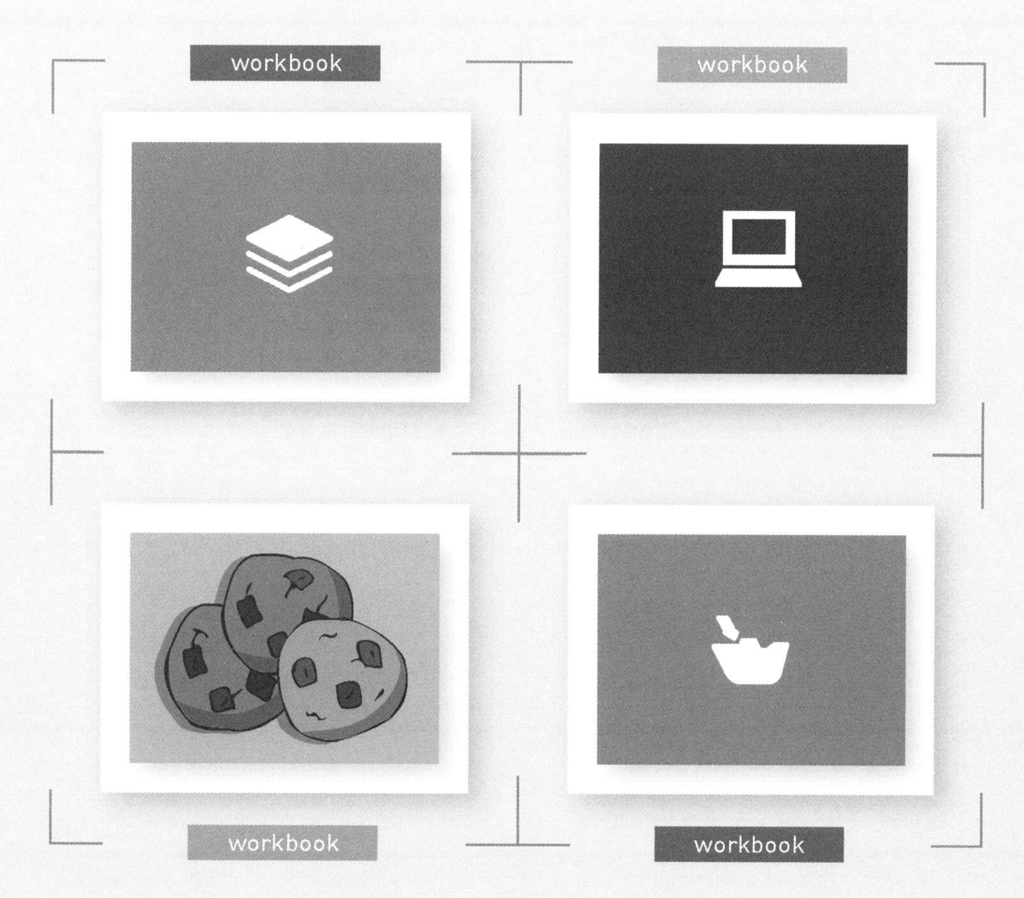

CHAPTER 02

든든한 JAVA_programming with a workbook

든든한 JAVA
programming with a workbook

1 변수란 무엇인가?

2 JAVA의 원시 데이터 타입이 아닌 것은?

① short
② long
③ var
④ char
⑤ boolean

3 실수 데이터 변수를 선언하는 원시 데이터 타입으로 짝지어진 것을 고르시오.

① int, double
② byte, int
③ float, int
④ float, byte
⑤ double, float

4 변수의 이름을 선언하는 방법 중 틀린 것은?

① 첫 글자는 숫자로 선언 할 수 없다.
② 한글로 선언이 가능하다.
③ 첫 글자로 $를 선언 할 수 없다.
④ 예약어를 사용 할 수 없다.
⑤ 대소문자를 구분한다.

5 다음 중 자바의 예약어가 아닌 것은?

① name
② int
③ enum
④ this
⑤ new

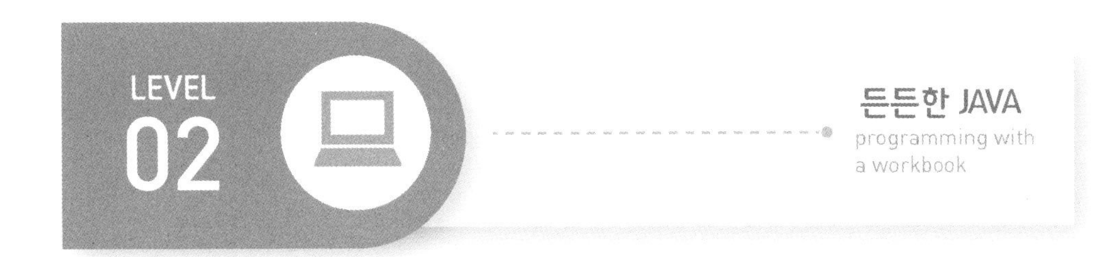

6 JAVA에서 10진수 15를 2진수, 8진수, 16진수로 저장하는 방법은 무엇인가?

7 byte 값의 범위는 어떻게 되는가?

8 JAVA에서 2.71818을 지수 표기법으로 저장하는 방법은 무엇인가?

9 boolean 형식으로 저장될 수 있는 데이터는 무엇인가?

10 오버플로우란 무엇인가?

11 음수의 값을 저장하기 위해 사용되는 1의 보수와 2의 보수 중 컴퓨터 프로그램에서 2의 보수가 사용되는 이유는 무엇인가?

12 x++ 와 ++x의 차이점은 무엇인가?

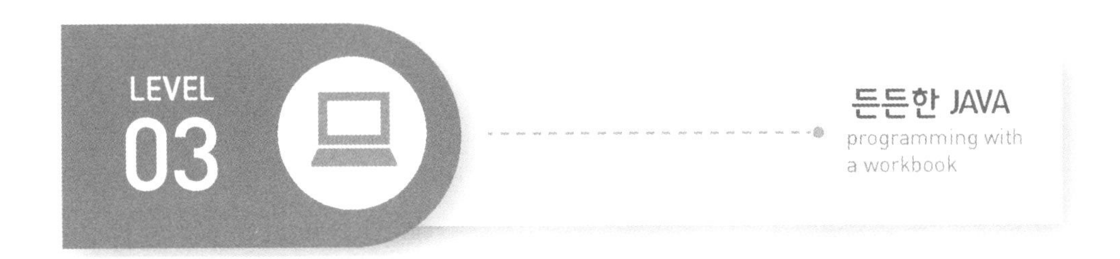

13 논리연산에서 ^연산의 연산표를 작성하시오.

14 다음 비트연산의 조건표에서 ( )에 들어갈 알맞은 수식을 작성하시오.

( )		y	
		1	0
x	1	1	0
	0	0	0

( )		y	
		1	0
x	1	1	1
	0	0	0

( )		y	
		1	0
x	1	0	1
	0	1	0

( )		
x	1	0
	0	1

15 9의 값이 00001001로 표현될 때 2의 보수법을 이용하여 -9를 작성하시오.

16 2개의 정수를 입력받아 몫과 나머지를 구하는 프로그램을 작성하시오.

17 삼항 연산자를 이용하여 정수를 입력받았을 때 입력받은 숫자가 짝수면 “짝수입니다.”, 홀수면 “홀수입니다.”가 출력되는 프로그램을 작성하시오.

CHAPTER 03

LEVEL 1 연습문제
LEVEL 2 연습문제
LEVEL 3 연습문제

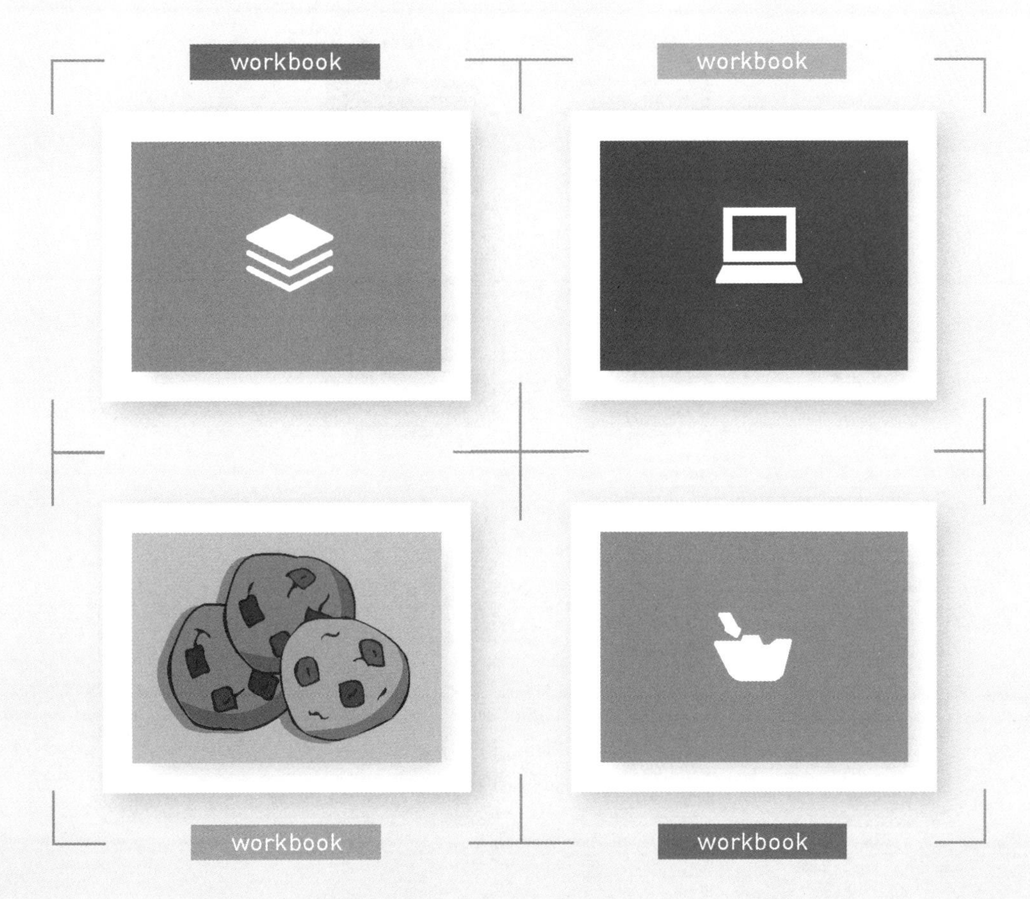

CHAPTER 03

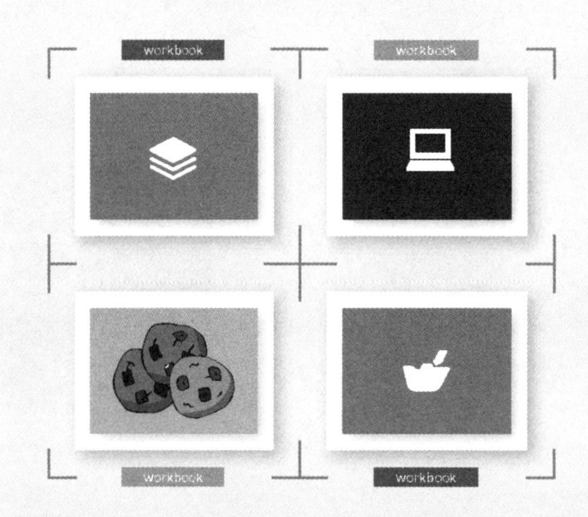

든든한 JAVA_programming with a workbook

든든한 JAVA
programming with
a workbook

1 조건문이란 무엇인가?

2 반복문이란 무엇인가?

3 조건문으로 짝지어진 것을 고르시오.

① for, while
② if, for
③ switch, if
④ for, switch
⑤ while, if

4 if 문을 사용할시 조건에 맞지 않았을 때 출력하고 싶은 문장이 있을 때 사용하는 것은 무엇인가?

5 반복문 중 조건이 맞지 않더라도 1번은 실행하는 것은 무엇인가?

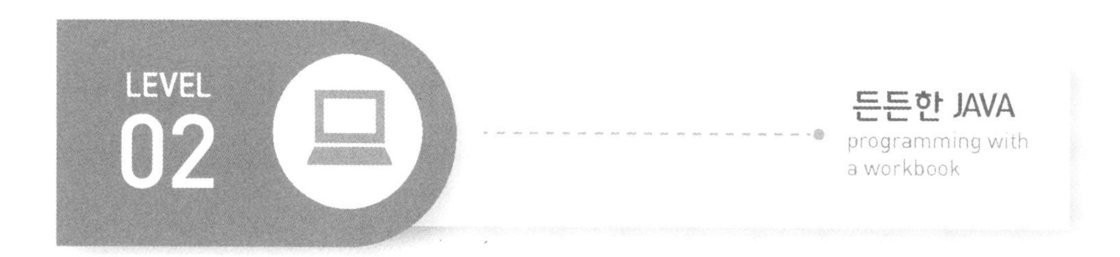

6 다음 프로그램의 출력 값을 작성하시오.

```
public class Test {
  public static void main(String[] args) {

    for(int i = 1 ; i <= 10 ;i ++)
    {
      if(i == 5)
        continue;
      System.out.println(i);
    }
  }
}
```

7 다음 프로그램에서 변수 i 가 50일 때 반복문을 빠져나오도록 고치시오.

```
public class Test {
  public static void main(String[] args) {
    int i = 0;
    while(true)
    {
      i++;
    }
  }
}
```

8 두개의 숫자를 입력받아 조건문을 이용하여 대소를 비교하는 프로그램을 작성하시오.

9 반복문과 조건문을 이용하여 1부터 10까지 숫자 중 홀수만 출력하는 프로그램을 작성하시오.

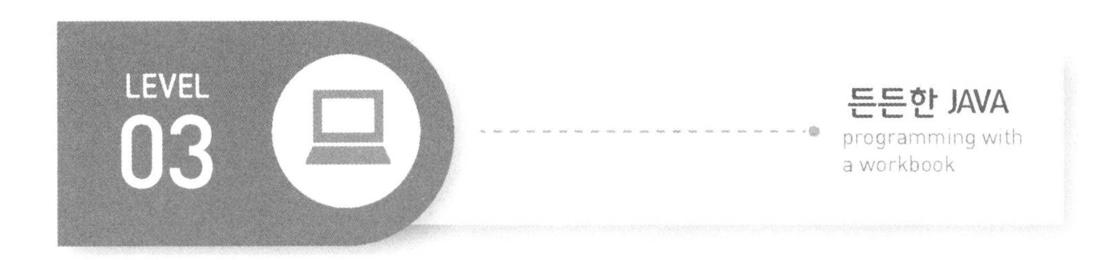

10 3개의 숫자를 입력 받고 조건문을 이용하여 가장 큰 수와 가장 작은 수를 출력하는 프로그램을 작성하시오.

11 다음 if문과 동일한 동작을 하는 switch문을 작성하시오.

```
public class Test {
  public static void main(String[] args) {

    int score = 85;

    if (score 〉= 90 )
    {
      System.out.println("A");
    }
    else if (score 〉= 80 && score 〈 90)
    {
      System.out.println("B");
    }
    else if (score 〉= 70 && score 〈 80)
    {
      System.out.println("C");
    }
    if (score 〉= 60 && score 〈 70)
    {
      System.out.println("D");
    }
    else
    {
      System.out.println("F");
    }
  }
}
```

12 1부터 100가지 숫자 중 소수를 출력하는 프로그램을 작성하시오.

13 2개의 정수를 입력받아 몫과 나머지를 구하는 프로그램을 작성하시오.

14 반복문을 이용하여 구구단을 출력하는 프로그램을 작성하시오.

15 원의 반지름을 입력 받아 원의 둘레와 넓이를 구하는 프로그램을 작성하시오.

CHAPTER 04

LEVEL 1 연습문제
LEVEL 2 연습문제
LEVEL 3 연습문제

CHAPTER 04

든든한 JAVA_programming with a workbook

든든한 JAVA
programming with
a workbook

1 배열이란 무엇인가?

2 배열과 ArrayList의 차이점은 무엇인가?

3 ArrayList의 명령어가 아닌 것은?

① add
② get
③ contains
④ move
⑤ remove

4 문자열의 자료형은 무엇인가?

5 다음 중 배열을 초기화 하는 방법을 모두 고르시오.

① int [] number = {10,20,30,40,50};
② int [5] number = {10,20,30,40,50};
③ int [] number = new int[] {10,20,30,40,50};
④ int [] number = new int[5] {10,20,30,40,50};
⑤ int [] number = 10,20,30,40,50;

6 다음 중 문자열의 길이를 알고 싶을 때 사용되는 명령어는 무언인가?

① length
② indexOf
③ equals
④ replace
⑤ sizeof

7 문자열을 입력받아 문자열의 길이의 출력하는 프로그램을 작성하시오.

8 문자열을 입력받아 입력받은 문자열을 모두 대문자로 변경하는 프로그램을 작성하시오.

9 다음 문장의 입력하고 문장 중 "안녕"을 "행복"으로 바꾸어 출력하는 프로그램을 작성하시오.

```
안녕하세요. 언제나 안녕하세요.
```

10 문자열로 된 숫자 2개를 정수로 변환하여 더한 후 다시 문자열로 변환하여 출력하는 프로그램을 작성하시오.

```
String num1 = "314";
String num2 = "615";
```

11 3x3 행렬 2개를 입력받아 행렬의 합과 곱을 출력하는 프로그램을 작성하시오.

12 반복문을 이용하여 다음과 같이 출력되는 프로그램을 작성하시오.

```
!
!!
A!!
VA!!
AVA!!
JAVA!!
 JAVA!!
o JAVA!!
lo JAVA!!
llo JAVA!!
ello JAVA!!
Hello JAVA!!
```

13 버블정렬을 이용하여 5개의 숫자를 입력받아 내림차순으로 정렬하여 출력하는 프로그램을 작성하시오.

14 영어 문장을 입력받아 대문자는 소문자로 소문자는 대문자로 변환하는 프로그램을 작성하시오.

CHAPTER 05

LEVEL 1 연습문제
LEVEL 2 연습문제
LEVEL 3 연습문제

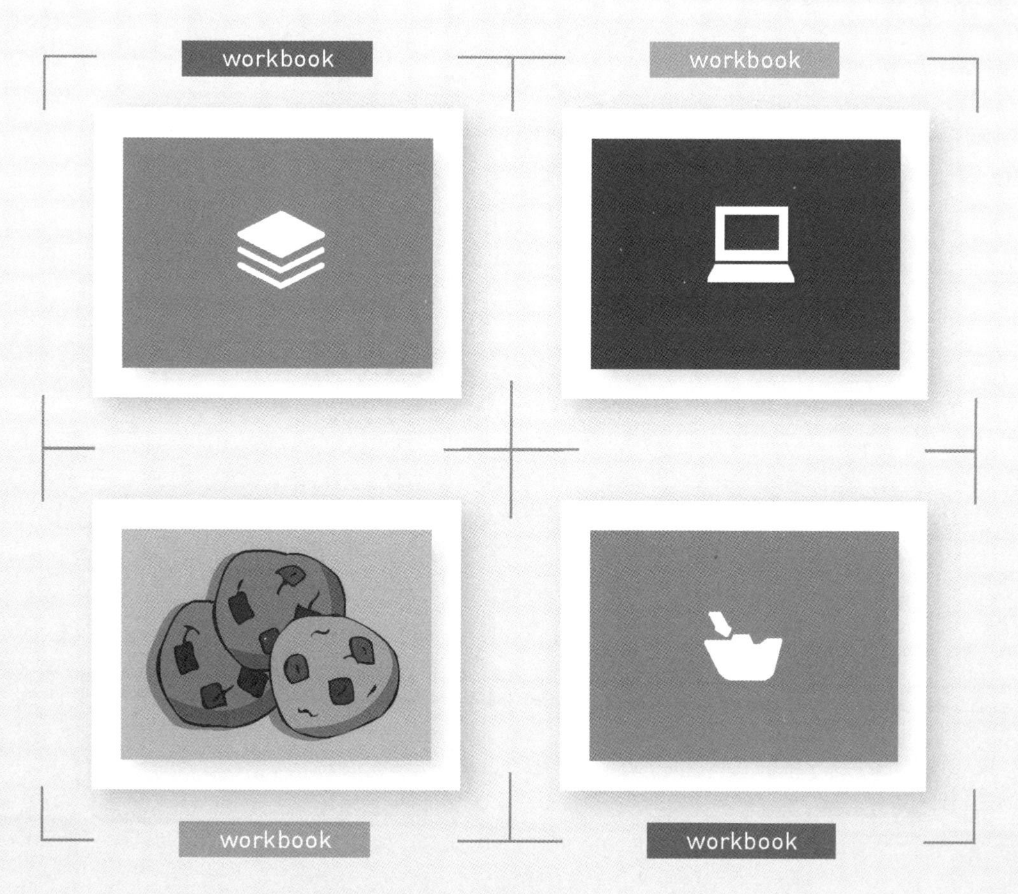

CHAPTER 05

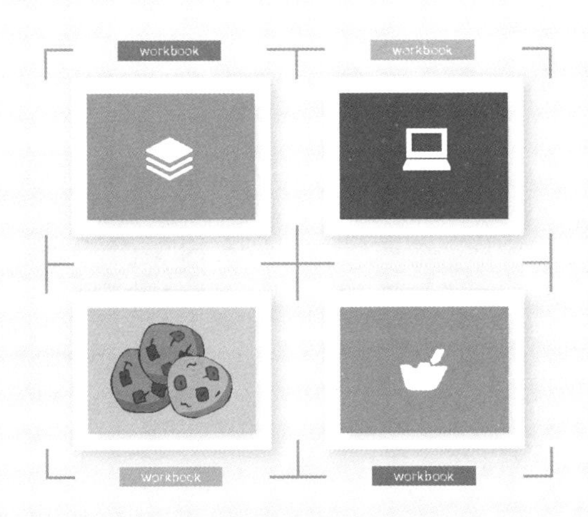

든든한 JAVA_programming with a workbook

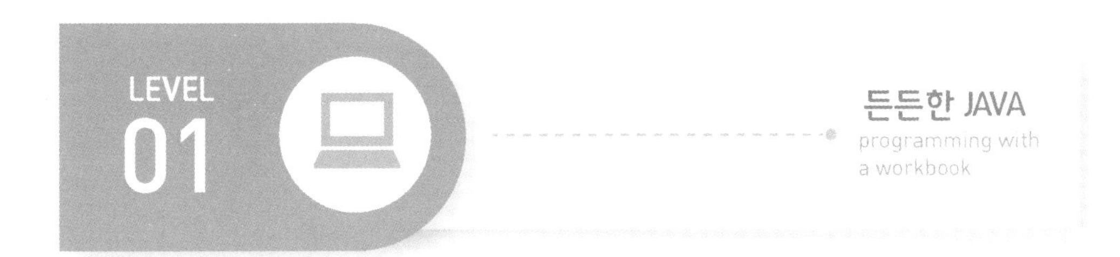

1 메소드의 반환형이란 무엇인가?

2 반환되는 데이터를 갖지 않는 반환형은 무엇인가?

3 매개변수란 무엇인가?

4 메서드 오버로드란 무엇인가?

5 재귀 함수란 무엇인가?

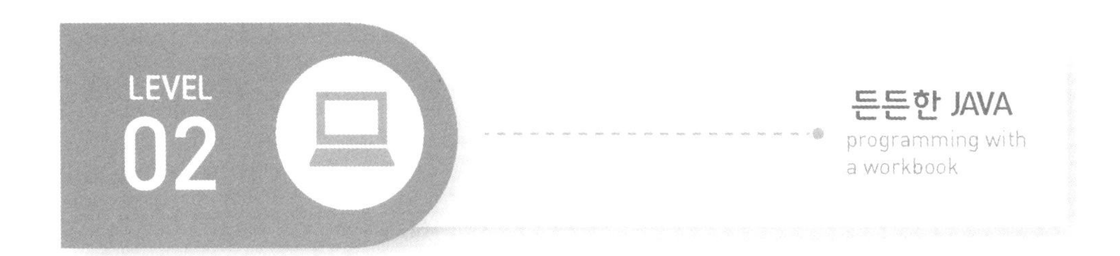

6 두개의 정수를 입력받아 두수의 차를 구하는 sub() 메서드를 구현하시오.

7 메서드를 이용하여 정수를 입력 받으면 그 수의 10배를 곱해 출력하는 프로그램을 작성하시오.

8 숫자를 입력받아 입력 받은 숫자의 팩토리얼 값을 재귀함수를 이용하여 구하는 프로그램을 작성하시오.

9 실수를 입력받아 반올림한 정수 값을 출력하는 프로그램을 작성하시오.

10 다음 프로그램의 출력 값은 무엇인가?

```
public class Test {
  public static void main(String[] args) {
    int number = 0;

   Ten(number);
    System.out.println(number);
  }

  static void Ten(int number) {
      number = 10;
    }

}
```

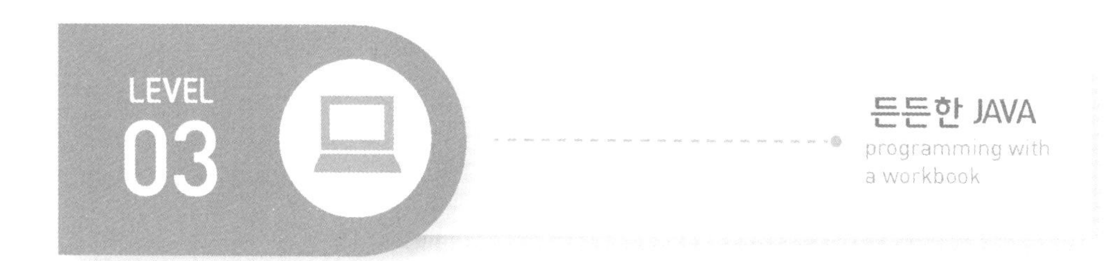

11 랜덤함수를 이용하여 1부터 45까지의 숫자 중 6개의 다른 번호를 뽑는 프로그램을 작성하시오.

12 가로 세로 2개의 숫자를 입력 받고 메소드를 이용하여 사각형을 그리는 프로그램을 작성하시오.

[결과]

```
┌──────────┐
│          │
│          │
└──────────┘
```

13 랜덤으로 1~10까지 숫자 중 3개를 생성하여 ArrayList에 넣고 세 개의 숫자를 입력하며 맞추는 프로그램을 작성하시오. (단 숫자는 중복 불가)

CHAPTER 06

LEVEL 1 연습문제
LEVEL 2 연습문제
LEVEL 3 연습문제

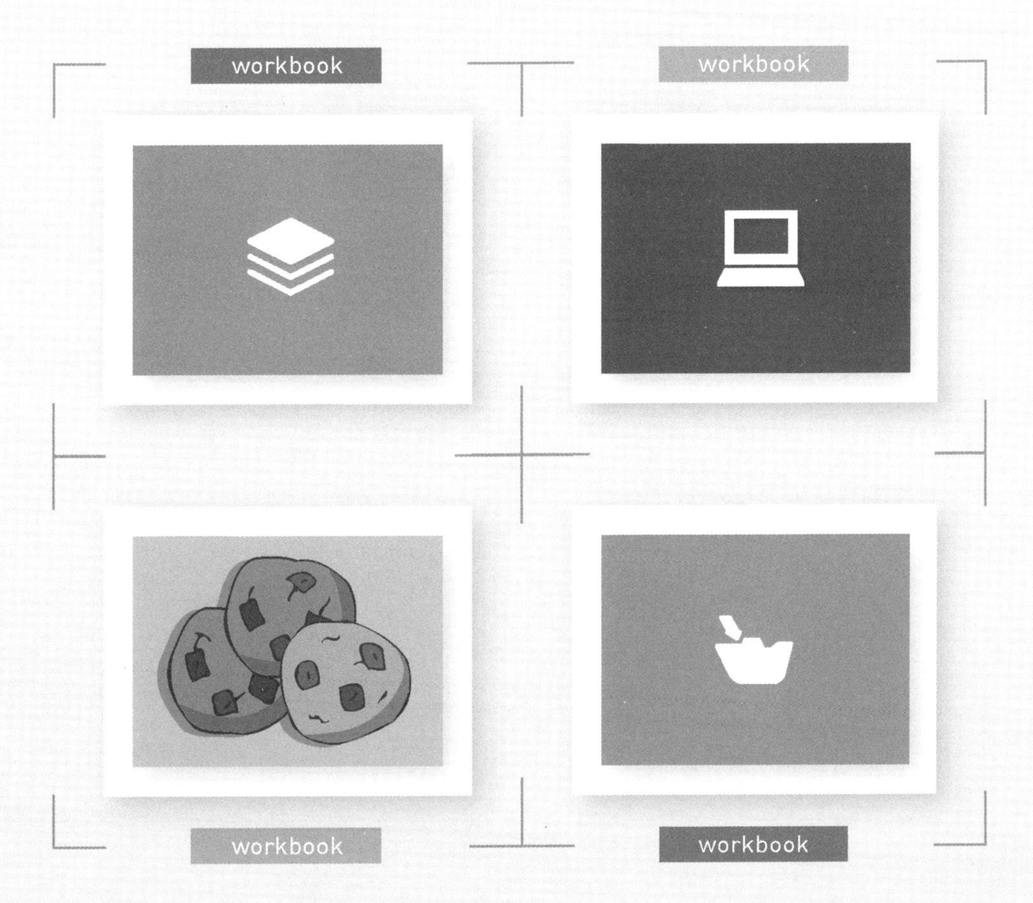

CHAPTER 06

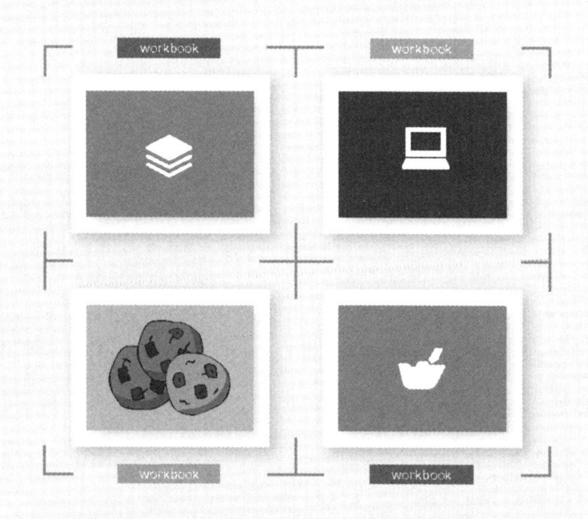

든든한 JAVA_programming with a workbook

든든한 JAVA
programming with a workbook

1 객체지향이란 무엇인가?

2 클래스와 객체의 관계를 설명하시오.

3 클래스의 인스턴스 변수와 메소드에 대하여 설명하시오.

4 접근제어 지시자와 맞는 설명을 연결하시오.

① private	ⓐ 해당 클래스에서만 접근가능
② default	ⓑ 상속받은 외부 패키지 클래스에서 접근가능
③ protected	ⓒ 해당 패키지 내에서만 접근가능
④ public	ⓓ 어느 클래스에서라도 접근가능

5 생성자란 무엇인가?

6 클래스 내부에 선언된 클래스를 무엇이라 하는가?

7 클래스를 통해 생성된 모든 객체가 동일한 변수의 값을 공유하기 위해서는 어떻게 해야 하는가?

8 생성자 오버로드란 무엇인가?

9 클래스의 인스턴스 변수를 private로 선언하는 것을 장려하는 이유는 무엇인가?

10 클래스에 생성자를 선언하지 않으면 어떻게 되는가?

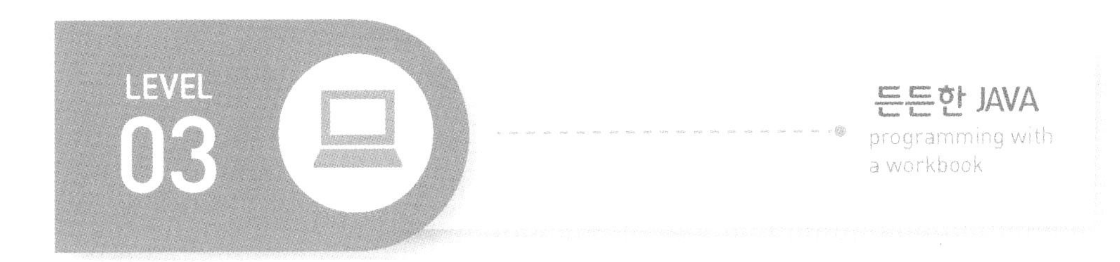

11 객체를 생성 할 때 마다 객체 내부의 counter가 증가하는 프로그램을 작성하시오.

12 다음과 같은 실행 결과가 나오도록 프로그램을 작성하시오.

```
public class Test {
  public static void main(String[] args) {
    Circle myCircle = new Circle(3);

    myCircle.getRound();
    myCircle.getArea();
  }
}
```

[결과]

```
둘레는 18.84입니다.
넓이는 28.26입니다.
```

13 다음과 같은 실행 결과가 나오도록 프로그램을 작성하시오.

```
public class Test {
  public static void main(String[] args) {
    PeopleHeight myHeight = new PeopleHeight();
    PeopleHeight yourHeight = new PeopleHeight(178);

    myHeight.getHeight();
    yourHeight.getHeight();
  }
}
```

[결과]

```
키는: 175cm입니다.
키는: 178cm입니다.
```

CHAPTER 07

LEVEL 1 연습문제
LEVEL 2 연습문제
LEVEL 3 연습문제

CHAPTER 07

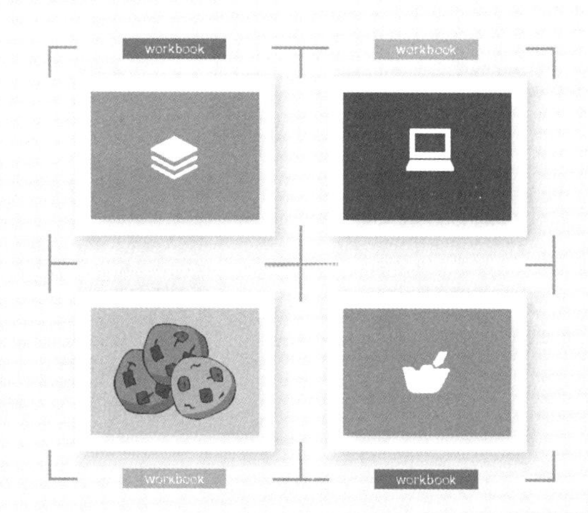

든든한 JAVA_programming with a workbook

든든한 JAVA
programming with a workbook

1 상속이란 무엇인가?

2 메소드 오버라이드란 무엇인가?

3 자바에서 모든 클래스를 상속하는 클래스는 무엇인가?

4 부모 클래스와 자식 클래스의 생성자 호출 순서를 작성하시오.

5 다음중 People 클래스가 Student 클래스를 상속한다고 할 때 객체 생성 시 문제가 되는 것을 고르시오.

① People std = new People();
② People std = new Student();
③ Student std = new People();
④ Student std = new Student();

6 상속을 실행하는 키워드는 무엇인가?

든든한 JAVA
programming with
a workbook

7 상속 시 단방향의 IS-A 관계로 상속관계를 맺는 것이 좋은 이유는 무엇인가?

8 메소드 오버라이딩 하여 부모클래스와 자식클래스에 동일한 이름을 가진 메소드가 생성되었을 경우 부모클래스의 메소드에 접근하기 위해 사용되는 키워드는 무엇인가?

9 Object 클래스의 메소드와 기능을 연결하시오.

① boolean equals(Object obj)	ⓐ 두 객체가 같은지 비교
② Class getClass()	ⓑ 객체를 문자열로 반환
③ String toString()	ⓒ 객체의 클래스 형을 반환
④ int hashCode()	ⓓ 객체의 코드 값을 반환

10 다음과 같은 상속 관계에 있을 때 자식 클래스인 Student 클래스에서 사용 할 수 있는 인스턴스 변수와 메소드는 무엇인가?

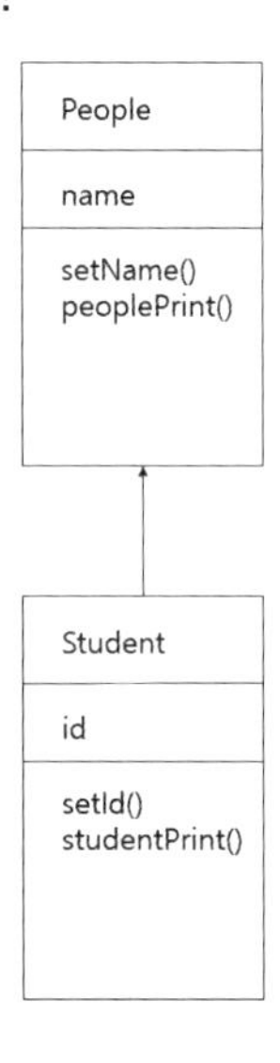

든든한 JAVA
programming with a workbook

11 eat 메소드를 가지는 Animal 클래스를 생성하고 Animal 클래스를 상속 받는 Wolf, Rabbit, Cow클래스를 생성한 후 반복문을 이용하여 Wolf, Rabbit, Cow의 eat 메소드를 호출하여 결과와 같이 동물들이 먹는 음식을 출력하는 프로그램을 작성하시오.

[결과]

```
늑대는 고기를 먹습니다.
토끼는 당근을 먹습니다.
소는 풀을 먹습니다.
```

12 다음과 같은 Music클래스를 선언하고 객체배열 3개를 만들어 객체생성 시("베토벤", "운명"), ("헨델", "메시아"), ("비발디", "사계")로 설정하고 반복문을 이용하여 다음과 같이 출력하는 프로그램을 작성하시오.

Music
name song
getName() getSong() setName() setName() printPlaydata()

[결과]

```
-- 플레이 리스트 --
베토벤의 운명
헨델의 메시아
비발디의 사계
```

13 문제 2의 Music 클래스를 상속 받는 GenreMusic 클래스가 아래와 같을 때 객체배열을 이용하여 다음과 같은 결과가 나오도록 프로그래밍 하시오.

GenreMusic
genre

[결과]

```
-- 플레이 리스트 --
베토벤의 운명
베토밴의 운명 (교향곡)
헨델의 메시아
헨델의 메시아 (오라토리오)
비발디의 사계
헨델의 메시아 (협주곡)
```

CHAPTER 08

LEVEL 1 연습문제
LEVEL 2 연습문제
LEVEL 3 연습문제

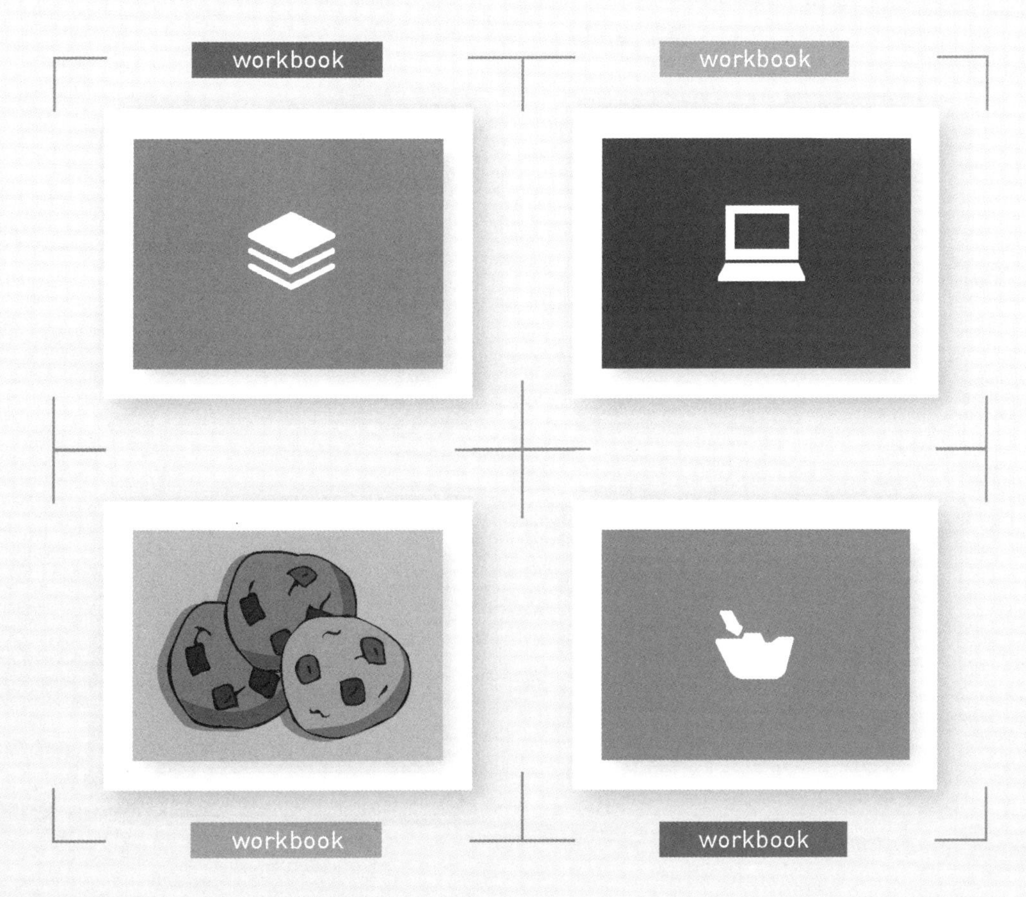

든든한 JAVA_programming with a workbook

CHAPTER 08

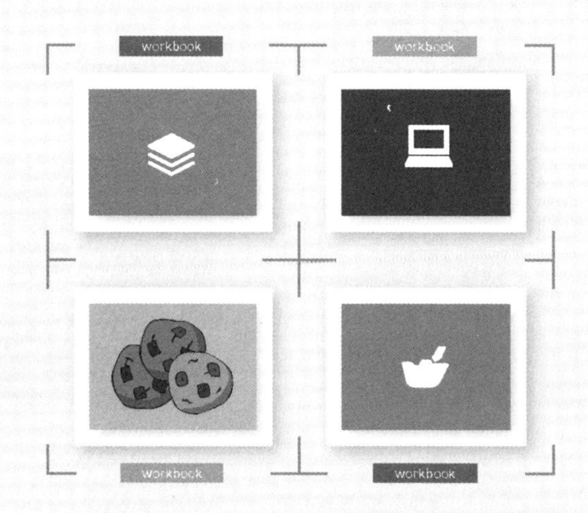

든든한 JAVA_programming with a workbook

든든한 JAVA
programming with
a workbook

1 추상화 메소드란 무엇인가?

2 추상화 클래스란 무엇인가?

3 JAVA에서 인터페이스란 무엇인가?

4 추상화를 선언하는 키워드는 무엇인가?

5 추상화 클래스는 일반 클래스 상속 받을 수 있는가? 있다면 일반 클래스에서 처리해야 될 사항은 무엇인가?

6 JAVA에서는 하나의 클래스는 여러 개의 부모클래스를 가질 수 있는가?

7 인터페이스는 추상화 클래스를 상속 받을 수 있는가?

8 클래스가 여러 개의 인터페이스를 받을 수 있는 이유는 무엇인가?

9 클래스, 추상화 클래스, 인터페이스를 다음과 같이 정의 한다고 했을 때 아래의 관계를 도식화 하시오.

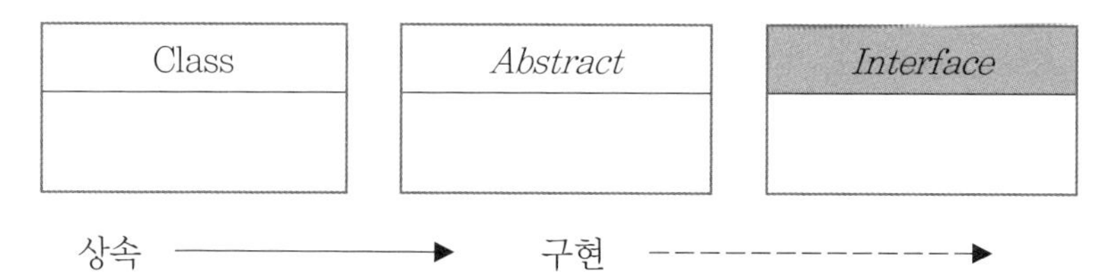

① class Laptop extends Computer
abstract class Computer
class Tablet extends Laptop

② abstract class Animal
class Dog extends Animal
class Cat extends Animal

③ class Car implements
interface Wheel
interface Engine

10 eat 메소드를 가지는 Animal 추상화 클래스를 생성하고 Animal 클래스를 상속 받는 Wolf, Rabbit, Cow클래스를 생성한 후 반복문을 이용하여 Wolf, Rabbit, Cow의 eat 메소드를 호출하여 결과와 같이 동물들이 먹는 음식을 출력하는 프로그램을 작성하시오.

[결과]

```
늑대는 고기를 먹습니다.
토끼는 당근을 먹습니다.
소는 풀을 먹습니다.
```

11 다음과 같은 Playlist 인터페이스를 받는 Music클래스를 선언하고 객체배열 3개를 만들어 객체생성 시(“베토벤”, “운명”. “교향곡”), (“헨델”, “메시아”, “오라토리오”), (“비발디”, “사계”, “협주곡”)으로 설정하고 반복문을 이용하여 다음과 같이 출력하는 프로그램을 작성하시오.

Playlist
printPlaylist()

Music
name song genre

[결과]

```
— 플레이 리스트 —
베토밴의 운명 (교향곡)
헨델의 메시아 (오라토리오)
헨델의 메시아 (협주곡)
```

CHAPTER 09

LEVEL 1 연습문제
LEVEL 2 연습문제
LEVEL 3 연습문제

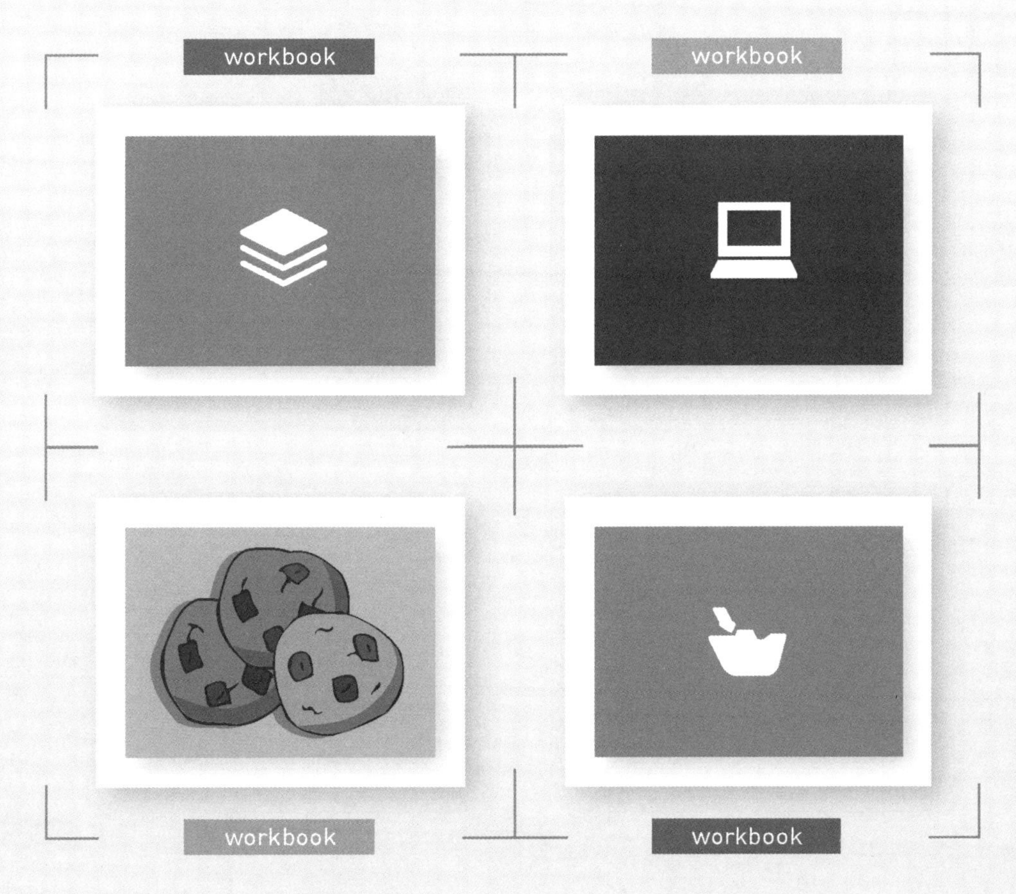

CHAPTER 09

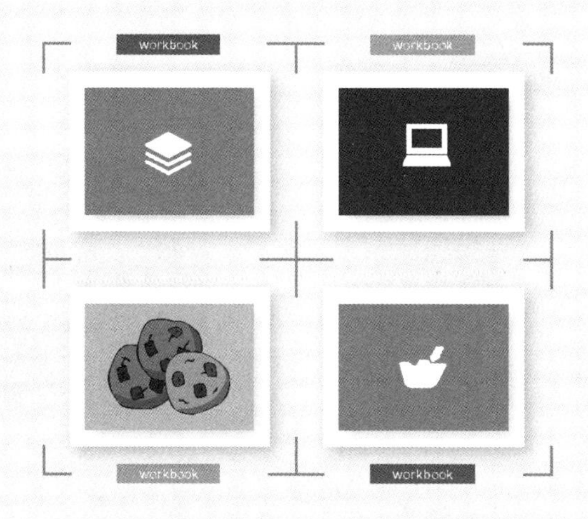

든든한 JAVA_programming with a workbook

든든한 JAVA
programming with
a workbook

1 예외 처리란 무엇인가?

2 다음 키워드에 대하여 설명하시오.

① try

② catch

③ throws

④ finally

3 JAVA에서 예외를 생성하는 클래스는 무엇인가?

4 JAVA에서 예외가 발생하였을 때 어떻게 행동해야 하는가?

든든한 JAVA
programming with a workbook

5 다음 코드에서 오류가 발생하였을 경우 출력되는 결과 값을 작성하시오.

```
try {
  bad.badCode(true);
  System.out.println("프로그램 실행");
}catch (Exception e){
  System.out.println("오류 발생");
}
```

6 다음 코드에서 오류가 발생하지 않았을 경우 출력되는 결과 값을 작성하시오.

```
try {
  bad.badCode(true);
  System.out.println("프로그램 실행");
}catch (Exception e){
  System.out.println("오류 발생");
}
```

7 다음 코드에서 IOException 오류가 발생하였을 경우 출력되는 결과 값을 작성하시오.

```
try {
  bad.badCode(true);
  System.out.println("프로그램 실행");
}catch (IOException e){
  System.out.println("IOException 오류 발생");
}finally {
  System.out.println("프로그램 종료");
}
```

8 다음 코드가 실행 되도록 수정하시오.

```
try {
   bad.badCode(true);
   System.out.println("프로그램 실행");
 }catch (Exception e){
   System.out.println("오류 발생");
 }catch (IOException e){
   System.out.println("IOException 오류 발생");
 }finally {
   System.out.println("프로그램 종료");
 }
```

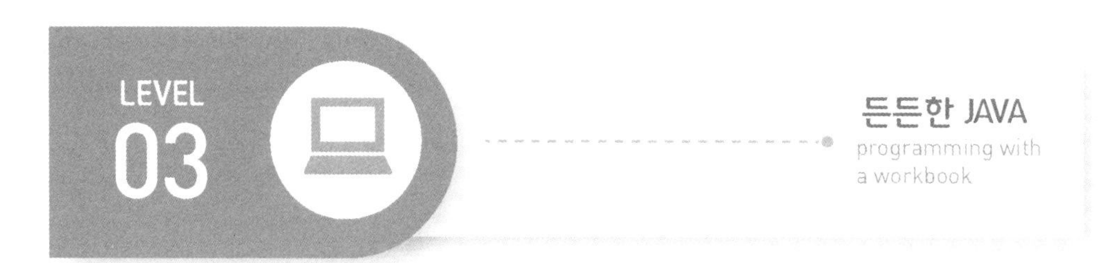

9 MyException 클래스를 생성하여 홀수를 입력받으면 예외를 발생하는 프로그램을 작성하시오.

10 두 개의 숫자를 받아 덧셈을 하는 프로그램에서 문자를 입력받았을 때 예외를 처리하는 프로그램을 작성하시오.

CHAPTER 10

LEVEL 1 연습문제
LEVEL 2 연습문제
LEVEL 3 연습문제

CHAPTER 10

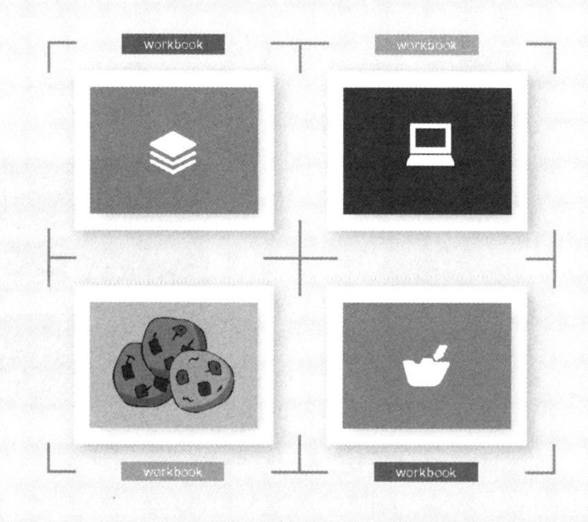

든든한 JAVA
programming with
a workbook

1 JAVA에서 데이터를 파일에 저장할 때 파일의 데이터 입출력을 동시에 할 수 있는가? 없다면 그 이유는 무엇인가?

2 다음 코드에서 test.txt 파일에 데이터를 저장할 때 기존의 데이터를 유지하고 그 뒤에 새로운 데이터를 삽입하기 위해서는 어떻게 해야 하는가?

```
FileOutputStream file = new FileOutputStream(                    );
```

3 다음 중 다른 동작을 하는 명령어는 무엇인가?

① FileOutputStream file = new FileOutputStream("test.txt");

② FileInputStream file = new FileInputStream("test.txt");

③ FileWriter file = new FileWriter("test.txt");

④ PrintWriter file = new PrintWriter("test.txt");

4 SimpleDateFormat의 패턴과 맞는 예시를 연결하시오.

① "yyyy.MM.dd G 'at' HH:mm:ss z"	ⓐ Wed, 4 Jul 2001 12:08:56 -0700
② "yyyyy.MMMMM.dd GGG hh:mm aaa"	ⓑ 2001.07.04 AD at 12:08:56 PDT
③ "EEE, d MMM yyyy HH:mm:ss Z"	ⓒ 2001-07-04T12:08:56.235-0700
④ "yyyy-MM-dd'T'HH:mm:ss.SSSZ"	ⓓ 2001-07-04T12:08:56.235-07:00
⑤ "yyyy-MM-dd'T'HH:mm:ss.SSSXXX"	ⓔ 02001.July.04 AD 12:08 PM

5 파일 입출력 시 사용되는 예외는 무엇인가?

든든한 JAVA
programming with
a workbook

6 인터페이스는 추상화 클래스를 상속 받을 수 있는가?

7 클래스가 여러 개의 인터페이스를 받을 수 있는 이유는 무엇인가?

8 Object 클래스의 메소드와 기능을 연결하시오.

① boolean equals(Object obj)	ⓐ 두 객체가 같은지 비교
② Class getClass()	ⓑ 객체를 문자열로 반환
③ String toString()	ⓒ 클래스 형을 반환
④ int hashCode()	ⓓ 코드 값을 반환

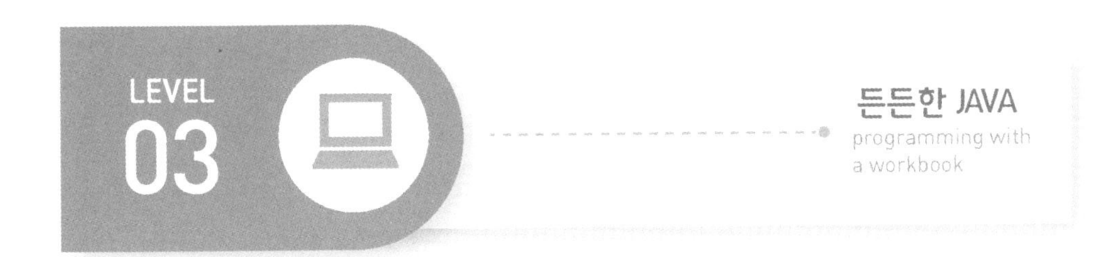

9 사용자가 입력한 문장을 파일로 저장하는 프로그램을 작성하시오.

10 다음 파일을 읽고 소문자를 모두 대문자로 변환하여 다른 이름으로 저장하는 프로그램을 작성하시오.

```
I take thee at thy word.
Call me but love, and I'll be new baptized.
Henceforth I never will be Romeo.
```

11 사용자가 입력한 파일명을 이용하여 파일을 읽고 출력하는 프로그램을 작성하시오.

[결과]

```
파일명을 입력하시오:
Poetry.txt

Poetry.txt 파일의 내용
죽는 날까지 하늘을 우러러
한 점 부끄럼이 없기를,
잎새에 이는 바람에도
나는 괴로워했다.
별을 노래하는 마음으로
모든 죽어 가는 것을 사랑해야지
그리고 나한테 주어진 길을
걸어가야겠다.

오늘 밤에도 별이 바람에 스치운다.
```

CHAPTER 11

LEVEL 1 연습문제
LEVEL 2 연습문제
LEVEL 3 연습문제

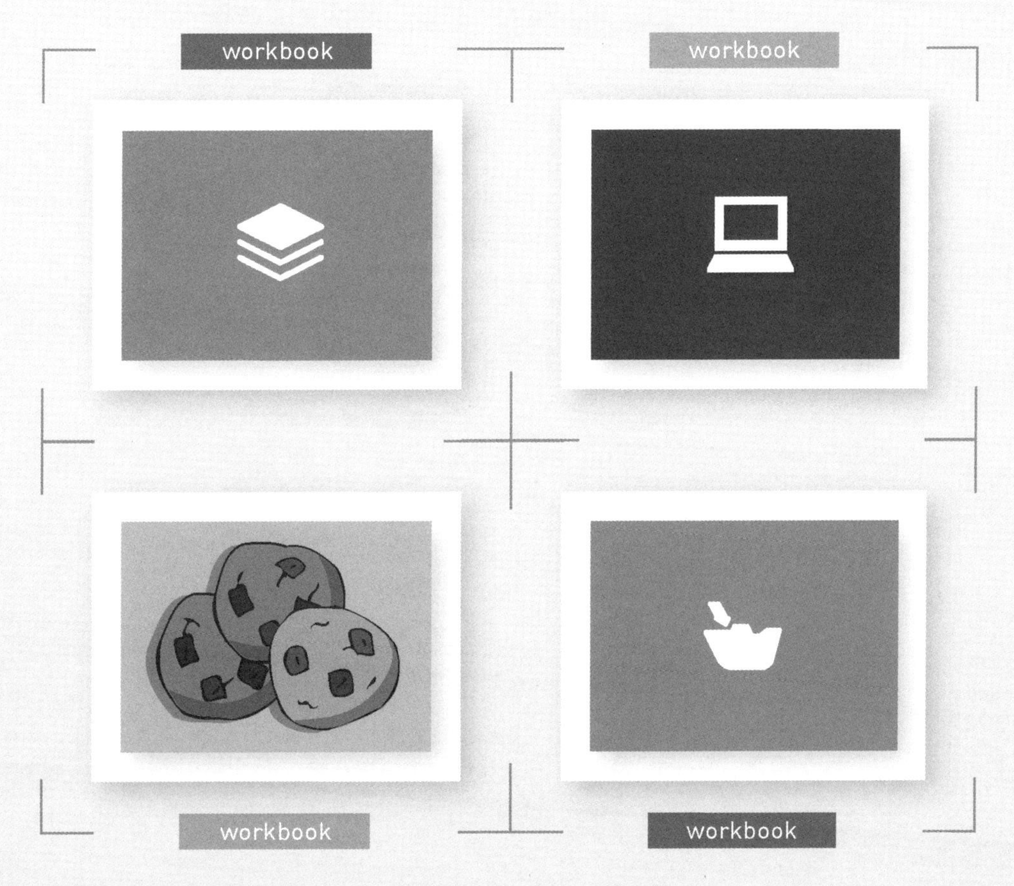

CHAPTER 11

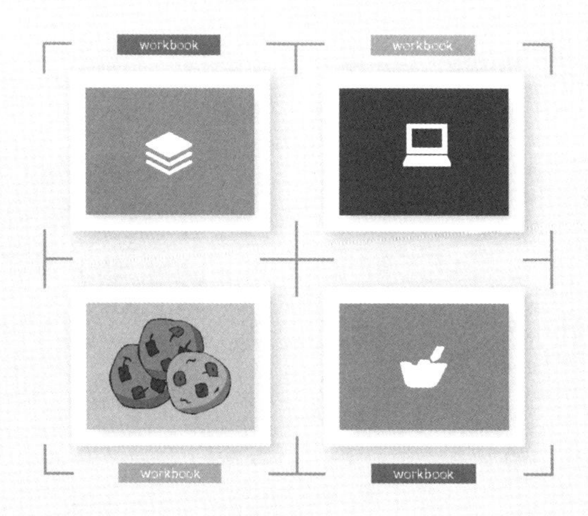

든든한 JAVA_programming with a workbook

든든한 JAVA
programming with
a workbook

1 프로세스란 무엇인가?

2 쓰레드란 무엇인가?

3 멀티 프로세스와 멀티 쓰레드에 대하여 설명 하시오.

4 쓰레드의 메소드와 기능을 연결하시오.

메소드	기능
① void sleep(long msec)	ⓐ 쓰레드를 시작 run() 메소드를 호출함
② void start()	ⓑ 쓰레드가 끝날 때 까지 대기함
③ void join()	ⓒ 다른 쓰레드에게 실행 상태를 양보하고 준비 상태로 돌아감
④ void suspend()	ⓓ 쓰레드를 종료함
⑤ void resume()	ⓔ 지정된 시간동안 쓰레드를 대기시킴
⑥ void yield()	ⓕ 일시 정지된 쓰레드를 다시 실행시킴
⑦ void stop()	ⓖ 쓰레드를 일시 정지시킴

5 동기화(synchronized)란 무엇인가?

6 Thread 클래스를 이용하여 쓰레드를 생성하는 방법과 Runnable 인터페이스를 이용하여 쓰레드를 생성하는 방법에 대하여 설명하시오.

7 다음의 코드가 동작하도록 [ ] 를 채우시오.

```
public class MyRunnable implements Runnable{

  [            ] {
    System.out.println("Start Thread");
  }
}
```

8 쓰레드를 이용하여 10초 동안 프로그램이 멈췄다가 다시 실행되는 프로그램을 작성하시오.

```
public class MyRunnable implements Runnable{

  public void run() {
    System.out.println("동작을 실행 합니다.");
[                                              ]

  }
  System.out.println("동작을 종료 합니다.");
  }
}
```

9 두 개의 쓰레드를 실행하여 교차로 쓰레드가 실행되는 프로그램을 작성하시오.

```
public class Test {
  public static void main(String[] args) {

    Thread myThread1 = new MyThread();
    Thread myThread2 = new MyThread();

    myThread1.setName("Thread One");
    myThread2.setName("Thread Two");

    myThread1.start();
    myThread2.start();
  }
}
```

[결과]

```
Thread One가 동작을 합니다.
Thread Two가 동작을 합니다.
Thread One가 동작을 합니다.
Thread Two가 동작을 합니다.
Thread One가 동작을 합니다.
Thread Two가 동작을 합니다.
Thread One가 동작을 합니다.
Thread Two가 동작을 합니다.
Thread One가 동작을 합니다.
Thread Two가 동작을 합니다.
```

10 3개의 쓰레드를 이용하여 각각의 쓰레드가 1부터 31까지의 숫자를 순차적으로 출력한다. 최대 3개까지 출력하여 마지막 숫자인 31을 출력한 쓰레드가 패배하는 프로그램을 작성하여라.

[결과]

```
Thread One의 출력: 1 2
Thread Two의 출력: 3 4 5
Thread Three의 출력: 6 7
Thread One의 출력: 8
Thread Two의 출력: 9 10 11
Thread Three의 출력: 12 13
Thread One의 출력: 14 15
Thread Two의 출력: 16 17 18
Thread Three의 출력: 19
Thread One의 출력: 20 21
Thread Two의 출력: 22 23 24
Thread Three의 출력: 25 26
Thread One의 출력: 27 28
Thread Two의 출력: 29 30
Thread Three의 출력: 31
Thread Three가 패배하였습니다.
```

CHAPTER 12

LEVEL 1 연습문제
LEVEL 2 연습문제
LEVEL 3 연습문제

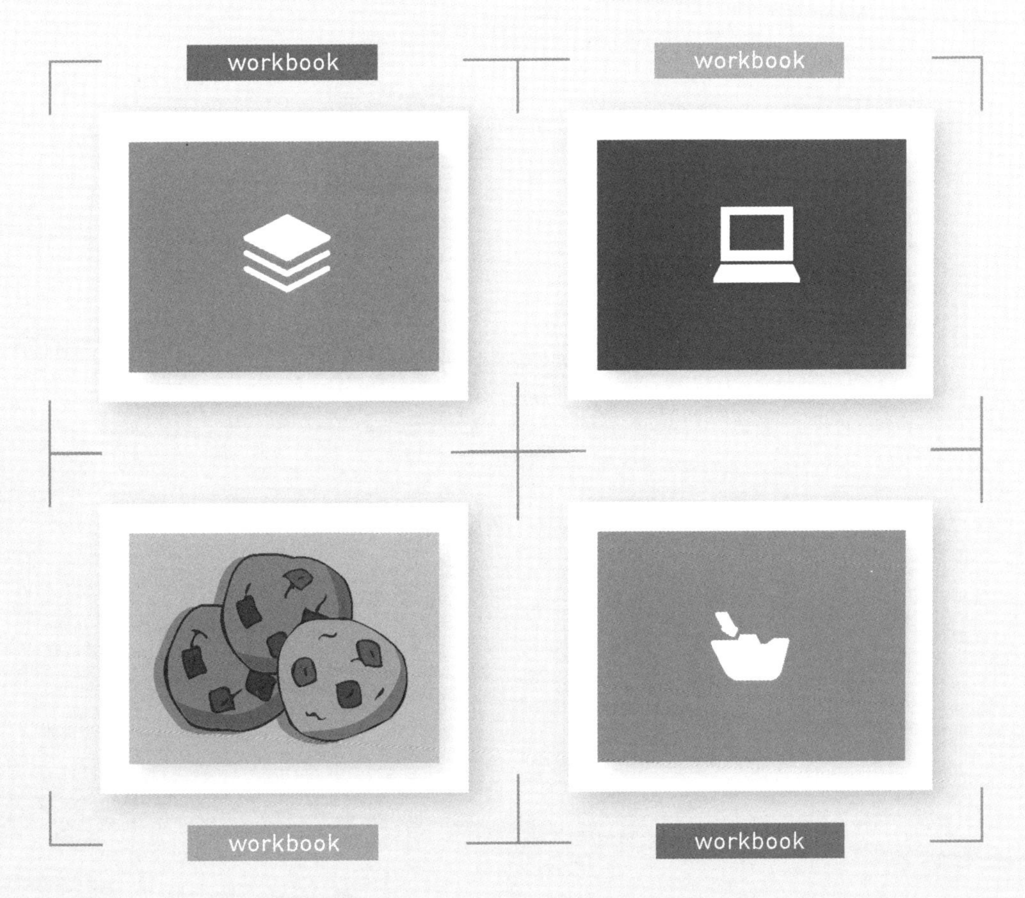

CHAPTER 12

1 Socket이란 무엇인가?

2 TCP란 무엇인가?

3 UDP란 무엇인가?

4 다음은 TCP의 통신 순서이다. 보기의 키워드를 알맞은 숫자에 넣으시오.

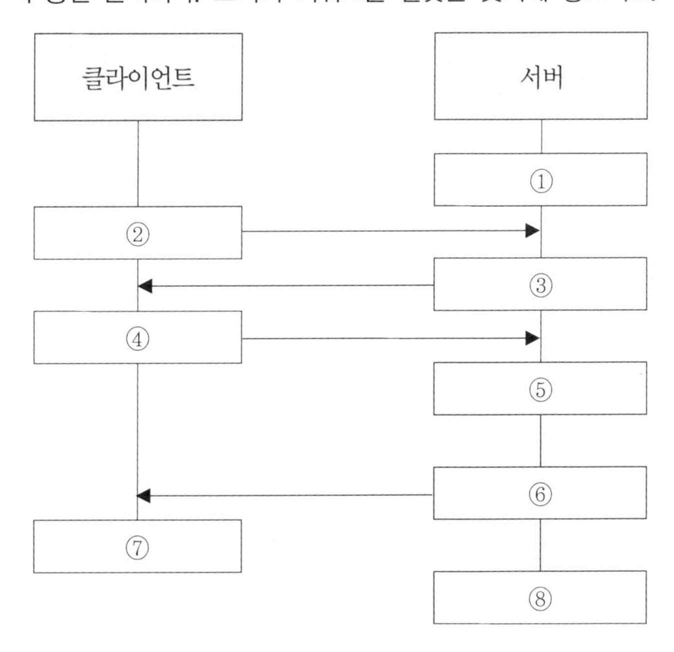

[보기]

㉠ 메시지 전송	㉡ 메시지 송신	㉢ 연결 대기
㉣ 연결 해제	㉤ 연결 요청	㉥ 연결 승인

5 다음은 UDP의 통신 순서이다. 보기의 키워드를 알맞은 숫자에 넣으시오.

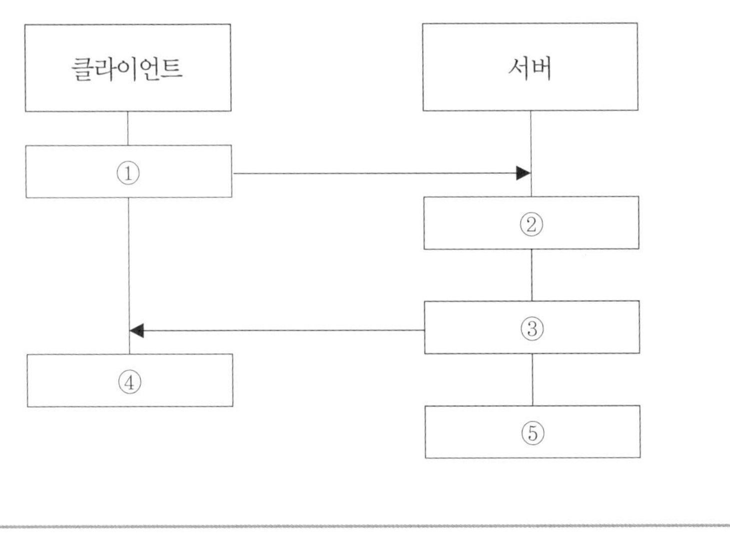

[보기]

㉠ 메시지 전송	㉡ 메시지 송신	㉢ 연결 대기
㉣ 연결 해제	㉤ 연결 요청	㉥ 연결 승인

6 서버와 클라이언트란 무엇인가?

7 서버 프로그램이 다음과 같을 때 연결 가능한 클라이언트 프로그램을 작성하시오. (서버의 주소는 localhost 임)

```
import java.io.*;
import java.net.*;

public class SimpleServer {
  public void play() {
    try {
      ServerSocket server = new ServerSocket(5080);
      if (server.accept() != null)
        System.out.println("연결 성공");
      server.close();
    }catch (IOException e){
      e.printStackTrace();
    }
  }

  public static void main(String[] args) {
    SimpleServer simServer = new SimpleServer();
    simServer.play();
  }
}
```

8 서버 프로그램이 다음과 같을 때 연결 가능한 클라이언트 프로그램을 작성하시오. (서버의 주소는 localhost 임)

```
import java.io.*;
import java.net.*;

public class SimpleServer {
  public void play() {
    try {
      DatagramSocket sock = new DatagramSocket(5080);

      byte [] date = new byte[Byte.MAX_VALUE];

      DatagramPacket dataPack = new DatagramPacket(date, date.length);

      sock.receive(dataPack);

        msg = new String(dataPack.getData(),"UTF-8");
        System.out.println("받은 내용  : " + msg);
      }
    }catch (IOException e){
      e.printStackTrace();
    }
  }

  public static void main(String[] args) {
    SimpleServer simServer = new SimpleServer();
    simServer.play();
  }
}
```

9 Object 클래스의 메소드와 기능을 연결하시오.

① boolean equals(Object obj)	ⓐ 두 객체가 같은지 비교
② Class getClass()	ⓑ 객체를 문자열로 반환
③ String toString()	ⓒ 객체의 클래스 형을 반환
④ int hashCode()	ⓓ 객체의 코드 값을 반환

든든한 JAVA
programming with
a workbook

10 콘솔을 이용하여 다중사용자가 접속 가능한 채팅프로그램을 작성하시오.

11 클라이언트가 서버에 전송한 String 데이터가 txt파일에 저장되는 프로그램을 작성하시오.

CHAPTER 13

LEVEL 1 연습문제
LEVEL 2 연습문제
LEVEL 3 연습문제

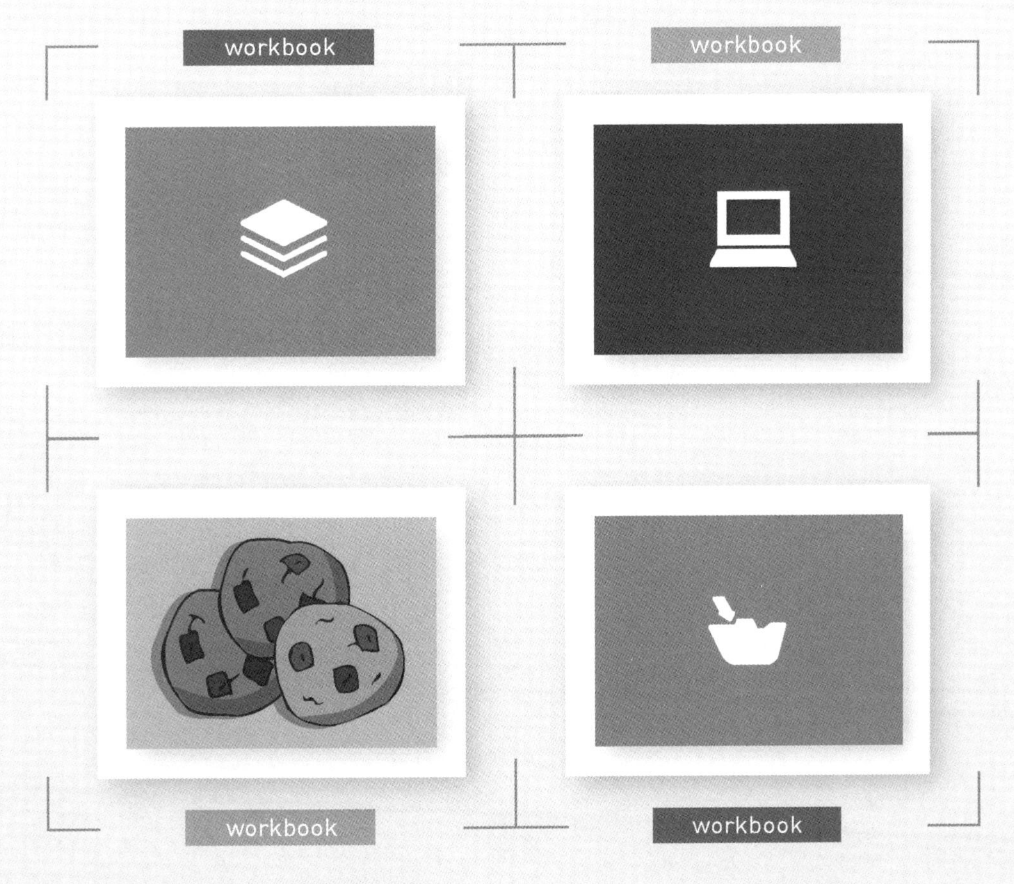

CHAPTER 13

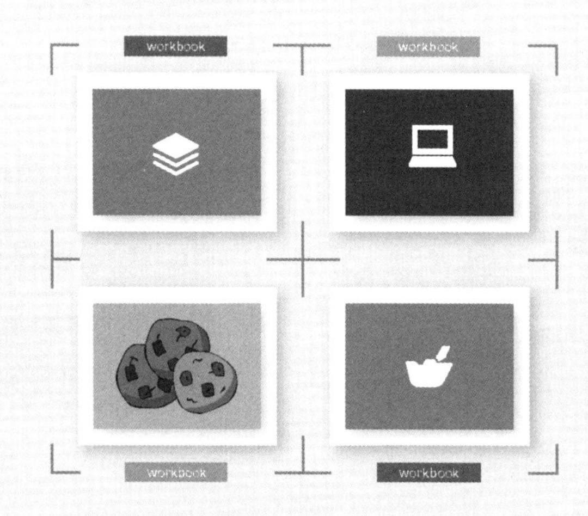

든든한 JAVA_programming with a workbook

든든한 JAVA
programming with
a workbook

1 GUI는 무엇의 약자인가?

2 JAVA에서 버튼을 생성하기 위해 사용되는 라이브러리는 무엇인가?

3 JAVA에서 fram이라는 프레임을 생성하여 창을 닫을 때 프로그램도 같이 종료되도록 작성하시오.

4 다음 레이아웃과 관련된 그림을 연결하시오.

① BorderLayout

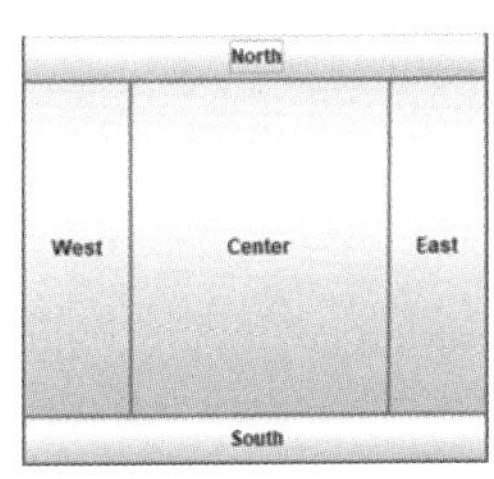

② FlowLayout

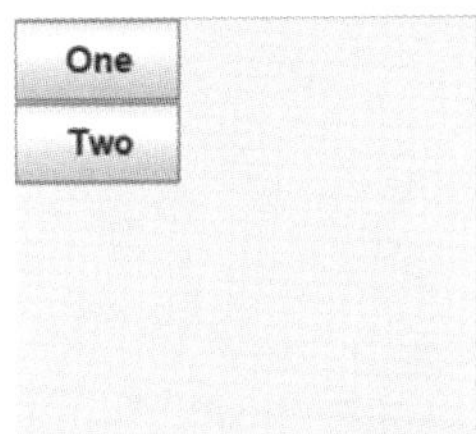

③ BoxLayout

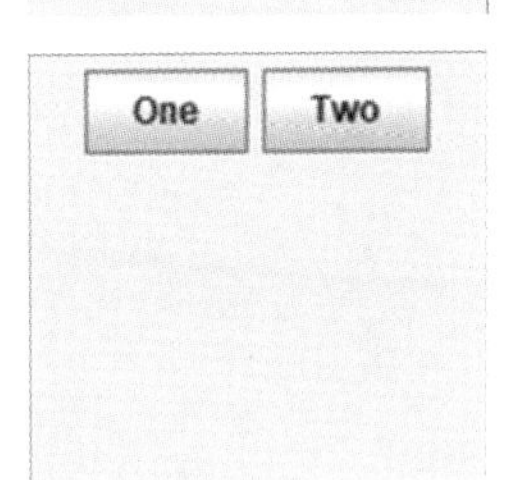

5 이벤트 리스너란 무엇인가?

6 확인 버튼이 들어간 창을 출력하시오.

7 버튼을 누르면 사진이 출력되는 프로그램을 작성하시오.

8 두 개의 버튼을 이용하여 하나의 버튼을 클릭하면 원 이미지가 생성 되고 다른 버튼을 클릭하면 사각형이 생성되는 프로그램을 작성하시오.

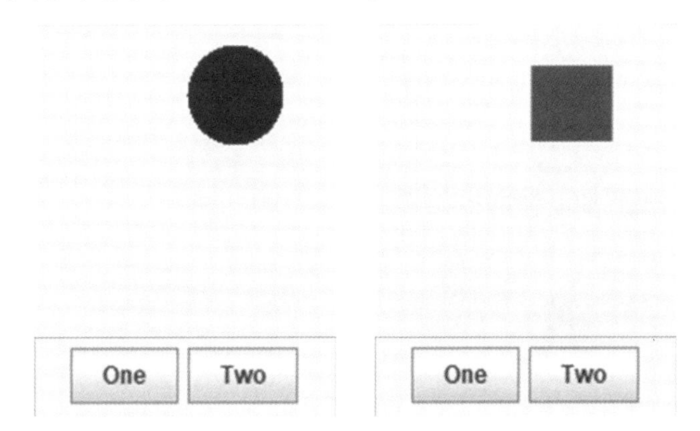

9 JTextField와 JTextArea를 이용하여 TextField에 입력한 문자를 버튼을 눌렀을 때 TextArea에 순차적으로 출력되는 프로그램을 작성하시오.

든든한 JAVA
programming with
a workbook

10 버튼을 누르면 원의 색이 랜덤으로 변하는 프로그램을 작성시오.

11 버튼을 누르면 원이 움직이는 프로그램을 작성하시오.

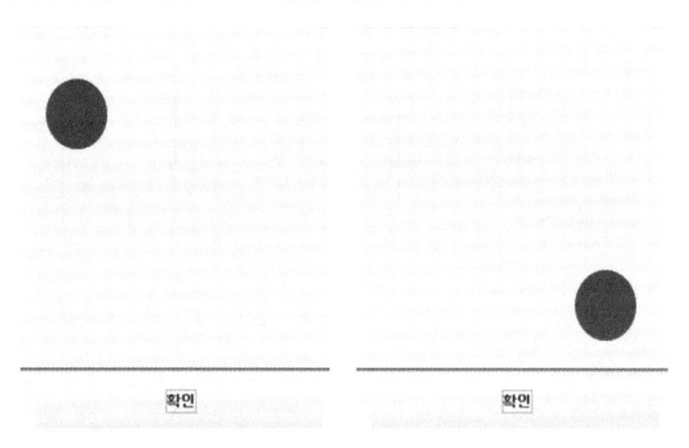

12 버튼을 누르면 원이 색이 랜덤으로 변하며 움직이는 프로그램을 작성하시오.

13 GUI를 이용하여 이름과 학번을 입력 받아 test.txt 파일에 순차적으로 저장하는 프로그램을 작성하시오.

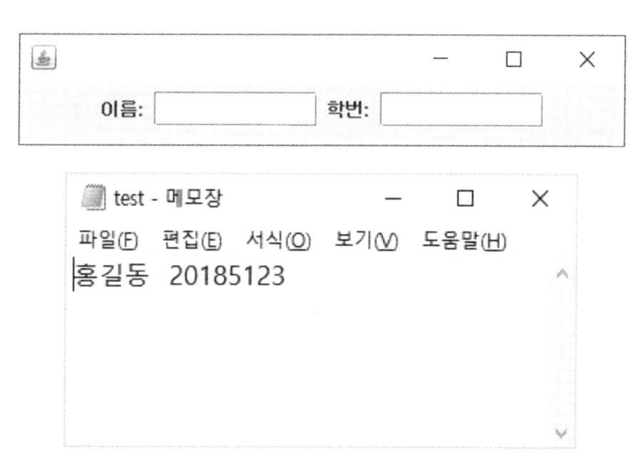